5

LA NARRATIVA DE VARGAS LLOSA

BIBLIOTECA ROMÁNICA HISPÁNICA

DIRIGIDA POR DÁMASO ALONSO

II. ESTUDIOS Y ENSAYOS, 206

JOSÉ LUIS MARTÍN

LA NARRATIVA DE VARGAS LLOSA

ACERCAMIENTO ESTILÍSTICO

BIBLIOTECA ROMÁNICA HISPÁNICA

EDITORIAL GREDOS

MADRID

© JOSÉ LUIS MARTÍN, 1979.

EDITORIAL GREDOS, S. A.

Sánchez Pacheco, 81, Madrid. España.

PRIMERA EDICIÓN, mayo de 1974.
1.ª Reimpresión, noviembre de 1979.

Depósito Legal: M. 36228-1979.

ISBN 84-249-0561-X. Rústica.
ISBN 84-249-0562-8. Tela.

Impreso en España. Printed in Spain.

Gráficas Cóndor, S. A., Sánchez Pacheco, 81, Madrid, 1979. — 5089.

A mi cordial amigo Ricardo Alegría,
Director Ejecutivo del Instituto de Cultura Puertorriqueña y orientador de nuestro pueblo.

«En el principio fue el Verbo...»

JUAN DE PATMOS

INTRODUCCIÓN

El presente estudio es una aproximación estilística a la narrativa de Mario Vargas Llosa. Abarcamos aquí desde *Los jefes* hasta *Conversación en la Catedral*. Glosando a Squirru, entendemos que lo que toca al crítico es «enfrentarse con la obra y, a partir de ella, dilucidar los valores que la animan»[1]. Tal ha sido nuestro objetivo en el examen de las obras narrativas de Vargas Llosa, fiel a la más exigente crítica estilística de nuestros días. Si bien es cierto en un sentido que en el género novelístico la totalidad no es jamás sistematizable sino en un nivel abstracto, siguiendo el mejor criterio de Lukács[2], podemos penetrar hasta su estructura interior y su verdadera cosmovisión vía ciertos procedimientos de *análisis-síntesis* que utilizamos en la presente obra.

Hemos dividido nuestro estudio en tres partes fundamentales. La primera, que titulamos *Preliminares*, abarca, a manera de introducción general, dos capítulos: uno, enfocando globalmente la novelística hispanoamericana de hoy, y otro en que desarrollamos el criterio de Vargas Llosa sobre

---

[1] Rafael Squirru, «Libros», *Américas*, diciembre de 1966, pág. 36.
[2] Georg Lukács, *Teoría de la novela*, Buenos Aires, Ediciones Siglo Veinte, 1966, pág. 67.

la novela actual, a la vez que incluimos breves datos biográficos. La segunda parte, de tres capítulos, se titula *Temática*, y en ella analizamos el *tema-eje* de la narrativa vargas-llosiana y todos los más importantes temas derivados. La tercera parte, *Técnicas*, de cinco capítulos, va dedicada a un minucioso estudio analítico de los procedimientos experimentales de Vargas Llosa con técnicas viejas y nuevas, y sus originales logros personales en ese aspecto.

Remata nuestra obra con una *Bibliografía Selectiva* y varios *Apéndices* ilustrativos. No pretendemos, como señalamos en los últimos párrafos de este libro, haber agotado exhaustivamente el análisis total de las obras narrativas de Vargas Llosa que estudiamos aquí. Muy al contrario, nos parece que hemos señalado caminos vírgenes que todavía pueden ser trillados con sumo éxito para revelar nuevos valores en esta narrativa.

A pesar de que Mario Vargas Llosa está aún en todo el apogeo de su producción novelística, nos complace saber que ya existen varios estudios de conjunto sobre su narrativa, y que hay otros en preparación actualmente. Nos estamos refiriendo, por ejemplo, a libros como los siguientes: *Mario Vargas Llosa: la invención de una realidad* (Barcelona, Seix-Barral, 1970), de José Miguel Oviedo; *Mario Vargas Llosa y la literatura en el Perú de hoy* (Santa Fe, Ediciones Colmegna, 1969), de Rosa Boldori; *Style and technique in the novels and short stories of Mario Vargas Llosa, in relation to moral intention* (Londres, King's College, 1969, tesis), de Luis Alfonso Díez. De éstos, el libro de Oviedo es un estudio orgánico, magistral. El de Boldori es la refundición de tres ensayos que la autora publicó en revistas peruanas y que han sido aunados para producir su libro. El de Díez es una tesis que está sujeta, a pesar de sus hallazgos, **a las limitaciones de toda tesis.**

El enfoque de José Miguel Oviedo y el nuestro, sobre la obra de Vargas Llosa, son diferentes. Oviedo estudia cada obra individualmente, como si hiciera un análisis especializado de cada una, lo cual lo lleva a repetir ideologías y procedimientos, que se dan en una y otra, o a ver sus diferencias; luego presenta una síntesis de tres páginas. En cambio, nosotros buscamos la temática global y esencial que es constante en todas sus obras, y estudiamos luego las técnicas más dominantes en la unidad de su narrativa. Oviedo da más importancia que nosotros al aspecto biográfico: casi la tercera parte de su libro. En el nuestro, dedicamos solamente un apartado de un capítulo a la biografía. El acercamiento de Oviedo es más histórico y estructuralista; el nuestro es estilístico, con concentración en lo temático-técnico. Reconocemos que la bibliografía de Oviedo es exhaustiva; la nuestra es selectiva[3]. Nos parece, a pesar de las divergencias de enfoque general, que la obra de Oviedo y la nuestra no se oponen, sino que se complementan.

Antes de cerrar estas líneas, deseamos dejar explícita nuestra gratitud para aquellos colegas que leyeron el manuscrito de esta obra y nos dieron valiosas sugerencias. Igualmente quedamos muy agradecidos de la cooperación que nos brindaron varias universidades e instituciones culturales tales como *Illinois State University* en Normal, *University of Illinois* en Urbana, y la Biblioteca del Congreso en Washington, D. C., con acopio de materiales de difícil acceso, fotocopias y otros documentos. El autor se hace único responsable, sin embargo, de las debilidades que pueda tener este estudio.

J. L. M.

Verano de 1971.

---

[3] Las razones de por qué ofrecemos una bibliografía selectiva van explicadas al iniciarse ésta.

PRIMERA PARTE

PRELIMINARES

CAPÍTULO I

LA NOVELÍSTICA HISPANOAMERICANA DE HOY

Si pretendemos analizar la narrativa de uno de nuestros escritores contemporáneos, como lo es Mario Vargas Llosa, es lógico que echemos primero una ojeada a las palpitaciones estilísticas de la novela hispanoamericana de estos días. Con la visión de conjunto que tendremos sobre esta novelística, nos será más fácil ubicar luego la personalidad literaria de nuestro autor. No cabe duda que arribaremos, al final del libro, a grandes sorpresas, cuando veamos que Vargas Llosa es el novelista de más vigoroso, recio y viril estilo, a partir del profundo cambio operado en la novelística hispanoamericana en nuestro siglo.

1. CUÁNDO Y POR QUÉ SURGIÓ EL CAMBIO

Nótese que hemos afirmado claramente «profundo cambio», porque nos estamos refiriendo a la década de 1940, que es la línea divisoria, en términos generales, entre la novelística de tipo tradicional y la de técnicas revolucionarias y experimentalistas [1]. No negamos que antes de esa dé-

---

[1] Muchos críticos han afirmado también que la década del 40 es la línea divisoria a que nos referimos. Entre ellos están Emir Ro-

.cada hubiera cambios y experimentos literarios en el campo de la novela entre nuestros escritores. Los hubo esporádicamente, y sobre todo, en las décadas del 20 y el 30 se despertó un vivo interés en la conciencia estética del novelista, como lastre de los movimientos modernista y postmodernista[2].

Sin embargo, la novela, y aun el cuento inclusive, presentan el fenómeno que ya hemos apuntado en varias ocasiones, de que, a partir de la década de 1940, surgió una enraizada afirmación de renovar la estructura y en general todo el estilo del género narrativo. Esta afirmación nacía de un rechazo definitivo a las técnicas estilísticas ya gastadas en la novela social de tipo telúrico, costumbrista, regionalista, indianista, histórico, político (comprometido o no), y en las no menos importantes novelas psicológicas y de fantasía producidas en Hispanoamérica. Fue un rechazo de plano a los anteriores procedimientos morfosintácticos, léxicos y eufónicos; rechazo a los precedentes diseños estructurales, de cronología lineal; rechazo al viejo punto de vista narrativo, al enfoque omnisciente estereotipado; y al planteamiento mensajístico de tipo simplista.

---

dríguez Monegal, Juan Loveluck, Luis Leal, Luis Monguió y otros. Del primero, véase, sobre todo, *Narradores de esta América*, 1969, págs. 21-23. Cf. Luis Leal, *Breve historia de la literatura hispanoamericana*, 1971, págs. 269-361.

[2] Magnífico ejemplo de ello serían las novelas *Alsino* (1920) de Pedro Prado, *Don Segundo Sombra* (1926) de Ricardo Güiraldes, y *Proserpina rescatada* (1931) de Jaime Torres Bodet, para sólo mencionar algunos casos. Cf. Ivan A. Schulman, «La novela hispanoamericana y la nueva técnica», *Coloquio sobre la novela hispanoamericana* [producto del simposio celebrado en Washington University en 1966, en que participaron Ivan A. Schulman, Manuel Pedro González, Juan Loveluck y Fernando Alegría], México, Fondo de Cultura Económica, 1967, págs. 9-33. Juan Loveluck, «Crisis y renovación en la novela de Hispanoamérica», *Coloquio...* (*op. cit.*), págs. 111-134.

Esa revolución estructural de la novela hispanoamericana en la década del 40 no fue un mero alarde de efímero virtuosismo técnico. La dimensión estilística conllevó, y conlleva todavía, la dimensión social o filosófica que nunca ha sido abandonada por nuestros narradores. En ello vemos una de las grandes diferencias entre nuestros novelistas y los extranjeros. Puesto que no negamos que haya habido paralelamente un intento universal de revolucionar la novela, hemos notado que en otras literaturas la concentración en lo técnico o experimental ha ido tan lejos como para dejar la obra vacía, y también vacíos a los lectores. Podríamos aludir a los experimentos virtuosistas del *nouveau roman*[3]. En cambio, la novelística de Hispanoamérica, desde la década de 1940 hasta hoy, no ha rechazado los eternos temas que siempre nos han preocupado, tanto desde un enfoque nacional como universal. Es decir, el rechazo no ha sido temático, sino estructuralista y técnico.

Existen críticos apasionados y prejuiciados que no ven, o no quieren ver, la dimensión social o filosófica en nuestros actuales novelistas. Hemos dicho ya varias veces que el problema está en los críticos mismos y no en las novelas estudiadas por ellos. Un solo ejemplo bastaría: *Rayuela*. Dentro del complejo laberinto aparencial y las ricas estructuras morfosintácticas, dentro de las siluetas impresionistas de sus misteriosos personajes peripatéticos, hallamos el eje central de la obra: el logrado esfuerzo por expresar el cosmopolitismo del alma argentina, el eclecticismo angustioso del hispanoamericano, y la abulia desesperante del hombre

---

[3] Cf. Mario Benedetti, *Letras del continente mestizo*, 1969, pág. 248; Andrés Amorós, *Introducción a la novela contemporánea*, 1966, páginas 246-255; José Escobar, «Mario Vargas Llosa», *Revista de Occidente*, año III, núm. 26, mayo de 1965, págs. 266-267.

VARGAS LLOSA.—2

contemporáneo, que se encuentra encerrado en el vórtice de un caos vital[4].

La gran fuerza social de la narrativa hispanoamericana, y en general de toda nuestra literatura, es entre nosotros una constante insobornable. La visión nueva de esa temática social, la vibración universal que se le ha impartido, y la inyección de un enfoque contemporáneo, no han eliminado la temática misma. Por el contrario, al ser depurada en la ósmosis de una modernísima técnica estilística, se ha hecho de la novela hispanoamericana de nuestros días el centro de atracción de la narrativa actual en todo el mundo. La interrogante que se planteó el distinguido crítico Luis Monguió en 1951 —«¿por qué no sale la novela hispanoamericana, por su mayor parte, de las ya estereotipadas fórmulas del regionalismo, el criollismo, la novela de la tierra, el indianismo, o la protesta política y social?»—[5] ha quedado contestada con total éxito.

¿Cómo negar que no haya realismo social en el eje narrativo de *La muerte de Artemio Cruz* de Carlos Fuentes[6], o en el *Pedro Páramo* de Juan Rulfo[7], en *Cien años de soledad* de García Márquez[8], o en *La ciudad y los perros* de

---

[4] E. Rodríguez Monegal la llama «novela archiargentina»: *op. cit.*, pág. 24. Cf. Mario Benedetti, «Julio Cortázar, un narrador para lectores cómplices», *op. cit.*, págs. 85-103.

[5] Luis Monguió, «Reflexiones sobre un aspecto de la novela hispanoamericana actual», *La novela iberoamericana* [*Memoria* del quinto Congreso del Instituto Internacional de Literatura Iberoamericana, Alburquerque, 1951], The University of New Mexico Press, 1952, página 95. Véase en esa misma *Memoria*, el artículo «El rasto predominante en la novela hispanoamericana», de José Antonio Portuondo, págs. 77-87.

[6] Cf. Juan Loveluck, «Intención y forma en *La muerte de Artemio Cruz*», *Nueva Narrativa Hispanoamericana*, vol. I, núm. 1, enero de 1971, págs. 105-116.

[7] Cf. Hugo Rodríguez Alcalá, *El arte de Juan Rulfo*, 1965.

[8] Cf. E. Rodríguez Monegal, «Novedad y anacronismo de *Cien*

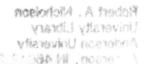

Vargas Llosa?[9]. Existe un diapasón social filtrado por las membranas del nuevo estilo novelístico que surgió en la década de 1940. Sin embargo, tenemos que dejar firmemente establecido que los promotores de ese cambio revolucionario de la narrativa hispanoamericana en esa década, fueron, entre otros, Borges, Marechal, Carpentier, Yáñez, y sobre todo Miguel Ángel Asturias. En 1946 la novela *El señor presidente* señala ya un drástico cambio estilístico en la concepción y exposición narrativas. Asturias culmina este cambio en 1949 con *Hombres de maíz*. En la novelística hispanoamericana habrá que hablar siempre en términos de «antes y después de Miguel Ángel Asturias»[10].

2. PROBLEMA GENERACIONAL

No vamos a abordar el tema de las generaciones literarias en el sentido que ya lo han hecho, aunque con otros propósitos, Pinder, Peyre, Petersen, Serrano Poncela, Ortega y Gasset, Julián Marías, y varios más. Nuestra posición es que, a partir de Miguel Ángel Asturias, nuestros novelistas forman, en términos globales, *una sola generación con variantes*[11]. No todos los críticos han expresado lo mismo.

---

años de soledad», *Nueva Narrativa Hispanoamericana*, vol. I, núm. 1, enero de 1971, págs. 17-39. [Publicado anteriormente en la *Revista Nacional de Cultura*, Caracas, 1968, núm. 185, págs. 3-23. Este número de la revista venezolana está dedicado casi todo a García Márquez.]

[9] Cf. Rafael Squirru, «*La ciudad y los perros*, de Mario Vargas Llosa», *Américas*, diciembre de 1966, pág. 36.

[10] Véase nuestra obra *Literatura hispanoamericana contemporánea*, capítulo 9, apartado 4, dedicado a Miguel Ángel Asturias. Véase también el número homenaje a Asturias, que le dedicó la *Revista Iberoamericana*, núm. 67, enero-abril de 1969.

[11] Señalamos esto en una conferencia que dictamos ante la matrícula de la *American Association of Teachers of Spanish and Portuguese*, en Springfield, Illinois, el 6 de noviembre de 1970.

Muchos establecen distinciones generacionales vigorosamente separadas. Así, Emir Rodríguez Monegal define cuatro generaciones —o grupos generacionales— basándose en algunas diferencias temático-estructurales. Así lo ha expresado en varios de sus libros, como *Narradores de esta América*, y en la antología de traducciones al inglés que publicó la revista *Tri-Quarterly*, de Northwestern University en 1969 [12].

En cambio, el crítico mexicano José Luis Martínez, ha abordado el problema generacional de nuestros novelistas contemporáneos, basándose en fechas de nacimiento. Ha llegado a encontrar hasta cinco generaciones en un período de poco menos de cincuenta años, como afirma en la *Revista mexicana de cultura* [13].

El mismo Vargas Llosa, en artículo que publicara el *Times Literary Supplement*, de Londres, en 1968, establece dos generaciones: los «primitivos o telúricos» y los «actuales o creadores» [14]. Naturalmente, aquí se establece una escisión definitiva entre las tendencias de los novelistas tradicionalistas anteriores a 1940 y los más recientes. En su opinión, algunos autores participan de una y otra tendencia, sobre todo los que son de transición, como Yáñez, por ejemplo, pero en general, la división entre los dos grupos es cortante, marcadísima. De todos modos, Vargas no entra

---

[12] E. Rodríguez Monegal, *Narradores de esta América*, 1969, páginas 19-21; y en la revista *Tri-Quarterly*, de Northwestern University, Evanston, Illinois, núms. 13-14, correspondientes al otoño e invierno de 1968-1969, págs. 13-32. Reproducido luego en edición encuadernada, a cargo de Donoso y Henkin, por la editorial Dutton Co., de Nueva York, 1969, págs. 9-28.

[13] *Vide* Beatriz Reyes Nevares, «José Luis Martínez y la literatura iberoamericana», *Revista mexicana de cultura*, VI época, núm. 12, 20 de abril de 1969. [Cf. *Hispania*, vol. LII, núm. 4, diciembre de 1969, pág. 956.]

[14] Mario Vargas Llosa, «Primitives and creators», *The Times Literary Supplement*, Londres, 14 de noviembre de 1968, págs. 1.287-1.288.

en detalles sobre divisiones estrictamente «generacionales» entre los actuales novelistas, sino más bien expone sus ideas sobre esta separación en dos grupos capitales.

Intentar hacer divisiones tajantes para establecer diferentes grupos de generaciones literarias entre nuestros novelistas del siglo XX —y aun menos a partir de la década del 40— es querer penetrar en un laberinto sin salida. Un enfoque a base del año de nacimiento traería de inmediato el problema de una insoluble clasificación de autores: Por ejemplo, narradores tan opuestos psicológica y literariamente como Borges y Jorge Icaza, caerían en una misma generación; lo mismo diríamos de Ciro Alegría y Juan Carlos Onetti.

Sin embargo, como veremos adelante, nos acercamos más al criterio de Rodríguez Monegal, sobre cuatro focos diferentes en la novelística actual, pero diferimos en que para nosotros no son cuatro focos diferentes —ni generaciones, ni escuelas, ni grupos— sino un solo foco central que emite cuatro variantes de sí mismo. Nuestra posición, como dijimos al principio de este apartado [15], es que no hay generaciones *diferentes* entre los actuales novelistas de Hispanoamérica, sino que hay algunas *variantes* del mismo enfoque estilístico.

Los últimos treinta años de narrativa hispanoamericana han concentrado en cuatro variantes temático-técnicas, que agrupamos como Realismo social, Realismo psicológico, Realismo mágico y el que hemos llamado Realismo estructuralista (que es el experimentalismo revolucionario de nuevas técnicas) [16]. Esto no quiere decir que los narradores ante-

---

[15] Véase la nota núm. 11 en este capítulo.

[16] Hemos definido este Realismo estructuralista en nuestra ponencia titulada *El experimentalismo en la actual narrativa hispanoamericana* ante el Primer Congreso Continental de la Narrativa de

riores a 1940 no cultivaran algunas de estas tendencias literarias, desde otros enfoques estilísticos. De hecho, el Realismo social, por ejemplo, parte de las generaciones anteriores al 40. Ya han señalado con precisión otros estudiosos de nuestras letras, como Alfonso Reyes [17], Uslar Pietri [18] y Andrés Iduarte [19], que la narrativa hispanoamericana, desde Lizardi, ha sido siempre fundamentalmente realista, de realismo social. De todas las realidades que han atraído a escritores, artistas y filósofos —la social, la psicológica, la mítica, la metafísica—, la realidad en su dimensión social ha sido el imán subyugador de nuestros narradores. Para ellos, el Realismo social ha incluido lo político, lo económico, lo sociológico, lo biológico mismo, lo telúrico, lo costumbrista, lo regionalista, etc. En el Realismo social pueden entrar la queja, la denuncia, el compromiso, la invectiva, la sátira, el testimonio, la protesta. Antes de la década del 40 los modelos fueron siempre Zola, Clarín, Galdós, Balzac... En Hispanoamérica, los grandes maestros de ese Realismo social, antes del 40, fueron: Mariano Azuela, Horacio Quiroga, Alcides Arguedas, José Eustasio Rivera, Ricardo Güiraldes, Martín Luis Guzmán, Rómulo Gallegos. Algunos narradores posteriores al 40, aunque grandes estilistas, quedaron atados a la trayectoria general de ese Realismo social anterior: Ciro Alegría es buen ejemplo de ello. Sin embargo, los con-

---

Hispanoamérica, celebrado en Nueva York, en el mes de julio de 1971. Las ponencias leídas van publicadas luego por el mismo congreso, en una *Memoria*.

[17] Alfonso Reyes, «Tierra y espíritu de América», *Los trabajos y los días*, en *Obras Completas de Alfonso Reyes*, México, Fondo de Cultura Económica, 1959, págs. 234-239.

[18] Arturo Uslar Pietri, *Breve historia de la novela hispanoamericana*, Caracas, Edime, 1954, págs. 155-172.

[19] Andrés Iduarte, «Hispanofobia e hispanoamericanofobia», *El Nacional*, México, 12 de octubre de 1942, págs. 3 y 6.

temporáneos que han ahondado en la temática de tono realista-naturalista con enfoque social, han sido clasificados como *neorrealistas* o *neonaturalistas*, debido a las nuevas técnicas revolucionarias y experimentales en que han transvasado la preocupación social. Así, tenemos entre otros, a José María Arguedas, Carlos Fuentes y el propio Vargas Llosa [20].

El Realismo psicológico, el Realismo mágico, y las últimas tendencias revolucionarias (Realismo estructuralista) también han tenido sus exponentes en nuestra novelística de los últimos treinta años. Con decisivas influencias de Flaubert, Dostoievski, Kafka, Proust, Huxley, Papini, Virginia Woolf, Joyce, Sartre, Camus, Gide, Malraux, Hemingway, Faulkner, Döblin, Alain Robbe-Grillet, Michel Butor, Nathalie Sarraute, Claude Simon, Ionesco, Beckett, y otros autores, estas tres últimas variantes de la narrativa contemporánea también han atraído la atención del público lector universal. Las técnicas oníricas y del subconsciente, la fantasía, el *alter-ego* y el flujo de conciencia, son muy propios del Realismo psicológico. Maestros de esta variante han sido, entre otros, Pedro Prado, Arévalo Martínez, Eduardo Barrios, Eduardo Mallea, Jorge Luis Borges, Adolfo Bioy Casares, José Bianco, Jenaro Prieto, José Rubén Romero, María Luisa Bombal, Jaime Torres Bodet. En un acercamiento más re-

---

[20] Cf. Jaime Giordano, «Hacia una definición del realismo en la novela hispanoamericana contemporánea», *Nueva Narrativa Hispanoamericana*, vol. I, núm. 1, enero de 1971, págs. 127-132; Estuardo Núñez, «Arguedas y la novela profunda», *La literatura peruana en el siglo XX*, 1965, págs. 127-130; Mario Benedetti, «Carlos Fuentes: del signo barroco al espejismo», *Letras del continente mestizo*, 1969, págs. 190-205. También: Nelson Osorio, «Un aspecto de la estructura de *La muerte de Artemio Cruz*», *Nueva Narrativa Hispanoamericana*, vol. I, núm. 1, enero de 1971, págs. 81-94; Ivan A. Schulman, *op. cit.*, págs. 11-23; E. Rodríguez Monegal, *Narradores de esta América*, 1969, pág. 29; Rosa Boldori, *Mario Vargas Llosa y la literatura en el Perú de hoy*, Santa Fe, Ediciones Colmegna, 1969, págs. 18-35.

ciente, encontramos a Enrique Anderson-Imbert, Norah Lange, Ernesto Sábato, José Donoso, Juan Carlos Onetti, Marco Denevi, Juan José Arreola, y otros.

En el Realismo mágico se ha querido sorprender la realidad quintaesenciada, íntima y escondida, como un misterio en el centro mismo de la naturaleza y del espíritu humano. Modelos de esta variante son Miguel Ángel Asturias, Alejo Carpentier, Juan Rulfo, Julio Cortázar, Gabriel García Márquez. La variante del Realismo estructuralista —con técnicas abiertamente revolucionarias— ha sido cultivada por muchos de los ya mencionados en las variantes anteriores, sobre todo por Cortázar, García Márquez y Vargas Llosa. Tendríamos que añadir también otros nombres como los de Oscar Guaramato, José Lizama Lima, Félix Pita Rodríguez, Vicente Leñero, Augusto Roa Bastos, Carlos Martínez Moreno, Severo Sarduy, Manuel Puig, Guillermo Cabrera Infante, Gustavo Sáinz, Salvador Elizondo, Néstor Sánchez, Ramar Yunkel, etc.

El feliz sentido del *mestizaje literario*[21] en nuestros autores —en sus obras y entre ellos mismos— que se refleja en la temática, en las tendencias, en las escuelas y movimientos literarios, es uno de los factores permanentes de nuestras letras, y obstáculo eterno para clasificaciones simplistas de tipo generacional[22].

De esta manera, se da el caso interesante de que un narrador de realismo social lo sea también del psicológico o del mágico. Así, por ejemplo, Asturias y Carpentier funden armoniosamente el realismo social y el realismo mágico. Juan Rulfo entrelaza el realismo psicológico con el social. Lo mismo hace Vargas Llosa, en gran medida, aunque en

---

[21] A. Uslar Pietri, *op. cit.*

[22] Véase el Apéndice «A», sobre las cuatro variantes en la novelística actual, al final de la presente obra.

éste se da en otras dimensiones diferentes. Un entrecruce
de los tres realismos lo encontramos en García Márquez y
algunas veces en Cortázar[23]. Y todos estos últimos, a su vez,
unos más que otros, cultivan las tendencias experimentalistas revolucionarias del Realismo estructuralista de última
moda.

3. LA VISIÓN ESTILÍSTICA DE LOS CONTEMPORÁNEOS

Los novelistas hispanoamericanos de los últimos tres de-
cenios han sabido fundir su misión social —llámesela posición ideológica, tarea existencial, o planteamiento de problemática colectiva— con las técnicas revolucionarias de la
experimentación estructuralista, creando obras maestras de
modernísimo diseño[24]. Se ha cumplido así uno de los pos-
tulados más fundamentales de la moderna crítica estilística,
que es el rechazo de la bifurcación *fondo-forma* en una obra
literaria, y la afirmación de la unidad y la unicidad intrín-
seca en la misma. Estilísticamente planteado el asunto, no
hay fondo ni forma como factores separados o disociados:
hay obra[25].

En el género que aquí examinamos, que es la novela,
diremos —y esto lo podemos aplicar a los demás géneros
por igual— que es un todo inseparable, irrompible, cuyo
llamado contenido, fondo, o esencia, está de hecho implícito
en la llamada forma, y viceversa. Es en la palabra misma

[23] E. Rodríguez Monegal, «Novedad y anacronismo en *Cien años
de soledad*», *Revista Nacional de Cultura*, Caracas, 1968, núm. 185,
págs. 3-23. Reproducido en *Nueva Narrativa Hispanoamericana*, volumen I, núm. 1, enero de 1971, págs. 17-39.

[24] Enrique Anderson-Imbert, «Formas en la novela contemporánea», *Crítica interna*, 1961, págs. 261-279.

[25] Véase nuestra obra *Crítica Estilística*, con prólogo de Hatzfeld,
publicada por Gredos en Madrid, 1973.

utilizada por el autor en la página impresa, en la que hallamos toda la *carga psíquica* de la vértebra permanente de la novela que estudiemos [26].

Nuestros novelistas han asimilado triunfalmente esta verdad estilística, desde la década de 1940. Han deseado expresar un mayor grado de originalidad, buscando siempre con nuevas modalidades experimentales la creación de una narrativa nueva que sea sin embargo típicamente hispanoamericana, y no servil imitación del pasado o del presente, sean éstos nativos o extranjeros. Como hemos expresado antes, no intentamos afirmar que sólo ha habido revolución experimentalista a partir de los años de 1940. Ya sabemos que el Modernismo y el Postmodernismo tuvieron una revolución estilística en verso y prosa, y que el Vanguardismo y el Postvanguardismo también la tuvieron, y que hubo una desesperada búsqueda estética en el Creacionismo, en el Estridentismo, en el Ultraísmo, en el Surrealismo, y en otros movimientos y escuelas que afectaron de alguna manera tanto a la poesía como a la narrativa [27]. La experimentación, pues, no es un aspecto nuevo en nuestras letras, como no lo es el deseo de renovación estética que desde mucho antes del Modernismo ya había revelado la literatura hispanoamericana.

Es, en cambio, a partir de la década del 40, cuando nuestros autores toman plena conciencia de su misión estilística de elevar la novela de Hispanoamérica a un plano universal de primera importancia en el mundo, y lo han logrado. El

---

[26] Referimos al lector a las principales obras de los más eminentes estilólogos de nuestro siglo, para confirmación de lo que decimos: Amado Alonso, Dámaso Alonso, Raúl Castagnino, Karl Vossler, Wolfgang Kayser, Leo Spitzer, Helmut Hatzfeld.

[27] Cf. Eugenio Florit y José Olivio Jiménez, «La Vanguardia» [y otras tendencias], *La poesía hispanoamericana desde el Modernismo*, 1968, págs. 12-24. Véase también la nota núm. 2 en el presente capítulo.

llamado *boom* de nuestra narrativa contemporánea no es meramente una exhibición de *best-sellers* en las más distinguidas librerías de todas las capitales[28]. No se trata de éxitos publicitarios de vaciedades que el lector arrinconará en su biblioteca, o echará despreocupadamente al canasto. Es que ha sonado la hora, como hemos indicado, de la toma de conciencia de una alta misión estilística. Es que nuestros novelistas se han dado cuenta —¡por fin!— que tienen que ser profesionales en su arte, y no meros propagandistas socialeros, o fotógrafos más o menos líricos[29]. Es que hemos comprendido que la novelística hispanoamericana, que había estado anquilosada en una prosa decimonónica —en unos casos más naturalista y en otros más impresionista—, tenía que desencadenarse de esas ataduras conservadoras y tradicionales, para crearse una personalidad nueva, vigorosa y original.

Así como el Modernismo, hace unos setenta años, impuso una revolución estilística en la poesía, y en parte en la prosa poética, igualmente hoy la novelística hispanoamericana está imponiendo otra revolución estilística en todo el mundo civilizado. Desde Asturias hasta Cortázar, desde Borges hasta Sábato, desde Carpentier hasta García Márquez, desde Yáñez hasta Vargas Llosa, nuestros novelistas están siendo imitados por los extranjeros, y sus influencias ya se dejan sentir en las producciones de la narrativa de Europa, de los Es-

---

[28] Cf. Mario Benedetti, «El *boom* entre dos libertades», *op. cit.*, págs. 31-48; Leopoldo Villar Borda, «Triunfos y penurias», *Visión*, México, vol. 37, núm. 2, 18 de julio de 1969, págs. 20-24. Cf. «Un éxito mundial», en la misma revista *Visión*, pág. 31.

[29] En un artículo en inglés para *Books Abroad*, vol. 44, núm. 1, invierno de 1970, pág. 11, Vargas Llosa afirma esto muy claramente: «From a literary point of view, the Latin American writer considers himself a *professional* in the most flattering sense of the word, while his predecessors, were rather like dilettantes or amateurs». [Traducción del español al inglés por Nick Mills.]

tados Unidos, del Asia. Así lo ha demostrado muy claramente el mismo Mario Vargas Llosa en la página 11 de un
suculento ensayo titulado «The Latin-American novel today»,
publicado en *Books Abroad,* en el invierno de 1970 (vol. 44,
núm. 1).

El rechazo de las técnicas estilísticas gastadas, y la in-
corporación de un nuevo realismo estructuralista revolucionario, por parte de los novelistas hispanoamericanos de hoy,
demuestran cada vez más y mejor, la conciencia profesional
de elevada responsabilidad literaria de estos creadores. No
están ya al bamboleo de la pluma, como en el pasado[30]. Su
arraigada conciencia novelística, su conocimiento de la historia literaria, su descubrimiento de nuevos caminos estéticos, su estudio a fondo de la producción narrativa de Hispanoamérica y de otras literaturas contemporáneas, pero
sobre todo su comprensión de la unidad de la obra literaria, de su unicidad, de su total indivisibilidad como obra de
arte, les han capacitado para crear esa avalancha de novelas
de primera calidad. Sin duda alguna que todas, o casi todas
las ya aclamadas por la crítica responsable como obras
maestras, y las que sean igualmente aclamadas en el cercano
futuro, pasarán a destacarse como las novelas *clásicas* de
nuestra contemporaneidad. Se lo debemos en gran medida,
como hemos ya apuntado, a la honda visión estilística de
nuestros actuales novelistas.

4. EXPERIMENTACIÓN ESTRUCTURALISTA: NUEVAS TENDENCIAS REVOLUCIONARIAS

Las nuevas y más revolucionarias tendencias de la narrativa hispanoamericana están vivas y presentes a partir del

---

[30] *Loc. cit.*

Realismo psicológico, y sobre todo del Realismo mágico. A este movimiento actual de total revolución estilística le hemos llamado *Realismo estructuralista*[31]. Es un movimiento literario que se va cuajando a total madurez y auténtica personalidad a medida que la experimentación de técnicas nuevas decanta un perfil propio.

Fiel a la tendencia hispanoamericana de siempre enfilar hacia la búsqueda de la esencia de toda realidad, este movimiento sigue cronológicamente el proceso evolutivo que nuestra narrativa se ha venido trazando desde el Realismo social, luego el Realismo psicológico y después el Realismo mágico. Ese enfoque de la realidad, bajo cualquier aspecto, al revés o al derecho, por fuera o por dentro, es el núcleo de nuestra novelística. En el caso del Realismo estructuralista, se ha intentado abrir la realidad para enfocarla desde puntos de vista diversos y nuevos, tanto en tiempo y espacio, como en la posición lingüística del narrador, en el perfil de los personajes, en el diseño de la secuencia narrativa, y en toda la expresión morfosintáctica y léxica.

Al rechazar los planteamientos escuetos a lo siglo XIX, o al estilo de principios del XX, se ha considerado impropio, antinovelístico y antiestético, todo lo que en la novela sea desnuda y confesionalmente romántico, naturalista, regionalista, criollista, propagandista, o presentación abierta de casos psicológicos, o de lo ingenuamente fantástico. Se han rechazado sus técnicas por ser acercamientos simplistas, de tono conservador y hasta arcaizante. No se ha rechazado, como hemos señalado anteriormente, la temática en sí de esos planteamientos, sino su procedimiento estilístico, su tratamiento narrativo.

---

[31] Así lo hemos afirmado en nuestra ponencia ante el Primer Congreso Continental de la Narrativa Hispanoamericana, en Nueva York, julio de 1971, como ya indicamos en la nota 16 del presente capítulo.

Por eso, sin utilizar los métodos directos de esas escuelas o posiciones literarias, los novelistas contemporáneos de Hispanoamérica se han acercado a un enfoque neoestético de algunas de ellas. De esta manera, muchos de estos narradores, como ya señalamos, han sido clasificados como neorrealistas y neonaturalistas. Los primeros, por ejemplo, han pretendido la presentación cruda, brutal, amoral, de la realidad sensorial en formas, sin embargo, estremecedoramente emotivas y hasta traumáticamente conmovedoras. Los segundos, ahondando más en lo desgarrador de la misma realidad sensorial, han presentado su caricatura, su perfil expresionista, apelando al recurso de un extremado *feísmo* —recurso que nos viene desde la vieja novela picaresca del Renacimiento, y de escritores europeos como Rabelais, pero que hoy se explota más estéticamente—, y también escarbando en lo nauseabundo de esa realidad «al revés» de que tanto ha hablado García Márquez [32].

Tanto unos como otros no intentan presentar la realidad en su devenir cronológico, ni siguiendo el diseño lógico de la anécdota o la fábula, sino a fuerza de violentos zarpazos de algunos puntos claves y simbólicos de esa misma realidad, con intraposición de diversos planos de tiempo, de espacio y de flujo de conciencia.

Examinemos brevemente algunas de las tendencias y técnicas más comunes de los novelistas del Realismo estructuralista. El *feísmo*, que ya hemos mencionado, consiste en el uso deliberado de frases tabú y feas, con toda la nomenclatura del sexo, de los desórdenes orgánicos, de las excreciones fisiológicas, de los insultos soeces, de la adaptación especial de frases vulgares, populares y chabacanas (tanto

---

[32] *Vide* Armando Durán, «Conversaciones con Gabriel García Márquez», *Revista Nacional de Cultura*, Caracas, 1968, núm. 185, págs. 23-34; Rosa Boldori, *op. cit.*

de la canción corriente como de la poesía folklórica, del
refranero como de la jerga y el argot), y en fin, de toda
palabra o frase rechazada por los aburguesados convencionalismos sociales. Todo esto ha sido hecho ex profeso por
nuestros actuales novelistas, pero con intenciones estéticas,
neoestéticas, para enraizar una visión neorrealista y neona-
turalista del hombre y su mundo. Muchos críticos tradicionalistas y prejuiciados han censurado estas técnicas del
feísmo, creyéndolas antiestéticas, y hasta pornográficas, em-
pobrecedoras de la actual narrativa, sin comprender que en
ellas reside, en gran medida, la fuerza expresiva de una
nueva dimensión de la realidad.

Las técnicas del *Absurdismo* y del *Activismo* también
arrastran a nuestros novelistas contemporáneos[33]. Ya sea
que el héroe, cómplice o no de una determinada situación,
aparezca como víctima del caos circundante, como en la
literatura llamada *absurdista*, o ya sea que la circunstancia
caótica sea la víctima del héroe, como en el *activismo*, lo
que en verdad les importa a nuestros novelistas, para la
final valoración de su obra, es la *actitud* existencial del héroe
ante su medio ambiente, mucho más que el tratamiento del
caos que le rodea. Es decir, lo que le interesa más al novelista hispanoamericano es la posición vital de su personaje
ante su quehacer en el mundo, y no la situación misma. En
este respecto, nuestros narradores se desligan bastante de
las posiciones estereotipadas del simple activista o absurdista.

Otras técnicas experimentales han llevado a algunos narradores a producir lo que se ha bautizado como el *mini-
cuento*. Tal vez podríamos hablar también de una mininovela,

[33] Cf. Helen Weinberg, *The new novel in America: the Kafkan
mode in contemporary fiction*, Ithaca, Cornell University Press, 1970,
248 págs.

que no fuera necesariamente la novela corta, ni estrictamente el llamado *relato*. ¿Acaso también del minidrama, o
del miniensayo, ya que conocemos hace siglos el minipoe-
ma?

La *nouveau roman*, produciendo lo que se ha llamado la
antinovela o *contranovela*, ha retrotraído del pasado muchas
técnicas y tendencias que, sacudido el polvo de medio siglo,
se han revigorizado con el espaldarazo de una lengua hispanoamericana recia y conscientemente trabajada con nuevos fines estéticos [34]. Es cierto que algunas de estas técnicas,
llevadas a su exaltación por Alain Robbe-Grillet, se pueden
trazar hacia atrás al *Ulysses* de Joyce, así como a otros autores, tales como Kafka, Faulkner, Huxley, Döblin [35]. Pero
también es cierto que nuestros novelistas, como se ha afirmado, no han sido deslumbrados con los huecos virtuosis-
mos de la *nouveau roman*, ya que el agarre temático a la
problemática de la realidad —sobre todo la social— y a una
definidora posición existencial ante la crisis nacional y universal, le imparten a nuestros novelistas una proyección más
trascendental que la adoptada por los esclavizados cultiva-
dores de la pura *nouveau roman*.

En la narrativa más rebelde de nuestros días se observa
una continua tendencia al delirio de lo ilógico y de una aparente deshumanización de la realidad, pero con propósitos
trascendentalistas de buscar nuevas salidas a la problemática del hombre hispanoamericano, y así, en cambio, huma-
nizar más aún las arterias vitales de esta novelística actual.

---

[34] Cf. E. Anderson-Imbert, *op. cit.*, pág. 261; Andrés Amorós, *loc.
cit.*
[35] Cf. Juan Loveluck, «Crisis y renovación en la novela de Hispanoamérica», *Coloquio sobre la novela hispanoamericana*, 1967, páginas 132-133; Wolfgang A. Luchting, «Recent Peruvian fiction: Vargas
Llosa, Ribeyro, and Arguedas», *Research Studies*, Washington State
University, vol. 35, núm. 4, diciembre de 1967, pág. 290.

Muchas de estas técnicas intentan herir la pasividad del lector y obligarle a que él participe en la creación de la obra y en la vida de los personajes.

Se intenta también trabajar con la lengua viva como en un laboratorio. Entre estos narradores podemos incluir a Gustavo Sáinz, Salvador Elizondo, José Emilio Pacheco, Severo Sarduy, Néstor Sánchez, Rodolfo Walsh, Daniel Moyano y Mario Vargas Llosa. Para ellos, el idioma es ahora la materia prima, el alfa y omega de la obra, y en él cifran todo el mensaje y objetivo de su narración. Se lucha por recrear la palabra como finalidad misma, no como mero medio o instrumento. Esta actitud está del todo de acuerdo con muchos de los principios más firmes de la nueva Estilística. También corre paralela con ciertas escuelas pictóricas contemporáneas que hacen del *color* en sí —sin formas tradicionales ni ideologías simplistas— el fin mismo de la obra de arte.

Algunas de las técnicas surrealistas utilizadas por narradores del Realismo psicológico, siguen en pie, con maravillosos éxitos. Así, mencionaremos: la interpenetración de varios planos de conciencia, el fluir psíquico (o flujo de conciencia), la exteriorización del mundo onírico, la recreación del tiempo psicológico (en oposición al tiempo cronológico), el monólogo interior, la fantasía simbólica.

La expresión mítica, que nos viene del Realismo mágico, está cuajada a base de un hondo sentido de la realidad trascendente. Las cosas de momento se revelan desde su interior, mostrándole al hombre su recóndito significado, su apariencia sensorial transubstanciada en profundo significado universal y humano [36]. Y todo ello queda vertido en una

---

[36] Cf. Luis Leal, «El realismo mágico en la literatura hispanoamericana», *Cuadernos Americanos*, vol. XXVI, núm. 4, 1967, págs. 230-235; E. Dale Carter Jr., *Antología del Realismo Mágico: Ocho cuentos*

creación tropológica que generalmente tiende a personificar, no la cosa, el objeto, o la naturaleza misma, sino la significación en sí de esa cosa, objeto, o naturaleza. No intenta el novelista hacer juegos metafóricos —ni bellos, ni fuertes, ni originales necesariamente— como simple demostración preciosista, sino penetrar dentro de la substancia trascendente de lo que va a ser motivo de una imagen literaria. Todo esto lo expresa el novelista contemporáneo valiéndose de su definitivo dominio de la lengua hispanoamericana de hoy, apelando a todas las posibilidades expresivas de la palabra, sin tapujos ni censuras, sin tabúes ni convencionalismos, y totalmente de espaldas a las academias.

Resumamos las más importantes de estas técnicas —algunas ya expuestas en anteriores párrafos— para que se tenga una cercana idea de la riqueza estilística de nuestros actuales novelistas: Simultaneidad geográfica, contraposición de planos de tiempo, espacio y mente —aquí puede incluirse la técnica de los «vasos comunicantes» discutida en futuros capítulos—, interpenetración de niveles narrativos —tal como aparece en el procedimiento de las «cajas chinas» y en el de la anticipación temporal—, desdoblamiento de las cosas (del mundo, de las circunstancias), empatía de autor y lector, pluralidad del punto de vista, el lector como autor y protagonista, juegos morfosintácticos con objetivos estético-ideológicos —como en el caso del eslabonamiento sintagmático—, descomposición estructural del diseño narrativo, paralización momentánea del elemento tiempo, fusión de lo sensorial y lo mítico, visión del mundo desde un animal o un objeto, narración a base del enfoque de una cámara fíl-

hispanoamericanos, New York, Odyssey Press, 1970, xv-176 págs.; Roger Caillois, «De la féerie à la science-fiction», *Anthologie du fantastique*, París, Gallimard, 1966, vol. I, págs. 7-24.

mica (o de una grabadora [37], o de un altoparlante), lo visual,
lo musical y lo puramente dialógico como motivación lingüística (en *collage* de voces) de la narración [38], el lenguaje
flechado a la vibración continua de la palabra misma como
vehículo narrativo (conocido como el *continuum* del lenguaje hablado) [39], ubicuidad de personajes (como de acciones
superpuestas y del mismo factor tiempo), importancia a las
cosas mismas más que a los personajes (como en la contranovela), concentración en lo escuetamente lingüístico (más
que en lo anecdótico, como en las obras donde el protagonista es el lenguaje mismo) [40], enfoque de un mensaje
que no se revela hasta que nos detenemos en la periferia
léxica de la obra, erupción de multitud de voces como foco
narrativo, aceptación de lo mítico y mágico como verificable dentro del plano de la realidad espacial y temporal
—caso, por ejemplo, del «salto cualitativo»—, continuo uso
de recursos del cine, radio y televisión (tales como el *close
up, flashback, slowup, fadeout, multiple view*, y aun la inter-
calación de anuncios comerciales verdaderos o inventados
por el autor, en medio de las más traumáticas crisis de la
narración), la combinación de palabras de varios idiomas
en una misma frase, la creación de nuevas palabras por
yuxtaposición de otras formando así una aglutinada palabra-
frase (corta unas veces, kilométrica otras), la parcelación
de capítulos en breves notas, los párrafos compuestos de
oraciones y frases yuxtapuestas sin cópulas ni signos de
puntuación, deshumanización del monólogo interior en imitación de un crucigrama inconexo, el diálogo teatral dentro

---

[37] Por ejemplo, la novela *Gazapo*, de Gustavo Sáinz.
[38] Véanse las novelas de Néstor Sánchez *Nosotros dos* y *Siberia
Blues*, y la de Guillermo Cabrera Infante *Tres tristes tigres*.
[39] Ejemplo: *La traición de Rita Hayworth*, de Manuel Puig.
[40] Ejemplo: *De dónde son los cantantes*, de Severo Sarduy.

de la prosa narrativa, la jitanjáfora abstracta, el contrapunto exagerado en la narración, y muchas más, como se demostrará en el análisis de la novelística de Vargas Llosa que en esta obra haremos.

No todos nuestros novelistas contemporáneos utilizan estos recursos a la vez. Algunos de los narradores tienden a utilizarlos en su totalidad, como Cortázar, por ejemplo [41]. La mayoría, sin embargo, tienen sus preferencias. Como veremos en el resto de la presente obra, Vargas Llosa utiliza con maestría solamente algunos de esos procedimientos, que son, naturalmente, los que mejor engranan con los objetivos estilísticos de sus narraciones.

5. PROYECCIÓN AL FUTURO

La actual novelística hispanoamericana da la impresión, a primera lectura, de un intento, por parte de los autores, de crear una especie de rompecabezas ideológico y lingüístico para burlarse del lector. Esta es la idea que muchos críticos conservadores o ingenuos se hacen, sin más ahondar ni analizar las obras.

Cierta crítica apasionada y subjetiva ha rechazado de plano las aportaciones revolucionarias de nuestra actual novelística, calificándola de espúrea, apócrifa, servil, y utilizando epítetos y frases peyorativas, como «fórmulas huecas», «fiasco», «pastiche», «potpourri» [42]. En cambio, tenemos tam-

---

[41] Luis Harss y Barbara Bohmann, «Julio Cortázar, or the slap in the face», *Into the mainstream*, 1967, págs. 206-245.

[42] En el simposio llevado a cabo en 1966, en Washington University, y publicado en forma de libro en 1967, con el título de *Coloquio sobre la novela hispanoamericana*, por el Fondo de Cultura Económica, de México, encontramos algunas cortas expresiones prejuiciadas, así como otras que no lo son.

bién una crítica más objetiva, más clarificadora y comprensiva, de visión abierta y liberal, que por medio de rigurosos análisis estilísticos ha puntualizado los valores innegables de la nueva narrativa hispanoamericana de los últimos treinta años [43].

Naturalmente, tenemos que rechazar la idea, sostenida por algunos críticos prejuiciados, de que la novelística de hoy en Hispanoamérica es sólo técnica, o meros experimentos virtuosistas, o puros juegos lingüísticos para ocultar vaciedades temáticas o planteamientos ideológicos. Ya hemos visto que esto no es cierto, que nuestros novelistas, aun los más revolucionarios en el estilo, no se han divorciado de la expresión de una ideología, de una posición, de un mensaje. Hemos visto cómo la *nouveau roman* francesa, aunque manejada con éxito por muchos de nuestros novelistas, no ha dejado en ellos meras invitaciones a experimentación, ya que han trascendido las limitaciones de la contranovela [44]. Y es que en Hispanoamérica, el escritor siempre ha sido consciente de su misión social, y no ha escapado a ella, aunque esa misión social sea de tono metafísico o cosmopolita, como en Borges [45].

---

[43] Algunos de estos críticos liberales son: Emir Rodríguez Monegal, Ivan A. Schulman, Luis Monguió, Andrés Iduarte, Luis Leal, Enrique Anderson-Imbert, Fernando Alegría, Juan Loveluck, Mario Benedetti, Andrés Amorós, José A. Balseiro, y otros. Varios de éstos aquí mencionados, emitieron su crítica abierta y esclarecedora en el simposio citado en la nota 42 del presente capítulo, y aparecen por tanto en la mencionada obra *Coloquio sobre la novela hispanoamericana.*

[44] Cf. José Escobar, «Mario Vargas Llosa», *Revista de Occidente,* año III, núm. 26, mayo de 1965, págs. 266-267.

[45] Cf. pág. 22 de este mismo libro. También: Armando Durán, *op. cit.*; Paul Verdevoye, «Miguel Ángel Asturias y la *nueva novela*», *Revista Iberoamericana,* núm. 67, enero-abril de 1969, pág. 23.

Una de las invectivas más aceradas y biliosas que se le
han hecho a nuestra actual novelística, se infirió contra la
novela *Rayuela*, de Cortázar [46]. Sin entrar en los pormenores
de las exposiciones de algunos críticos como Manuel Pedro
González [47] y Antonio de Undurraga [48], que la han tildado de
*pastiche, refrito, plagio joyciano, calco, novela híbrida, cru-
cigrama, adivinanza prostituida, fiasco, bastardía idiomática,*
etcétera, no debemos olvidar, como ya hemos señalado, que
Rayuela es, dentro de su aparencial laberinto estructural
—logro máximo de la revolución experimental actual—, el
esfuerzo más sostenido de expresar el cosmopolitismo ar-
gentino, el alma hispanoamericana y la angustia caótica del
hombre de nuestro siglo [49]. Referimos sin reserva al lector
a los análisis responsables y a los estudios elogiosos que de
esta novela han hecho críticos de la talla de Emir Rodríguez
Monegal, Luis Harss, Mario Benedetti, Juan Loveluck, Ana
María Barrenechea, Fernando Alegría, Luis Leal, Enrique
Anderson-Imbert, y aun escritores como Carlos Fuentes y
Mario Vargas Llosa. También este último ha sido vilipen-
diado por ciertos críticos prejuiciados, pero de esto nos
ocuparemos en el resto de los capítulos de esta obra.

Nuestra literatura contemporánea, en especial la novelística, sigue las más revolucionarias tendencias de la contemporaneidad universal, incluyendo las propias tendencias estilísticas originales. Mas a pesar de todas las influencias ex-
tranjeras, a pesar de la continua búsqueda de nuevos cauces

---

[46] Para el *pro* y el *contra* de *Rayuela*, como de otras novelas actuales de Hispanoamérica, véase el *Coloquio sobre la novela hispanoamericana* que ya hemos mencionado en notas anteriores de este
capítulo.

[47] Manuel Pedro González, «Reparos a ciertos aspectos de *Rayuela*», *Coloquio sobre la novela hispanoamericana*, 1967, págs. 68-71.

[48] Véase su obra *Autopsia de la novela*, 1967, 238 págs.

[49] Véase nuestra nota 4 en el presente capítulo.

estéticos, a pesar de la incesante experimentación estructural y léxica, el hilo de Ariadna que une a todos nuestros novelistas es la preocupación por la auténtica realidad del hombre hispanoamericano, su ser y su estar, su verdad, su destino. Desde *Doña Bárbara* de Gallegos hasta *El señor presidente* de Asturias, desde *Al filo del agua* de Yáñez hasta *Pedro Páramo* de Juan Rulfo, desde *Rayuela* de Cortázar hasta *Cien años de soledad* de García Márquez, desde *Sobre héroes y tumbas* de Sábato hasta *Conversación en la Catedral* de Vargas Llosa, desde *Cambio de piel* de Carlos Fuentes hasta *Caín* de Eduardo Caballero Calderón, el espíritu subyacente en nuestra narrativa continúa siendo —consciente o subconscientemente— la búsqueda de la verdad americana dentro del ser americano, la búsqueda de la realidad trascendental que nos dé perfil universal y permanente. Ya se presente como realismo social, psicológico, mágico, o estructuralista, o con otras vestimentas, técnicas, o tendencias, el tirabuzón mental que vitaliza nuestras raíces en *Doña Bárbara*, en *Pedro Páramo* y en *La casa verde* —como ejemplos— se enhebra en una gran unidad, a pesar del cambio drástico que la narrativa de Hispanoamérica sufrió a partir de 1940. Si Gallegos intentó ver un tipo de *infierno* hispanoamericano con los ojos venezolanos de su época, Rulfo en su *Pedro Páramo* ha intentado en la década del 50 la dimensión de otro aspecto de nuestro *infierno*, visto con ojos mexicanos, y Vargas Llosa, en la década del 60, ha presentado otra pantalla del *infierno* de Hispanoamérica, visto con ojos peruanos.

Como hemos afirmado ya, no se trata de experimentar literariamente en el vacío, en las periferias, o en los escamoteos lingüísticos. Estamos frente a una novelística que, sin dejar de estar comprometida con la misión del escritor ante su época y su mundo, está comprometida con la crea-

ción de técnicas estilísticas propias y nuevas. Sin lugar a
duda, la novela hispanoamericana continuará asombrando al
mundo, mientras sus autores insistan en el postulado estilístico de que una obra literaria es una unidad en donde la
esencia y la presencia de la palabra no pueden jamás se-
pararse [50].

Todas las técnicas y corrientes actuales de la novelística
universal han dejado su huella, su poder creador, en la
narrativa hispanoamericana de hoy, pero no la han esclavizado. Por encima de toda influencia, nuestros mejores logros
en la actual novelística afloran pautas originales y nuevas,
desconocidas al resto del mundo literario. Sea que todo ello
se estilice como una moda efímera —como ocurrió en la
época de los *ismos*— y que por tanto pase pronto de las
vitrinas de exhibición de nuestras letras (y tal es la preocupación de algunos investigadores), o sea que contenga perfiles
de permanencia, como enfáticamente sabemos que los tiene,
influyendo con definitivo arraigo en las generaciones futuras,
lo cierto es que nuestros más valiosos novelistas de hoy
dominan esas técnicas al igual (y en algunos casos mejor)
que sus colegas europeos y norteamericanos.

Nuestros actuales novelistas están trazando una dimensión nueva, original y firme, de la personalidad universal del
hombre hispanoamericano, con una lengua también hispanoamericana que nadie le puede disputar, y con raíces y vértebras profundamente nuestras. Uno de los máximos ejemplos de ello es el peruano Mario Vargas Llosa, quien en
menos de una década ha logrado imponer definitivamente
su estilo literario como uno de los nervios más vigorosos de
nuestra actual novelística.

---

[50] Postulado estilístico que analizamos en nuestra obra *Crítica Estilística*, con prólogo de Hatzfeld, publicada por Gredos, Madrid, 1973.
Véanse las notas 24, 25 y 26 en el presente capítulo.

CAPÍTULO II

EL CRITERIO DE MARIO VARGAS LLOSA SOBRE LA
NOVELA ACTUAL

Antes de entrar al análisis estilístico de la narrativa de
Vargas Llosa, juzgamos conveniente hojear su biografía[1] y
su posición intelectual ante la novela hispanoamericana de
hoy, cosa que haremos en el presente capítulo.
Examinaremos primordialmente los juicios que nuestro
autor ha emitido en prólogos, revistas, conferencias, entrevistas, cartas, sobre la autenticidad de la novela, el problema
de la realidad y el enfoque estilístico. Será fácil dar luego
el salto hacia un ahondamiento de su novelística, en los
sucesivos capítulos de la presente obra.

1. APUNTE BIOGRÁFICO

En este apartado no intentamos presentar una biografía
detallada de Vargas Llosa, ya que el objetivo primordial de
este libro no es biográfico sino crítico. Sería sumamente

---

[1] Referimos al lector al *Apéndice B* de la presente obra, sobre
un esquema cronológico de la vida de Vargas Llosa.

deliciosa una obra dedicada exclusivamente a la atormentada y anecdótica vida de nuestro autor, pero no es tal nuestro propósito aquí. Solamente nos ceñiremos en este apartado a bosquejar los puntales destacados de su vida —todavía joven— que puedan luego echar alguna luz sobre las
observaciones de los demás apartados y capítulos.

Mario Vargas Llosa, el célebre novelista peruano, nació
en 1936, en Arequipa, Perú. Su infancia fue profundamente
traumática, pues sus padres se habían separado antes de
él nacer. Fue criado y educado bajo la protección de su
señora madre y de sus abuelos maternos en Cochabamba,
Bolivia. Fue aquí en Bolivia donde cursó su instrucción primaria.

Hasta la edad de diez años (1936-1946) fue un niño mi-
mado, cuyos caprichos eran complacidos inmediatamente.
Sin embargo, si su niñez fue «inquieta», su juventud fue
«atormentada», como ha expresado Estuardo Núñez[2]. En
1945 sus padres se reconcilian, conviviendo de nuevo en
armoniosa familia, y estableciendo la residencia común en
la ciudad de Piura, en el Perú. Al año siguiente, 1946, se
trasladan a Lima, la capital, en donde Mario permanecerá
por varios años.

Con su llegada a Lima, a la edad de diez años, comienza
la instrucción secundaria del joven peruano en escuelas parroquiales[3]. De estas experiencias no muy agradables para
su sensibilidad rebelde e independiente, nace su antipatía
hacia todo dogma. Es también desde estos años cuando se
inician los choques de temperamento entre padre e hijo.

[2] Estuardo Núñez, *La literatura peruana en el siglo XX*, 1965,
pág. 143.
[3] Luis Harss y Bárbara Dohmann, que entrevistaron personalmente a Vargas Llosa en París, a principios de 1965, han dejado evidentes
testimonios de todo esto en su libro *Into the mainstream*, 1967, páginas 342-376.

Esa enemistad contra el padre llegó a su culminación cuando éste envió al hijo al Colegio Militar Leoncio Prado, de Lima, en 1950. Su padre, periodista en el Servicio Internacional de Noticias, era para Mario un símbolo de la burguesía de aquel momento. Las palabras del propio Mario sobre esta experiencia son muy reveladoras:

> Mi padre me envió allí [se refiere al Leoncio Prado]. Yo estaba convencido que mi padre estaba muerto. Cuando lo descubrí, no había ya posibilidad ninguna de comunicación entre nosotros. Nos llevamos muy mal durante los años que convivimos juntos. Nuestros caracteres eran polos opuestos. Había una desconfianza mutua entre nosotros. Éramos como extraños[4].

El Colegio Leoncio Prado, que era entonces como una escuela reformatoria de tipo militar, con cánones tradicionalistas y conservadores, marcó una huella dolorosa en la psiquis del adolescente, en cuyo ser ya iba perfilándose el escritor. Más tarde, como veremos, dejó testimonio de esto en su novela *La ciudad y los perros*.

Es interesante saber que a Mario se le envió al Leoncio Prado, como dice Harss, y como el mismo Mario lo ha revelado, por juzgársele incapacitado para hacer labor literaria[5]. Esto nos trae a la memoria las biografías de otros grandes hombres en otras disciplinas, como el caso de Edison

---

4 L. Harss y B. Dohmann, *op. cit.*, pág. 353. [Traducimos la cita directamente del inglés.] Vargas Llosa ha confesado textualmente también a Elena Poniatowska que la idea de que él entrara al Leoncio Prado fue de su padre: *Antología mínima de M. Vargas Llosa*, 1969, pág. 67.

5 L. Harss y B. Dohmann, *op. cit.*, pág. 344. La frase exacta de Harss a este respecto es que Mario fue enviado al Leoncio Prado «partly because of his dubious literary learnings». Cf. *Antología mínima de M. Vargas Llosa*, 1969, pág. 68, para las palabras de Mario sobre este asunto.

y Einstein, flojos en matemáticas en sus años mozos, y. el
de Beethoven, a quien su padre juzgaba un niño cretino en
asuntos musicales.

En el Colegio Leoncio Prado estuvo Vargas Llosa hasta
1952. Fueron dos años brutales para él. Aquí observó la
realidad de la posición darwiniana de la vida, que tanto
enfatiza Harss [6], y el mismo Mario [7]: sobrevivencia del más
fuerte, ley de la violencia, la sociedad como jungla o selva.

Fuera ya del Leoncio Prado, trabaja en tareas parciales
en periódicos de Lima, para independizarse económicamen-
te y hacerse autosuficiente, a la vez que estudia en el Colegio
San Miguel, preparatorio para entrar luego a la universidad.
En 1952 escribe y estrena en Piura una pieza teatral que
tituló *La huida del Inca.* Estaba basada en elementos indi-
genistas, mitológicos y legendarios, más bien del gusto pro-
vinciano. La obra tuvo una presentación completa de mucho
éxito, aunque su triunfo fue tan sólo de resonancia local. El
dramita en sí no tiene mayores valores literarios, y así lo
ha reconocido el propio autor. Sin embargo, aunque éste
abandonó su esperanza de ser. dramaturgo, más tarde sus
novelas habrán de honrar aquellos primeros esfuerzos al
darle amplio margen al diálogo teatral dentro de la narración novelística.

Su labor de periodista era compartida con tareas literarias de creación en el género del cuento, el que ensayó varias veces. Descubrió entonces que en la narrativa estaba
su verdadera vocación. Algunos de sus cuentos fueron publi-
cados en periódicos y antologías.

En el Perú tuvo los empleos más disímiles y variados:
locutor en el departamento noticioso de la radio, secretario

---

[6] L. Harss, *loc. cit.*
[7] *Ibid.,* págs. 353-354.

de un profesor de historia en la Biblioteca Nacional, reportero para periódicos y revistas, catedrático auxiliar en la universidad, y el más dramático —¡macabro!— de todos: hacer las listas de los muertos (del pasado histórico) en el Cementerio General de Lima. Mario narra este último empleo sonriendo y se divierte al recordarlo [8].

En 1956 se tira una edición incompleta de algunos cuentos que después formarán *Los jefes*, que a su vez era el título del primer cuento del libro. La edición es de la desaparecida editorial Populibros Peruanos, de Lima [9]. Es posible que se hiciera otra edición privada en 1957, que no conocemos [10].

En 1957 ingresa en la Universidad de San Marcos, en Lima. Asistió allí a los cursos del Instituto de Literatura, en donde obtuvo su Licenciatura en Letras, en la Facultad de Artes Liberales. Al año siguiente, se le concedió la beca «Javier Prado» para proseguir estudios en Madrid [11]. Como sus cuentos seguían teniendo el aplauso público, ganó el primer premio para el mejor cuento en el Certamen que auspició la *Revue Française* en Lima, durante la Exposición Francesa que se llevó a cabo en la capital peruana en los años 1957-58.

El año 1958 fue de gran éxito para Vargas Llosa. Lo encontramos ahora en Madrid, estudiando en la Universidad Central. Aquí se recibió de Doctor en Filosofía y Letras. Su tesis doctoral versó sobre el siguiente tema: *Bases para una*

---

[8] Elena Poniatowska, *op. cit.*, págs. 39-40.

[9] E. Núñez, *op. cit.*, pág. 97. Véase también Wolfgang A. Luchting, «Recent Peruvian fiction», *Research Studies*, Washington University, vol. 33, núm. 4, diciembre de 1967, pág. 276.

[10] E. Núñez, *op. cit*, pág. 141. Cf. José Miguel Oviedo, *Mario Vargas Llosa: la invención de una realidad*, 1970, pág. 24.

[11] Alberto Escobar, *La narración en el Perú*, 1960, pág. 492; Elena Poniatowska, *op. cit.*, pág. 29.

interpretación de Rubén Darío [12]. Es interesante saber que sus preocupaciones en la poesía modernista y su conocimiento intelectual de la revolución literaria rubendariana, lo encaminaron, como comprobaremos en futuros capítulos, a iniciar su propia revolución en la novelística actual.

En 1959 se edita en Barcelona, en la Editorial Rocas, la colección completa de *Los jefes*, que giraba en torno a los adolescentes pandilleros de Lima, dando por primera vez su gran cosmovisión del mundo desde el microcosmos de los mismos muchachos. El éxito fue tal que ganó el *Premio Leopoldo Alas*, en España. Se ha continuado reeditando en muchas partes. Una de las mejores ediciones —que es la que manejamos para el presente estudio sobre el autor— es la de Buenos Aires, Editorial Jorge Álvarez, de 1968.

En este mismo año de 1959 encontramos a Vargas Llosa en París. Se había casado en 1955, a los diecinueve años. En este primer matrimonio —tuvo otro más tarde— su esposa se llamaba Julia Urquidi, de Bolivia. El costo de la vida en la capital francesa era altísimo entonces. Comienza otro ciclo duro para su vida personal. No es muy conocido todavía, excepto en ciertos círculos exclusivos. Su labor se comparte entre sus tareas de creación —ahora comienza a ensayar la novela— y los mil dolores de cabeza por lograr un *modus vivendi* estable. Lo vemos deambular en busca de empleos. Tiene que someterse a tareas oficinescas, vulgares y burguesas, a hacer labor de hombre-máquina, a convivir en medios impropios e inadecuados a su sensibilidad y a sus ideales. Es cuando trabaja en periódicos parisienses, de traductor, con incontables angustias. Son los años en que enseña español en las Escuelas Berlitz de Idio-

---

[12] M. Benedetti, *Letras del continente mestizo*, pág. 237. José Miguel Oviedo, *op. cit.* pág. 25, enfatiza que esta tesis doctoral nunca llegó a presentarse.

mas, y se le obliga a pronunciar —¡tamaña tortura!— la
«zeta» y la «ce»; en que tiene que hacer de redactor de
noticias en el departamento de español de la *Agence France
Presse*; en que su voz se deja oír como locutor y organiza-
dor de programas para la *Radiodiffusion Française* en los
programas emitidos por la ORTF para la América Latina[13].

Trabajaba entonces en el manuscrito de su novela *La
ciudad y los perros*, basada en las experiencias del Colegio
Leoncio Prado. El primer título que le puso al kilométrico
primer borrador de 1.200 páginas fue *La morada del héroe*,
que cambió luego por *Los impostores*, pero decidiéndose
finalmente por el actual título *La ciudad y los perros*. Estando todavía manuscrita esta novela, ganó en 1962 para su
autor el *Premio Biblioteca Breve*. Fue publicada en 1963
por la Editorial Seix-Barral, de Barcelona. Una vez publicada, obtuvo el *Premio de la Crítica* de 1963, y estuvo a punto
de obtener el Premio *Prix Formentor*, por un voto fallido.
Se ha reeditado varias veces, y se ha traducido a muchos
idiomas, entre ellos: inglés, francés, alemán, búlgaro, checo-
eslovaco, finlandés, yidish, italiano, holandés, noruego, sueco,
polaco, ruso.

Debido a la sátira contra el Colegio Leoncio Prado que
aparece en la novela, tan pronto la obra comenzó a ven-
derse en Lima, en una edición a la rústica, esta institución,
fiel a su posición conservadora, declaró a Mario Vargas
Llosa como un pervertido mental, y se quemaron mil ejemplares de *La ciudad y los perros* en dicho colegio, en una
ceremonia oficial[14]. Dos generales dijeron que la novela era

---

[13] L. Harss, *op. cit.*, pág. 347. Véase la deliciosa anécdota de la
pronunciación de la «zeta» y la «ce» mientras enseñaba en las Berlitz, tal como lo contó el propio Mario a Elena Poniatowska, *op. cit.*,
págs. 31-33.

[14] L. Harss, *op. cit.*, pág. 345.

el producto nauseabundo de una mente enferma, y se tildó al autor de enemigo del Perú [15]. También se le acusó de perversión, se le amenazó con demandarle para privarle de su ciudadanía, y se proclamó que difamaba los «sagrados valores nacionales» [16].

Este ataque a la novela acrecentó su fama y su popularidad, convirtiendo su obra en *best-seller* de la noche a la mañana. Vargas Llosa pasó a ser considerado, por los valores de su novela, uno de los grandes narradores de la actualidad hispanoamericana.

El año de 1965 trajo nuevas sorpresas para nuestro autor, esta vez más bien felices. Había terminado el manuscrito de su segunda novela, después de muchos tanteos, refundiciones y síntesis —era doblemente larga en el primer borrador— y la tituló *La casa verde*. También la editó Seix-Barral, en Barcelona, en 1965. Fue otro inmediato éxito de librería.

Habiéndose divorciado de Julia en 1964, se casó en 1965, por segunda vez, con su prima hermana peruana, de nombre Patricia Llosa, a quien dedicó su novela *La casa verde*. Vivieron en París felizmente. Aquí se empapó de literatura francesa. Además de Dumas (padre), Hugo, Balzac, le entusiasmó Flaubert y entre los contemporáneos Sartre. La literatura de caballerías le fascinó más que nunca, sobre todo la novela *Tirante el Blanco*, de Joanot Martorell. En este mismo año de 1965 hace un viaje corto a Cuba, como juez literario para la *Casa de las Américas*, y regresa a París en seguida [17].

---

[15] *Loc. cit.*

[16] W. A. Luchting, *loc. cit.* También se le acusó de «irreverencia» por atacar la «tradición y el lustre» de ese instituto que es el Leoncio Prado. Cf. J. Lafforgue, *Nueva novela latinoamericana*, I, 1969, pág. 213.

[17] L. Harss, *Loc. cit.*

La frivolidad parisién ya le hastiaba y había pensado muchas veces regresar al Perú. A pesar de estar viviendo entonces en un barrio elegante, frente a una aireada avenida, la nostalgia de la patria ausente lo torturaba. Lo cierto era que, a pesar de su naciente fama y del buen porvenir como novelista, no quería llegar a Lima y *comprometerse* con el régimen o las instituciones, si hubiera tenido que trabajar para la radio o la prensa. Hombre entonces de pensamiento socialista, pero no comprometido ni militante, enemigo de toda injusticia y de todo dogma, desistió de volver a su país. Sin embargo, el poder tras el trono —la fuerza del amor: su esposa Patricia— le convenció de que debía volver al Perú, a pesar de que Mario sentía que Europa le había disciplinado en su método de trabajo como escritor profesional [18].

Regresó a Lima en 1966. Fue bien acogido por los grupos selectos de intelectuales que admiraban su obra. En ese mismo año su novela *La casa verde* recibió, como la anterior, el *Premio de la Crítica* de 1966. En Nueva York fue invitado durante el verano a una reunión extraordinaria del PEN Club [19].

En 1967 publicó su relato *Los cachorros*, en la Editorial Lumen, de Barcelona. Originalmente se iba a titular *Pichula Cuéllar*, pero el autor desistió de ese título. La edición de 1970, que manejamos, lleva prólogo de José Miguel Oviedo, introducción de Carlos Barral y fotografías de Xavier Miserachs. Hay una edición de 1968, en la Habana, de la *Casa de las Américas*, con 67 páginas.

El 10 de agosto de 1967 se le concedió en Caracas el *Premio Internacional de Literatura Rómulo Gallegos*, segundo

[18] *Ibid.*, pág. 348.
[19] W. A. Luchting, *loc. cit.*

solamente al Premio Nobel. Es un premio creado por el INCIBA (Instituto. Nacional de Cultura y Bellas Artes) de Venezuela, y conlleva una medalla, un diploma y un cheque por $ 22,000 [20]. Su obra que más se consideró para este premio fue _La casa verde._ El discurso de inauguración estuvo a cargo de Simón Alberto Consalvi, presidente del INCIBA. La novela premiada había sido seleccionada por un Jurado compuesto por los venezolanos Fernando Paz Castillo, Pedro Pablo Barnola y Pedro Díaz Seijas, y por otros profesores, ensayistas y críticos hispanoamericanos, como Andrés Iduarte, Fermín Estrella Gutiérrez y Benjamín Carrión. El Profesor Arturo Torres Rioseco fue invitado pero no pudo asistir a la reunión de Caracas [21]. Nos complace personalmente que el Profesor Andrés Iduarte haya sido uno de los miembros del Jurado que tomó tan brillante decisión, ya que consideramos a Don Andrés como uno de los máximos conocedores de la literatura hispanoamericana de nuestra época.

En ese mismo año de 1967 conoció a García Márquez. También en ese año nació su hijo Gonzalo, hermano de Alvaro, nacido más tarde. Durante los años que han seguido a este gran Premio de 1967, la fama y celebridad de Vargas Llosa han dado la vuelta al mundo, y hoy no se puede hablar de novela hispanoamericana contemporánea sin mencionar su nombre. Se ha dedicado a viajar, a dictar conferencias, a dar cursos en varias universidades y centros culturales de Hispanoamérica, los Estados Unidos, Puerto Rico y Europa.

---

[20] Son cien mil bolívares (unos $ 22,000 dólares), J. M. Oviedo, _op. cit._, pág. 37; W. A. Luchting, _op. cit._, pág. 271 (nota al calce); Emir Rodríguez Monegal, «Diario de Caracas», _Mundo Nuevo_, noviembre de 1967, pág. 16.
[21] Simón Alberto Consalvi, «Un premio inobjetable», _Mundo Nuevo_, núm. 17, noviembre de 1967, pág. 92.

En 1969 la Editorial Seix-Barral, de Barcelona, publicó su cuarta novela, *Conversación en la Catedral,* en dos volúmenes. Una vez más el autor escribió un borrador kilométrico que hubo que acortar, y aun así la novela lleva dos tomos. Sin embargo, no sobra ni hace falta una sola palabra, como veremos en el estudio de los futuros capítulos de la presente obra.

La Editorial Tiempo, de Buenos Aires, publicó en 1969 una *Antología mínima de Mario Vargas Llosa.* Ya se intenta antologizar y publicar sus obras completas, como si nuestro autor se nos estuviera yendo ya. Todavía tiene 35 años (1971), está en plena madurez creadora, y de él esperamos aún mayores sorpresas literarias.

Su labor periodística hoy día es ya difícil de acoplar en volumen por lo cuantiosa y universal. En el Perú ha colaborado, entre otros periódicos, en *Literatura, Cultura Peruana,* Suplemento dominical de *El Comercio, La Crónica, La Industria* [22]. Fuera de su país, las más afamadas revistas literarias en varios idiomas reclaman sus colaboraciones, le solicitan entrevistas, y se honran en reproducir su retrato y publicar artículos y comentarios sobre sus obras.

No hay que olvidar que Vargas Llosa, además de cuentista y novelista, es ensayista, conferenciante y profesor de literatura. Ha ejercido la cátedra en varias universidades de Occidente. Durante los últimos años de la década del 60, fue catedrático de literatura hispanoamericana en el King's College, de Londres [23], donde ha residido por varios años.

---

[22] Alberto Escobar, *loc. cit.*; Emilia Romero Del Valle, *Diccionario manual de literatura peruana y materias afines,* 1966, pág. 333.

[23] M. Benedetti, *loc. cit.* Cf. Simón Alberto Consalvi, *loc. cit.* Vargas Llosa se dedica a su familia, a su cátedra y a su creación literaria con exclusividad. Le ha confesado a la escritora mexicana Elena Poniatowska, *op. cit.,* pág. 37: «No soy amiguero».

Desde 1970 Vargas Llosa vive en Barcelona, aunque el mundo intelectual lo obliga constantemente a hacer viajes esporádicos a todas partes.

Como persona, Mario es algo más que de mediana estatura, blanco-moreno, se ha rasurado ahora el bigote que antes usaba, es agilísimo pero pausado en su conversación, como lleno de un aluvión de ideas, sonríe amistosamente al hablar, es sumamente pulcro, irradiando cierta hidalguía casi medieval, aunque con un trasunto de tristeza, más bien nostalgia, pero en general con una personalidad magnética. No es frecuentador de tabernas, cafés, bailes, cócteles, diversiones. Es un hombre de soledad, de muy pocos amigos selectos, aferrado a su pasión de escribir sus novelas, de desentrañar los secretos de una auténtica creación.

2. EL ARTISTA Y EL INTELECTUAL

Cuando Vargas Llosa aceptó el Premio Rómulo Gallegos, el 10 de agosto de 1967, en Caracas, afirmó muy enfáticamente que, al otorgársele ese premio, su libertad como intelectual, ciudadano y artista, no podía quedar comprometida con nadie. Sus palabras exactas fueron: «...este premio que agradezco profundamente, y que he aceptado porque estimo que no exige de mí ni la más leve sombra de compromiso ideológico, político, o estético...»[24]. Con estas palabras, la soberbia independencia de carácter de Mario Vargas Llosa quedó definitiva e inmaculadamente subrayada ante el mundo. Esa independencia interior es el eje de su vigor como artista e intelectual.

---

[24] *Vide* M. Vargas Llosa, «La literatura es fuego», *Mundo Nuevo*, núm. 17, noviembre de 1967, págs. 93-95. Reproducido de *El Nacional*, Caracas, 12 de agosto de 1967. Vuelto a reproducir en *Antología mínima de M. Vargas Llosa*, 1969, págs. 145-156.

Desde el principio de la presente obra queremos dejar establecido muy claramente que nuestro objetivo no es discutir, ni en pro ni en contra, los ideales políticos de Mario Vargas Llosa, sino los permanentes valores de su obra como narrador, desde un punto de vista estrictamente estilístico. Naturalmente, puesto que la expresión literaria no está divorciada de la *weltanschauung* de su autor, hemos de aludir a ésta cuando sea necesario, con un criterio expositivo, rigurosamente objetivo, para poder aclarar puntos de relieve en el estilo de nuestro novelista.

Es interesante releer lo que Vargas Llosa expresó al periódico *El Mundo*, de San Juan, Puerto Rico, el 15 de febrero de 1969, en relación con el Premio Rómulo Gallegos que se le otorgó en Caracas en 1967[25]. En la primavera de 1969 dictaba Vargas un curso sobre técnica de la novela, en la Universidad de Puerto Rico. En la entrevista que el autor le concedió al mencionado periódico puertorriqueño, explicó que, a pesar de haber quedado tan profundamente reconocido a Venezuela —«ese admirable y hermoso país»[26], como le llamó—, la prensa venezolana le reprochó con violencia haber proclamado en ese acto, al que asistían autoridades venezolanas, su solidaridad con causas izquierdistas y con el socialismo internacional[27]. Indicó que eso no era nada secreto, puesto que había expresado tales ideas ya muchas veces en artículos, conferencias y reportajes, y que como ciudadano todo el mundo sabía cuál era su posición[28].

---

[25] Ramón Rodríguez, «Novelista explica sus ideas políticas», *El Mundo*, San Juan, Puerto Rico, 15 de febrero de 1969, pág. 20.

[26] *Ibid.* Vargas Llosa es un sincero y entrañable admirador de nuestros países hispanoamericanos. Sobre Puerto Rico ha expresado lo siguiente en carta personal que nos escribiera el 9 de octubre de 1971: «...ahora voy por el mundo proclamando a los cuatro vientos que esa islita diminuta es una de las maravillas del mundo».

[27] *Ibid.*

[28] *Ibid.*

Lo importante de estas manifestaciones de Vargas Llosa a *El Mundo*, como lo importante en su discurso de aceptación del premio en Caracas, no es que nos haya repetido el enfoque de sus ideales políticos, a los cuales tiene personal y privado derecho de adherirse —y a pesar de que en esa misma entrevista recalcó que no está inscrito en ningún partido— [29], sino otra cosa. Y ello es lo siguiente: la confirmación cada vez más elocuente de la independencia intelectual de su criterio, la afirmación de su ser como artista libre de fijos dogmas estéticos. Expresó que quiere conservar su independencia, que considera indispensable para el ejercicio de la literatura, que es, en sus palabras, «una vocación exclusiva y excluyente» [30], ya que el escritor para él debe ser «un rebelde por vocación» [31], y aún más, argüía que en la América Latina todo escritor ha de tener «la obligación moral de ser un rebelde social» [32], pero sin abdicar «de su libertad de creador» [33].

Una de las mayores demostraciones de esta recia independencia de carácter —recia como una de las rocas del *Macchu Picchu*— la vemos confirmada en mayo de 1971. El día 13 de ese mes y año, el *Diario Las Américas*, de Miami, Florida, trajo un reportaje en primera plana, que decía, entre otras cosas, que «Mario Vargas Llosa rompió con el Primer Ministro de Cuba, Fidel Castro, a cuyo régimen acusó de stalinista en una carta que comenzó a circular hoy

---

[29] *Ibid.*
[30] *Ibid.*
[31] *Ibid.*
[32] *Ibid.*
[33] *Ibid.* También ha declarado a Enrique Loubet Jr., para el periódico *Excelsior*, de México (24 de abril de 1971), lo siguiente: «No soy de ningún partido; ni estaré en ninguno. Quiero conservar mi independencia».

en París» [34]. El texto de la carta, fechada en Barcelona, estaba dirigido a la editora de la *Casa de las Américas*, después de renunciar al Comité de la revista de esa institución a la cual pertenecía. Los demás puntos del reportaje, de índole particular, no vienen al caso.

La prensa por lo general dice la verdad, pero algunas veces la distorsiona. Cuando Vargas Llosa vio la interpretación oportunista que muchos periódicos dieron a su verdadera posición ante su protesta del caso de Padilla, quiso poner los puntos sobre las íes. Así lo hizo en la revista *Oiga*, de Lima, en julio de 1971:

> Yo quiero aclarar esto en forma terminante. ...yo no he roto con la revolución cubana por haberme separado de la *Casa de las Américas*... Yo siempre protesté cuando me pareció necesario hacerlo, por ejemplo, cuando Fidel apoyó la intervención a Checoeslovaquia... Mi crítica fue la de un intelectual solidario del proceso revolucionario, la de un escritor que no abdica porque considera, como siempre consideré, el derecho a la crítica como inherente a su propia vocación. Un escritor siempre es un descontento, siempre está en divorcio con la realidad que vive. El derecho a discrepar es imprescindible dentro del socialismo. ...yo no soy político sino escritor [35].

Lo que importa, pues, es enfocar su rebeldía a todo dogma que intente coartar su criterio personal. Su posición autónoma, céntrica, vertebral y vertical, siempre ha luchado por desatarse de todo amarre esclavizante, ya de derecha como de izquierda. Por ejemplo, para sorpresa de muchos, es un fiscalizador constante del Socialismo y del Marxismo. Ha afirmado que «...estoy con aquellos que luchan por descongelar el marxismo, por suprimir sus deformaciones buro-

---

[34] *Diario Las Américas*, Miami (Florida), 13 de mayo de 1971, página 1.
[35] *Oiga*, Lima, año IX, núm. 432, 16 de julio de 1971, págs. 31-33.

cráticas y por democratizarlo». De hecho, Vargas Llosa no
acepta la interpretación marxista de la novela, que intenta
presentarla como producto de la clase media industrial [36].
Ha ido más lejos en esta expresión de independencia intelectual, aun en contra del mismo Socialismo, manifestando:
«Aun en el momento del triunfo del Socialismo el escritor
debe seguir siendo un descontento... Por eso el Socialismo,
o suprime de una vez por todas a la literatura, o acepta
que se critique de la base a la cúspide todo el edificio social... Hay que defender la libertad de creación» [37].

Nuestra posición personal, como críticos y admiradores
de Vargas Llosa, debe definirse, y por lo tanto, para sin-
cerarnos, diremos que no participamos de las ideas políticas
del novelista peruano, pero sí de sus ideales humanos. Nuestra admiración por su novelística, como la que profesamos
a la poesía de Neruda y al teatro de René Marqués, tampoco habrá de comprometer nuestra particular y muy diferente *weltanschauung*. Sin embargo, en ninguno de estos
casos, será ello obstáculo para un denominador común de
humanismo universal, de inconformismo social e ideológico
ante toda opresión dogmática, de sentido eterno de justicia
y de coparticipación en los nuevos derroteros estilísticos de
nuestro contemporáneo arte literario. Que la discrepancia
no impida la admiración.

Muchos de nuestros colegas en la crítica literaria rehuyen
—con una actitud simplista, ingenua, antiintelectual, prejuiciada, casi temerosa, diríamos— estudiar, investigar, en-
señar, o escribir sobre los grandes escritores de nuestra

---

[36] Ramón Rodríguez, *op. cit.*; L. Harss, *op. cit.*, pág. 362.
[37] E. Rodríguez Monegal, «Madurez de Vargas Llosa», *Mundo Nuevo*, núm. 3, septiembre de 1966, pág. 63. [Se hace referencia también
al artículo de MVL sobre el caso Siniavski-Daniel, publicado en *Mundo Nuevo*, núm. 1, julio de 1966, págs. 94-95.]

América española que son, como individuos, de ideas izquierdistas. Si vamos a ser tan pueriles como para eso, no
sólo tendríamos que echar de lado la genial obra literaria
de un Neruda, de un Asturias, de un García Márquez, y la
de muchos de nuestros mejores novelistas contemporáneos,
sino casi toda la literatura hispanoamericana (latinoamericana, para ampliar más el término) *del presente y del pasado*. Tales extremos nos parecen propios de aficionados y
amanuenses neófitos, pero no de profesionales de la crítica
literaria, o de profesores universitarios [38].

Personalmente no somos políticos, ni activos ni pasivos.
Nuestra posición es descubrir los verdaderos valores literarios en nuestros grandes autores, sean de ayer o de hoy,
independientemente de sus particulares filiaciones políticas
o religiosas. Así como no tenemos empachos en estudiar a
los buenos autores que profesan ideologías religiosas opuestas a las nuestras, tampoco los tenemos con adversarios en
política, si como escritores, intelectuales y artistas, merecen
nuestra atención. Lo demás, repetimos, es pura cobardía, o
anacrónico prejuicio.

Fiel a esta trayectoria de descubrir los valores literarios
en un autor como Mario Vargas Llosa, intentemos en el
resto de este apartado resumir su posición clave —en términos generales— como artista e intelectual. Dejaremos para
los apartados que siguen su visión más específica sobre la

---

[38] Estamos muy de acuerdo con Emir Rodríguez Monegal en que
«la vida se mueve», en que todo cambia, en que no podemos adoptar
posturas rígidas, ni idealismos anacrónicos, pues, como él, creemos
definitivamente en «un acercamiento inevitable entre los dos superimperios de hoy». [Véase la entrevista que este elocuente crítico
uruguayo le hizo a Max Aub, recogida luego en libro, Emir Rodríguez
Monegal, *El arte de narrar*, Caracas, Monte Ávila Editores, 1968, página 25.]

novela, tanto en el aspecto de su autenticidad en relación con la realidad, como en su enfoque estrictamente estilístico.

En diferentes entrevistas, en conferencias, en reportajes, en cartas, Vargas Llosa ha definido su posición intelectual desde la doble perspectiva de peruano y de hispanoamericano. Este «hidalgo melancólico» [39], como le ha llamado Rodríguez Monegal, parte siempre de la premisa de su afirmación como escritor profesional, como novelista de verdadera vocación:

> Lo que yo quiero es ser escritor y todo lo demás que esté subordinado a eso [40].

Opina que nuestros escritores tienden a desertar su vocación, o a traicionarla, sirviéndola a medias y a escondidas, debido a que el medioambiente social que les ha rodeado no les ha respaldado, desconfiando de ellos. Países en su mayoría sin editores ni lectores, con pésimo ambiente cultural, la vocación de nuestros autores queda frustrada. Aplicando este concepto a sus propios ciudadanos, ha dicho: «Todo escritor peruano es a la larga un derrotado» [41].

Sin embargo, Vargas Llosa ni es ni se considera a sí mismo derrotado o frustrado, porque siempre ha visto una gran esperanza en la verdadera novela, que habrá de reflejar las inherentes contradicciones latinoamericanas, sin renunciar a su expresión estética [42]. Aunque arguye que asistimos hoy a la decadencia y muerte de un continente [43], el intelec-

---

[39] E. Rodríguez Monegal, *op. cit.*, pág. 66.

[40] *Ibid.*, pág. 63.

[41] W. A. Luchting, «Los fracasos de Mario Vargas Llosa», *Mundo Nuevo*, núms. 51-52, septiembre-octubre de 1970, pág. 62.

[42] M. Vargas Llosa, «The Latin American novel today», *Books Abroad*, vol. 44, núm. 1, invierno de 1970, pág. 16. [Traducción al inglés por Nick Mills.]

[43] *Ibid.*, pág. 12.

tual habrá de reforzar su poder de persuasión, que en el caso del novelista producirá obras de arte que lograrán la necesaria catarsis y empatía en el lector.

Fuerte y firme en su preocupación por toda injusticia, Vargas Llosa rechaza todo dogma esclavizante, venga de donde viniere. La visión de una realidad local en que se enfoca a Latinoamérica como un mundo caótico, le desespera a veces, llevándole también a ver todo el universo como caos. Precisamente, por su seguridad de que existe una sofocante crisis social y cultural en toda la América Latina, es por lo que intenta hacer claro que el escritor debe enfilar sus lanzas contra todos los viejos valores que han tenido esclavizado el continente por tantos siglos. De ahí arranca su concepto de una literatura como *escándalo*, es decir, como cambio, como inquietud, como revolución.

Mario Benedetti, el distinguido escritor uruguayo, al estudiar los personajes de *La ciudad y los perros*, ha creído ver en esta actitud de Vargas Llosa, una filosofía pesimista, desolada, fatalista, frustrante, en que aparentemente no hay salvación para el hombre [44]. No compartimos ese criterio, pues creemos que la posición de Vargas, al proclamar una cruzada literaria de «escándalo», de inquietar espíritus, de despertar anhelos de renovación —actitud de raíces muy unamunianas— está cimentada sobre las bases de una profunda esperanza en las posibilidades de nuestra literatura y en una inquebrantable fe en las potencialidades de nuestros escritores.

Esa fe le lleva a afirmar que la meta del escritor —como intelectual, como artista— es clarificar la verdad escondida [45], o como ha expresado García Márquez: «voltear la reali-

---

[44] M. Benedetti, *op. cit.*, págs. 242 y 246.

[45] Alberto Oliart, «La tercera novela de Vargas Llosa», *Cuadernos Hispanoamericanos*, núm. 248-249, agosto-septiembre de 1970, pág. 510.

dad al revés» [46]. De ahí, que Vargas Llosa arremeta contra
el militarismo, contra la burguesía, contra el falso machismo, contra la violencia brutal, contra las esclavizadoras instituciones enmascaradas de ovejas. Para él, el individuo
corrompe a la sociedad —a diferencia de Rousseau— y ésta
corrompe a su vez al individuo, formándose así un círculo
vicioso. Por esto el escritor debe, en su opinión, ser un rebelde contra esa sociedad que lo corrompe, y la literatura
debe ser insurrección, crítica, sátira, latigazo, revelación de
la realidad enchapada, intento continuo y agudo por desenmascarar la podredumbre social. Es lógico que cuando se
va a limpiar la casa, hay que revolcarla.

Ese inconformismo del escritor ante su época, ante la
sociedad, es el eje de la novelística contemporánea de Hispanoamérica, y está muy especialmente ejemplificado en
Vargas Llosa. Como él ha explicado muchas veces, esto ha
ocurrido siempre en épocas de profundas crisis históricas,
antes de que se derrumbara por completo el andamiaje social [47]. Las novelas de caballerías, a fines de la Edad Media
y principios del Renacimiento, presentaron esa rebeldía del
escritor, ya que enfocaban los valores de la realidad terrena.
En el siglo XVIII, Vargas señala a escritores rebeldes como
Sade, Laclau, Restif de la Bretonne, Andrea de Nersiat, llama-
dos en su época «los malditos» [48]. En el siglo XIX, en Rusia,
Tolstoy y Dostoievsky, y más tarde, en el resto de Europa,

---

[46] Armando Durán, «Conversaciones con Gabriel García Márquez»,
Revista Nacional de Cultura, Caracas, núm. 185, julio-agosto-septiem-
bre de 1968, pág. 29.
[47] M. Vargas Llosa, *La novela,* conferencia pronunciada en el
paraninfo de la Universidad de la República, Montevideo, el 11 de
agosto de 1966. Edición de *Cuadernos de Literatura,* Montevideo, número 2, 1969, pág. 14.
[48] *Ibid.,* pág. 20.

Balzac, Proust, Kafka, Céline, Joyce, y, luego Faulkner en los Estados Unidos [49].

Si el escritor ha de ser inconformista, la literatura ha de ser fuego, incesante incendio de todo valor deteriorado, podrido, que insiste en enmohecer la evolución impostergable de la sociedad. Para Vargas Llosa, la literatura es, pues, la revolución de la evolución. En su maravilloso discurso titulado «La literatura es fuego» y pronunciado cuando recibió el Premio Rómulo Gallegos en 1967, ha dicho:

> ...que los escritores son algo más que locos benignos, que ellos tienen una función que cumplir entre los hombres... Es preciso, por eso, recordar a nuestras sociedades lo que les espera. Advertirles que la literatura es fuego, que ella significa inconformismo y rebelión, que la razón de ser del escritor es la protesta, la contradicción y la crítica. Explicarles que no hay término medio: que la sociedad suprime para siempre esa facultad humana que es la creación artística y elimina de una vez por todas a ese perturbador social que es el escritor, o admite la literatura en su seno y en ese caso no tiene más remedio que aceptar un perpetuo torrente de agresiones, de ironías, de sátiras, que irán de lo adjetivo a lo esencial, de lo pasajero a lo permanente, del vértice a la base de la pirámide social. Las cosas son así y no hay escapatoria: el escritor ha sido, es y seguirá siendo un descontento. Nadie que esté satisfecho es capaz de escribir... La literatura puede morir pero no será nunca conformista. Sólo si cumple esta condición es útil la literatura a la sociedad [50].

Según Luis Harss, la filosofía de Vargas Llosa fluctúa entre el determinismo decadente y anticuado, aunque dejando la puerta abierta para la libre elección, y el situaciona-

---

[49] *Ibid.*, págs. 20 y 25.
[50] M. Vargas Llosa, «La literatura es fuego», *Mundo Nuevo*, número 17, noviembre de 1967, pág. 94. [Reproducido en *Antología mínima de M. Vargas Llosa*, 1969, págs. 151-152.]

lismo sartreano [51]. Mucho hay de verdad en esto, aunque no estamos del todo de acuerdo con Harss, pues nos parece que el llamado determinismo —temático, intelectual, o ideológico— de Vargas Llosa, está condicionado por su candente fe en los procedimientos técnicos y estéticos de la novela. Es decir, el esteta perfeccionista que hay en él abre una brecha de luz en el doloroso mundo de su *weltanschauung* [52]. Su sentido estético y profesional de la vida y de su misión como escritor, lo han llevado a enfocar su novela como obra de arte, no meramente como denuncia. He ahí la enorme, la tajante diferencia entre Vargas Llosa —y por antonomasia añadiremos a los demás grandes narradores hispanoamericanos contemporáneos— y los novelistas tradicionales anteriores a la década de 1940.

En Vargas Llosa no se da el caso de un novelista que sólo se centra en hacer sátira social, o en desenmascarar las lacras del medioambiente, o en señalar las enfermedades espirituales de su época —caso, por ejemplo, de los naturalistas—, sino que esa intención de rebeldía, ese objetivo inconformista de protesta, fiscalización y grito de insurrección contra el cáncer social, van acompañados, interpenetrados, transubstanciados, por una inconfundible conciencia artística.

Este novelista peruano es consciente de su elaboración estilística, y sabe que los valores permanentes, definitivos, de su novela, serán los logrados a través de la palabra mis-

[51] L. Harss y B. Dohmann, «Mario Vargas Llosa, or the revolving door», *Into the mainstream*, 1967, pág. 361.

[52] *Ibid.*, pág. 348, para ese afán perfeccionista. Sobre la visión de su *weltanschauung*, no cabe duda que en Vargas Llosa se da toda la dimensión del término. Cf. Ulrich Weisstein, «Expressionism: style or *Weltanschauung*», *Criticism*, Wayne State University Press, vol. IX, núm. 1, invierno de 1967, pág. 50, en que se expresa: «*Weltanschauung* being the sum total of intellectual views and emotional attitudes embraced by a given individual».

ma transformada en joya estética, dentro de un determinado concepto del estilo. Vargas Llosa comprende que lo que quedará del arte literario, cuando en el transcurso de los siglos no existan ya los problemas sociales que hoy tenemos, es el esfuerzo estilístico nuevo, fresco, virgen, por afirmar sus posiciones ideológicas. De la única manera que no morirán las experiencias reveladas en la obra de creación, es revistiéndolas con ciertos procedimientos artísticos especiales, que cada autor ha de trabajar individualmente en el taller de su propio estilo. Dice Vargas que el novelista debe «emplear estrategias diferentes, adecuadas cada vez a esa materia con la que trabaje para que esas experiencias no mueran al pasar por el lenguaje y más bien den la impresión, la ilusión, de ser unidades de vida autónomas, independientes, soberanas, totalmente emancipadas de él mismo»[53].

Mario Vargas Llosa es un novelista de muy honda consciencia estilística. Si no estuviéramos seguros de esto que acabamos de afirmar, no nos hubiéramos preocupado por escribir la presente obra. Precisamente, el objetivo de ésta, como hemos ya señalado, es revelar esos valores estilísticos —que serán los eternos— en la novelística de nuestro autor. Hombre de firmes ideas, aunque no fijas ni estratificadas, intelectual recio, vigoroso, en su posición ideológica, artista consciente de su misión estética, Vargas Llosa se nos presenta como un novelista hecho y derecho, sin ambages, definido, rectilíneo en sus enfoques y hechizante en su estilo.

3. LA AUTENTICIDAD DE LA NOVELA

Ya hemos dicho que para Vargas Llosa el escritor debe revelar a los hombres el ingrato espectáculo de sus miserias

---

[53] M. Vargas Llosa, *La novela, op. cit.,* pág. 7.

morales, con el objetivo de conmoverlos y hacerlos conscientes de ellas. Ese conocimiento de la miseria humana le
viene al novelista directamente de su vida, de sus propias
experiencias. El escritor obtiene de la realidad existencial la
materia prima para sus ficciones. Sus experiencias, pues,
forman la cantera de donde obtendrá la savia de sus novelas.
De ahí que el factor autobiográfico es indispensable en toda
obra de arte, sobre todo en la ·novela. Para Vargas, toda
novela es auténticamente autobiográfica, pero no entendién-
dose esto en el sentido confesionalista del término. El des-
nudarse cruda y objetivamente ante el lector no hace al
novelista. Dice Vargas Llosa que esas experiencias no pueden
pasar a la novela en forma directa, porque «mientras más
leal quiera ser a esa zona, a ese ámbito de la realidad que
quiere expresar, será menos novelista» [54].

La autenticidad de la novela puede conllevar una contradicción con ciertas posiciones ideológicas del propio autor,
ya que toda obra de arte es en sí autónoma, es una unidad
redonda, un cosmos con sus propias leyes. Sobre esto comenta nuestro autor que la filosofía implícita· en la novela

> ...puede —y de hecho ha ocurrido— no corresponder a la del
> autor, y no sólo no corresponder, sino incluso contradecirla y
> negarla [55].

Es por esto que Vargas Llosa, en la convicción de que
una novela verdadera es una obra de arte, y no un mero
panfleto de testimonio escueto, o una descarada denuncia
antiestética, afirma que la auténtica novela no depende de
su trama y su temática solamente, sino de los *medios* por

---

[54] *Loc. cit.*
[55] *Antología mínima de M. Vargas Llosa*, pág. 136.

los cuales esa trama y esa temática se incorporan a una estructura particular, a una técnica especial[56].

En ese esclarecedor ensayo que publicó en *Books Abroad* en el invierno de 1970 —y al cual nos hemos referido en la nota última— Vargas Llosa, fiel a ese concepto estilístico de la novela, analiza las causas de la madurez de la nueva novelística hispanoamericana. Cuatro son los cambios, según él, que se han operado en esta nueva novela: 1) un cambio del eje temático, que se desplaza del enfoque de la naturaleza al hombre mismo: una especie de humanización del arte, contrario a lo que diría Ortega y Gasset; 2) una expansión del concepto de la realidad, en donde se extiende el diapasón dimensional de ésta, abarcando nuevos centros de inspiración, tales como el onírico y el mítico; 3) desplazamiento del foco de atención de lo rural a lo urbano, trayendo así a primeros planos toda la problemática social ante los ojos de sus víctimas y victimarios que viven en las ciudades; 4) una más aquilatada conciencia estética en lo estrictamente estructural, a base del experimentalismo lingüístico.

A la caótica realidad, el novelista ha de ponerle orden, sistema cósmico, por medio de los procedimientos estéticos, pero sin limitar la expresión auténtica de ese caos como una constante de toda realidad. Para lograr esto, Vargas Llosa aspira a develar todos los planos de la realidad en una novela que él llama *totalizadora*. Su fe en esto parte de su estudio de las novelas de caballerías, en donde el anónimo autor combinaba armoniosamente lo objetivo y lo subjetivo, lo cotidiano y lo onírico, lo verosímil y lo mítico. Su llamada novela totalizadora pretende volver a las novelas de caballerías, pero no en su temática o planteamientos, ni siquiera

---

[56] M. Vargas Llosa, «The Latin American novel today», *Books Abroad*, vol. 44, núm. 1, invierno de 1970, pág. 8.

en su atmósfera, sino más bien en sus técnicas de totalización de la realidad.

En la auténtica novela, el lector experimenta una vivencia tal, que se rompe la distancia entre éste y el autor. Esa experiencia re-creada en el lector, en forma de especial catarsis por medio de la empatía con la narración misma, le da empuje y subyugación a la novela. No es que se enfatice tanto la fábula en sí. No es que se subraye la sátira o la ironía. No es el humorismo, que a su juicio destruye en parte esa catarsis. Se trata de que la magia del estilo cautive, hechice, absorba al lector hasta hacerlo cómplice de la ficción misma, y que aquél *viva* las experiencias en la forma re-creada por el autor, no como en su origen fueron, ya que en esa forma así re-creada, el novelista puede inyectarle mejor a su lector el mensaje, la vibración y el nervio de su obra.

Para Vargas Llosa la novela es un género invasor, pulpo, imperialista, que incorpora a todos los demás géneros, cosa que éstos no pueden hacer con ella. La novela permite conocer la realidad en forma intuitiva y racional, por lo cual es una forma superior de la literatura. Sin embargo, no es un mero conocimiento de la realidad, sino un conocimiento *verbal*, pues el novelista tiene que elaborar la lengua en una lucha a muerte con ésta, produciéndose así un ejercicio tenaz, laborioso, constante.

Toda auténtica novela tiene como sangre y sustancia al hombre mismo. Según Vargas Llosa no existe la novela mística verdadera, ya que para él la problemática de Dios es siempre antropomórfica, por lo cual lo humano se cuela indiscutiblemente. Siendo lo humano el campo de acción en la novela auténtica, el hombre viene a jugar entonces el papel de Dios mismo en ella. El novelista, como Dios, es un creador de realidades, un re-creador de experiencias, aunque en otras medidas y con diferentes fines.

Recrear de esta manera la propia vida en la ficción novelística no es lo que le da al autor poder de persuasión. Sin esa magia especial de la persuasión narrativa —arrastre del lector, su absorción, su catarsis, su empatía— no hay, según Vargas Llosa, novela auténtica, aunque la materia fundamental de su narrativa sea, como él mismo afirma, «la vida, o girones de vida» [57].

4. EL PROBLEMA DE LA REALIDAD

Afirmamos enfáticamente, junto a Rosa Boldori [58], que Vargas Llosa es un neorrealista. Esto es, un realista de *nuevo* cuño. Y lo *nuevo* es lo que importa, porque es donde reside su gran diferencia con los anteriores realistas de Hispanoamérica y Europa.

Unas frases de Emir Rodríguez Monegal aclaran meridianamente este enfoque realista de nuestro autor:

> Inspirado simultánea y armoniosamente en Faulkner y en la novela de caballerías, en Flaubert, Arguedas y Musil, Vargas Llosa es un narrador de gran aliento épico para el que los sucesos y los personajes siguen importando terriblemente. Su *renovación* es, en definitiva, una *nueva forma* del realismo: un realismo que abandona el maniqueísmo de la novela de pro-

---

[57] Cf. M. F., «Conversación con Vargas Llosa», *Imagen*, Caracas, suplemento núm. 6, agosto 1-15 de 1967. Referimos también al lector a dos trabajos magníficos de Vargas Llosa que analizan toda esta problemática de la autenticidad de la novela, y que hemos estado citando en las notas precedentes: «La novela», ensayo publicado en *Cuadernos de Literatura*, Montevideo, 1969, y «The Latin American novel today», en *Books Abroad*, vol. 44, núm. 1, invierno de 1970.

[58] Rosa Boldori, *Mario Vargas Llosa y la literatura en el Perú de hoy*, Santa Fe, Ediciones Colmegna, 1969, págs. 18-35.

testa y que sabe que *el tiempo tiene más de una dimensión,* pero que no se decide a levantar los pies de la sólida, atormentada tierra [59].

Notemos antes que nada el énfasis de la segunda oración en esa cita, en que el crítico uruguayo insiste en la idea de que el realismo de Vargas Llosa no es el mismo de antes, sino una forma renovada, algo nuevo, en que se le da importancia a las distintas dimensiones del tiempo, como una de las técnicas que traen esa renovación. Añade el mismo crítico, abundando en este aspecto estilístico, que «Mario Vargas Llosa aprovecha por su parte las nuevas técnicas (discontinuidad cronológica, monólogos interiores, pluralidad de los puntos de vista y de los hablantes) para orquestar magistralmente en *La ciudad y los perros* y en *La casa verde,* unas visiones a la vez muy modernas y tradicionales...» [60]. Naturalmente, lo tradicional cae del lado de la temática, pero como ésta queda *renovada* con las técnicas, surge una visión moderna que vivifica el viejo realismo, transformándolo en neorrealismo. Uno de los grandes puntales abandonados por Vargas Llosa como neorrealista, es la dimensión maniqueísta de la protesta, como apunta Monegal. Como hemos señalado en el apartado anterior, la gran diferencia que existe entre obras como *Huasipungo* y *La casa verde,* reside precisamente en el manejo y presentación estilística de la protesta. Mientras en la primera obra se da desnuda, sin la más mínima conciencia estética, en la segunda está transubstanciada en una joya artística de originalísimo corte.

Partiendo de sus propias experiencias, Vargas Llosa descubre que en la América Latina la injusticia es ley y la ig-

---

[59] E. Rodríguez Monegal, *Narradores de esta América,* 1969, pág. 29. El subrayado es nuestro.

[60] *Ibid.,* págs. 28-29.

norancia un paraíso, que por doquiera cunden la explotación, las cegadoras desigualdades, la miseria, la alienación económica, cultural y moral, que hay *monstruos* —como en las novelas de caballerías— que devoran sus entrañas: monstruos de adentro, como el dominio férreo de las castas, el militarismo, el feudalismo anacrónico, la censura, el machismo, la demagogia, el dogma, la aburguesada burocracia asociada servilmente al pulpo del poder; y monstruos de afuera, como la estrangulación económica que la saquea [61]. Ante esa realidad horrorosa, embiste sus armas —doblemente temáticas y estéticas— para destruir los *molinos de viento*, aunque quede malherido en la batalla, como pasó cuando quemaron su primera novela en el Leoncio Prado, o cuando ciertos críticos lo han abofeteado escupiéndole que sólo utiliza «léxico tabernario» [62] para escribir «un mamarracho» [63] donde todo es «rastrero, vulgar, mediocre» [64]. Pero este nuevo Tirante el Blanco, este nuevo Amadís, este nuevo Don Quijote de la actual novelística hispanoamericana ha sabido tener fe en su Dulcinea —su novela—, y en los genios y magos que le guían —sus convicciones, su experiencia—, y ha hecho *callar* a los prejuiciados y a los ignorantes.

Para Vargas Llosa la realidad está mal hecha y la vida debe cambiar, y el novelista está llamado a ayudar en esta transformación, en esta crisis colectiva. Y lo hará, como él mismo afirma, por medio de sus ficciones, utilizando en ellas los hechos y los sueños, los testimonios y las alegorías, las visiones y las pesadillas [65]. Pero toda esta transformación

---

[61] M. Vargas Llosa, «La literatura es fuego», *Mundo Nuevo*, número 17, noviembre de 1967, pág. 94.

[62] Manuel Pedro González, «Impresión de *La ciudad y los perros*», *Coloquio sobre la novela hispanoamericana*, 1967, pág. 102.

[63] *Ibid.*, pág. 105.

[64] *Loc. cit.*

[65] M. Vargas Llosa, *op. cit.*, pág. 95.

habrá de hacerse con una plena conciencia estilística de vibración moderna, en la lengua hispanoamericana del autor. Convencido de que la realidad tal cual es no debe ser fotografiada desnuda y explayadamente en la novela, porque perdería su poder de subyugación conmovedora, ya que sólo sería entonces una noticia periodística, o un testimonio o una queja documental, Vargas Llosa cree y afirma que hay que transmutar la realidad en materia poética. No hacerlo así es caer en puro exhibicionismo y en descarada pornografía. He aquí la enorme diferencia entre, el tradicional Realismo literario y el Neorrealismo actual. Vargas le ha dicho a Luis Harss que no cree que el realismo literario escueto pueda ser un enunciado directo de la realidad, ya que la literatura será siempre una transposición de esa realidad[66].

Nuestro novelista opina que las experiencias vividas y asimiladas por el escritor han de pasar por esa membrana del estilo, en donde quedan disfrazadas, transformadas, manipuladas, y por lo tanto revividas en otra dimensión, la poética. No hacerlo así significa condenar esas experiencias a que se congelen, o a que se desangren, perdiendo su mejor savia.

Aunque muchas veces el proceso de ósmosis estilística no es del todo consciente, el novelista debe esforzarse lo más posible por lograr esa transmutación a cabalidad. Una de las intenciones de esta transposición de lo real-histórico (objetivo, crudo, desnudo, descarado, confesional) a lo real-estilizado (subjetivo, fantástico, onírico, mítico, mágico, simbólico, alegórico, inverosímil, metafórico —y tropológico en general—, estético) es ocultar la experiencia personal al lector o a sí mismo, a veces exorcizarla para así borrarla para

---

[66] L. Harss, *op. cit.*, págs. 356-357.

siempre, otras es inyectarla en forma soslayada en la conciencia del lector para lograr su catarsis.

Al así transponer la realidad, se ha recuperado su esencia de eternidad, su permanencia de conmoción, su espíritu de vivencia. De esa manera se logra el enfoque pluridimensional de la realidad, como en las novelas de caballerías. Es posible que, como en este tipo de novelas medievales, las novelas contemporáneas den a primera lectura, y para el lector ingenuo, una impresión caótica. Pero una vez que el lector es captado en la red de esa empatía pluridimensional de la realidad que hemos mencionado, la novela rompe sus velos y entrega sus secretos.

La misión, pues, de la novela, es rescatar una realidad que está llamada a perecer, a cambiar, a liquidarse. Hemos visto que Vargas Llosa ha explicado claramente que las mejores novelas reflejan las sociedades que están por perecer [67]. Cuando las colectividades están en crisis, enfermas, en descomposición, roídas por malignos tumores sociales, surgen esas novelas que han de revelar el secreto último de esa realidad en agonía para perpetuarlo en la historia y en la conciencia humana.

Es cierto que los realistas y naturalistas del siglo XIX, como otros escritores anteriormente desde la Edad Media, han venido revelando en sus novelas esas sociedades en crisis, y muchos de ellos con obras maestras por haber logrado evitar la congelación de esos trozos de realidad, transmutándolos en arte. Mas lo que nuestros contemporáneos han logrado —y en esto Vargas Llosa como el que más— ha sido: 1.º) la captación de la realidad actual de Latinoamérica, que es lo que nos interesa a todos; 2.º) la transpo-

---

[67] M. Vargas Llosa, *La novela*, en *Cuadernos de Literatura*, 1969, pág. 21.

sición de esa realidad en arte por medio de viejas y nuevas técnicas estilísticas que revolucionan la estructura de la novela; 3.º) el logro de una obra de arte a base de la lengua hispanoamericana contemporánea, con todos sus recursos léxicos, fonéticos, dialectológicos, folklóricos y tropológicos. La realidad así transformada, deja de ser algo histórico, momento de interés en un determinado tiempo local o mundial, mero documento testimonial, informe oficialesco, o simple queja histérica, para cristalizarse en eternidad.

5. EL ENFOQUE ESTILÍSTICO

Vargas Llosa ha declarado muchas veces que intenta escribir lo que él llama la *novela totalizadora* [68]. Para él, es novela totalizadora porque viene de una visión también totalizadora de la realidad. Claro, que él arranca de la perspectiva de los anónimos escritores de novelas de caballerías. Vargas aclara:

> ...Ellos contaban aquello que veían, aquello que creían, aquello que sentían. Su descripción, su representación del mundo, era, a diferencia de lo que ocurría en los otros géneros, no parcial sino, al contrario, total, o mejor dicho, totalizadora.
> Los creadores del género trataban de mostrar la realidad en todos sus niveles, en todos sus estratos; querían, se diría, abarcar en sus novelas toda la realidad [69].

En su afán de crear esta novela con todos los niveles de la realidad transmutados en arte literario, Vargas enumera

---

[68] M. Vargas Llosa, *op. cit.*, pág. 16; M. Benedetti, *op. cit.*, página 250; Nelson Osorio Tejeda, «La expresión de los niveles de realidad en la narrativa de Vargas Llosa», *Atenea*, Santiago de Chile, enero-marzo de 1968, pág. 127.

[69] M. Vargas Llosa, *loc. cit.*

esos niveles, que a la larga se pueden sintetizar en los siguientes: a) el *sensorial* —objetivo y cotidiano, con su tiempo cronológico; b) el *mítico* —con su descronología del tiempo y su aceptación de lo inverosímil como real, y su gran fuerza simbólica; c) el *onírico* —fundamentalmente surrealista, con los elementos escatológicos de la fantasía, el sueño, el subconsciente y la pesadilla, y el otro nivel del tiempo psicológico ya aceptado por la ciencia; d) el *metafísico* —intrínsecamente filosófico, de planteamientos universales permanentes; e) el *místico* —con su dimensión de contacto humano-divino, en donde se proyecta la plasmación de una consciencia cósmica en el hombre.

Si la conciencia del hombre es capaz de registrar la escala completa de dimensiones, desde una vibración sencillamente *sensorial* hasta el diapasón *místico*, es lógico suponer entonces que la novela total, *totalizadora*, tendría que sintetizar todos los cinco niveles que hemos expuesto en el párrafo anterior. No cabe duda que en el caso de Vargas Llosa —y él lo ha declarado muchas veces— todavía no se ha dado esa novela absolutamente totalizadora. En sus últimas obras, sobre todo en *La casa verde*, se ha acercado mucho a esa síntesis, pero aún no ha aparecido la obra que sea íntegramente totalizadora. La razón primordial es la siguiente, para el caso de Vargas Llosa: su dimensión *sensorial* es maravillosa, asombrosa, pasmosa; luego, la *mítica* y la *onírica* son bastante reveladoras y logradas, pero la *metafísica* apunta esporádicamente y no se cuaja, y la dimensión *mística* está ausente por completo. Ya veremos en el análisis estilístico que haremos en sucesivos capítulos la verdad de esto en todas sus novelas. Claro, ello no quiere decir que un novelista de las dotes intuitivas de Vargas Llosa, y de su magistral manejo de la lengua, no pueda realizar las dimensiones metafísicas y místicas. Nuestra mayor esperanza es que se logre esto en alguna de sus futuras creaciones.

Tampoco le resta valor a sus obras el que no tengan algunas de esas dimensiones. Se trata sencillamente de un ideal personal del novelista, de crear la novela totalizadora. De hecho, una obra maestra puede serlo con la expresión de una sola de esas dimensiones, y se podrían citar numerosos ejemplos. Pero Vargas, aunque a veces ha expresado sus dudas de que sea posible reunir todas esas manifestaciones en una sola obra [70], quiere lograr la novela con todas las dimensiones, y es muy probable que nos sorprenda algún día con ella.

Es curioso notar cómo dos autores tan opuestos en su ideología y cosmovisión como Vargas Llosa y Borges, coincidan en ver la realidad desde el diapasón de sus propias experiencias: éste en el mundo onírico, aquél en el social y concreto. Les separa el punto de arranque, ya que Vargas no cree en la *inspiración*, mientras que Borges sí; y aquél aboga por una literatura de concentración en la problemática sociopolítica (sin que sea novela política necesariamente), y éste insiste en no mezclar literatura con nada que huela a política, y acaba de hacer un llamado a los intelectuales y escritores, desde la Universidad de Jerusalén, donde recibió un Doctorado *Honoris Causa* en abril de 1971, para que «no se vuelvan sordos al divino suspiro de la musa» [71].

Naturalmente, los niveles de realidad a que nos hemos estado refiriendo en el caso de Vargas Llosa, para crear la

---

[70] N. Osorio Tejeda, *loc. cit.*

[71] Para las opiniones de Vargas Llosa sobre los móviles de la inspiración, véase: M. F., «Conversación con Vargas Llosa», *Imagen*, Caracas, suplemento núm. 6, agosto 1-15 de 1967; para las opiniones de Borges sobre el mismo tema, que él llama «la musa», véase: *Excelsior*, México, 30 de abril de 1971, pág. 30-A.

novela totalizadora, no son las técnicas en sí, pero exigen determinadas técnicas de estilo. El *continuum* del tiempo, por ejemplo, es una de esas técnicas. Aunque se puede trazar en nuestra lengua hasta el *Poema de Mío Cid* y *La Celestina*, el *continuum* del tiempo en los contemporáneos hispano-americanos, sobre todo en Vargas Llosa, es uno de los mayores logros estilísticos de su novelística, y será motivo de amplio examen en la tercera parte de la presente obra.

No es propósito de este apartado entrar en detalles sobre los procedimientos estilísticos y las técnicas viejas o nuevas utilizadas por Vargas Llosa en sus obras. Como hemos señalado, dedicamos íntegramente la tercera parte de esta obra a ese análisis. En este apartado, hemos tan sólo apuntado la inquietante necesidad de Vargas Llosa por adecuar estilísticamente la estructura y la lengua de su novela al enfoque de su visión de la realidad. Es decir, una determinada perspectiva de la realidad *requiere* una especial transposición técnica, que produce por tanto un particular estilo.

Vargas Llosa ve en toda técnica novelística un solo objetivo: anular la distancia entre narrador y lector. Se logra por medio del arrastre del lector hacia el *maremágnum* de la narración misma, haciéndolo copartícipe de ésta. Este efecto de contaminación del lector le imparte cierta vitalidad a la obra, que produce a su vez una especial vivencia en aquél. Para ello, busca siempre eliminar al narrador omnisciente.

Este enfoque estilístico es la base y génesis de todo el andamiaje técnico de Vargas Llosa. Su intento de expresar una simultaneidad dimensional no se logra solamente en la perspectiva general de un párrafo o un capítulo, o la obra en conjunto, sino también en una frase, en una palabra especial, mediante ciertas combinaciones rítmicas. Esto es tan sólo un ejemplo de sus técnicas. En la tercera parte de

este libro examinaremos las demás, que, por cierto, agrupa-
remos en los tres procedimientos básicos que él utiliza,
tomados directamente de las novelas de caballerías. Son,
según sus propias palabras, los siguientes: *los vasos comunicantes, las cajas chinas, y la muda o el salto cualitativo* [72].

Todos estos procedimientos estilísticos, en detalles, y
otros más, serán analizados en la tercera parte de nuestra
obra. Entre tanto, para cerrar este apartado —y a su vez
la primera parte de este libro— deseamos dejar muy clara
nuestra visión global de Mario Vargas Llosa como escritor
hispanoamericano.

El lector habrá ahora de entrar a las últimas dos partes
de nuestra obra en donde examinaremos la *temática* de
nuestro novelista —para enfocar la posición exacta de su
weltanschauung—, y las *técnicas* estilísticas que utiliza en
sus novelas, de tal manera que tengamos un cuadro de conjunto y a la vez detallado de su arte narrativo. Al estudiar
esas dos partes de la presente obra, el lector irá confirman-
do todo lo que sobre la novelística de Vargas Llosa hemos
declarado en esta primera parte. De esta manera, nuestros
lectores se representarán la magnitud artística del autor de
La casa verde. Nuestra visión de este escritor, nos parece,
no tiene antecedentes. No basta lo que Harss ha dicho:
que Vargas Llosa *eclipsa* a muchos de los escritores peruanos que le han precedido, o que representa la madurez de
una nueva era [73]; ni lo que han dicho Estuardo Núñez, Benedetti, Rodríguez Monegal, Wolfgang A. Luchting, José Miguel
Oviedo, y tantos más que incluimos en la bibliografía de
esta obra. Nosotros afirmamos que la verdadera literatura
hispanoamericana comenzó con un peruano —el Inca Gar-

---

[72] M. Vargas Llosa, *La novela,* 1969, págs. 22-28.
[73] L. Harss, *op. cit.,* pág. 343.

cilaso de la Vega[74]—, y ha culminado en nuestros días con otro peruano: Mario Vargas Llosa.

Como ensayista, como profesor y crítico, como escritor de un hondo sentido poético de la lengua, como conocedor del diálogo teatral, como novelista eminente, Vargas Llosa es una síntesis de los mejores escritores peruanos anteriores a él y contemporáneos de él, superándolos a todos. En este novelista se condensan: Luis Alberto Sánchez, Juan Carlos Mariátegui, Ricardo Palma, Sebastián Salazar Bondy, José María Arguedas, Ciro Alegría, César Vallejo, Enrique López Albújar, Enrique Díez Canseco, Abraham Valdelomar, Julio Ramón Ribeyro, Oswaldo Reynoso, Enrique Congrains, Carlos Zavaleta, Manuel Mujica Gallo, Juan José Vega y Eleodoro Vargas Vicuña, entre otros, y aun el mismo Inca Garcilaso con su visión histórico-mítica de la realidad. Pero no es Vargas Llosa una mera síntesis de ellos, aun cuando los supere, sino que aporta al conjunto su propio y original estilo, que será motivo de análisis en el resto de este libro.

Tal es nuestro enfoque de este novelista, a pesar de toda la sombra que muchos han querido echar sobre su narrativa. No estamos de acuerdo, por ejemplo, en un apunte que hace Luis Harss en su libro *Into the mainstream*[75] sobre Vargas Llosa. No es que incluyamos a Harss entre los críticos adversos al novelista peruano, pues no lo es. Luis Harss es un eminente investigador y uno de los más auténticos conocedores de los escritores hispanoamericanos de hoy, y sus páginas sobre Vargas Llosa son, en general, muy elogiosas. Sin embargo, no le apoyamos al decir que Vargas *registra*, como una máquina, las experiencias, pero que no

---

[74] Hemos afirmado esto varias veces. Véase nuestra obra *Literatura hispanoamericana contemporánea*.
[75] *Op. cit.*

nos permite descubrir sus secretos [76], y que, en general, da
la impresión de dureza [77]. En oposición a lo expuesto por
Harss, creemos que Vargas Llosa es un alma sensible, profundamente apuñalada por la vida, con una lógica posición
de reserva, y cuya aparente dureza es una coraza que cubre
su íntimo dolor.

El análisis estilístico de su novelística nos revelará al
hombre interior que hay en Vargas Llosa, así como nos
descubrirá los secretos mecanismos de su arte, que son, en
definitiva, la auténtica expresión —particular y personal—
de ese hombre interno.

---

[76] *Ibid.*, pág. 363.

[77] *Ibid.*, pág. 364. Las palabras exactas de Harss en todo este
asunto son las siguientes: «Vargas Llosa is not a discoverer, he is a
recorder... He builds on the assumption that man is a calculable
quantity... There is *no inner man* to support the outer gesture». El
subrayado es nuestro.

SEGUNDA PARTE

TEMÁTICA

CAPÍTULO III

LA CORRUPCIÓN DE LA INOCENCIA

Al iniciar esta segunda parte de nuestra obra sobre la temática en la narrativa de Vargas Llosa, conviene que indiquemos con toda precisión las ediciones de los textos que vamos a manejar, tanto ahora como en la tercera parte de este libro. Por juzgarlas las mejores, son las siguientes, durante todo nuestro estudio: *Los jefes*, Buenos Aires, Edit. Jorge Álvarez, 1968; *La ciudad y los perros*, Barcelona, Edit. Seix-Barral, 1964; *La casa verde*, Barcelona, Edit. Seix-Barral, 1967; *Los cachorros*, Barcelona, Edit. Lumen, 1970; *Conversación en la Catedral*, Barcelona, Edit. Seix-Barral, 1969, 2 vols. Todas las citas que apuntamos en las notas al calce se refieren a esas ediciones. Como se sabe, *Los jefes* es libro de cuentos; *La ciudad y los perros*, *La casa verde* y *Conversación en la Catedral* son novelas completas; *Los cachorros* pertenece a ese género particular muy de moda hoy —aunque muy antiguo— que se ha llamado *relato*, y al que pertenecen también *El congreso* de Borges (1971) y *El retorno* de Ramar Yunkel (1972), aunque estas dos obras sean de temática y técnicas muy diferentes a la de Vargas Llosa.

El problema de la temática en la narrativa de Vargas Llosa no ofrece mayores dificultades. El estudio que hemos hecho de las cinco obras arriba mencionadas, nos lleva muy fácilmente de la mano al descubrimiento de un tema central, global, maestro, que es la vértebra de toda su narrativa. Alrededor de ese eje giratorio encontramos todos los eslabones temáticos de Vargas Llosa. Ese gran tema único es *el individuo como víctima de una sociedad podrida*. Esa confrontación resulta en un choque ideológico del que se desprenden muchos subtemas que, por analogía y subordinación, hemos agrupado en solamente tres temas mayores. Estos corresponderán a los tres capítulos de esta segunda parte de nuestra obra, a saber: 1) la corrupción de la inocencia, 2) la sociedad impostora, y 3) frustración y esperanza.

En el presente capítulo, correspondiendo al primer tema, analizamos a la víctima —el individuo torturado y corrompido por la sociedad ulcerada. Corresponde al próximo capítulo estudiar al victimario en sí: la sociedad. Finalmente, en el tercero, examinamos los efectos y las proyecciones de ese choque. El tema de cada capítulo va a su vez subdividido en varios subtemas.

Como todos los temas están eslabonados, los vamos presentando con cierta evolución rítmica *in crescendo*, hasta lograr desentrañar la médula total del tema global y único, que, como hemos ya indicado, es el individuo víctima de su sociedad. Se ve, pues, claramente que el blanco de ataque de Vargas Llosa, su *molino de viento*, es la sociedad en crisis, enferma, agónica. Esa sociedad es el *dragón* de sus *nuevas* novelas de caballerías.

Aunque la tercera parte de este libro va dedicada al análisis de las técnicas que hacen posible el milagro de su arte, hemos de hacer esporádicas referencias a ellas en los tres capítulos de la temática que ahora iniciamos, para ir demostrando cómo esos temas, esa ideología, esa *weltanschau-ung*, van siendo transvasados en materia poética.

1. EL PERSONAJE TRAICIONADO

Hemos señalado que el tema-eje de Vargas Llosa es el individuo víctima de una sociedad ulcerada, o lo que es lo mismo, la sociedad tiranizando al individuo. En el presente capítulo examinamos ese individuo como víctima. Nuestro estudio abarca un triple plano: el personaje traicionado, la ley de la jungla y el elemento autobiográfico.

Ese personaje que aparece siempre como víctima de la sociedad corrompida, es, en la narrativa de Vargas Llosa, o un individuo particular, o un grupo de ellos como personaje colectivo, o ambos. Sin embargo, hay una tendencia a destacar un determinado personaje en todas sus obras para presentarlo como la víctima representativa o clave.

Tal personaje aparece siempre caracterizado con dos factores fundamentales: a) es *inocente* —sea al principio o durante toda la obra—, y b) es *traicionado* de alguna manera, lo cual acarrea su corrupción, su caída y muchas veces su muerte.

La inocencia del personaje le es innata, y esto arrastra nuestra simpatía hacia él. La traición que le corrompe es impartida por la sociedad enferma, representada siempre por un personaje colectivo y simbólico. Este choque que produce la destrucción de la inocente víctima es el *leitmotiv* para lograr la conmoción psíquica del lector y conseguir su catarsis: el lector, por empatía, queda marcado como la víctima misma y ve a la ulcerada sociedad como su enemigo mortal. Desde el punto de vista ideológico, el autor ha logrado su objetivo.

Pasemos ahora a examinar en las obras mismas este encuentro de víctima y victimario, para destacar qué evocan las acciones del primero, y por qué es un personaje traicionado. Damos por contado que el lector conoce ya las cinco obras narrativas de Vargas Llosa, y que por tanto nuestras alusiones no le serán ajenas.

En el libro de cuentos *Los jefes* esta confrontación no es tan evidente y cruda como en las novelas. Sabemos que este primer libro de Vargas es un tanteo experimental en la narrativa, que le abre el camino hacia la novela. Pero también es cierto que en *Los jefes* ya están las semillas fundamentales de su futura novelística. De hecho, el tema central *victimario vs. víctima* ya se deja sentir con algún peso.

En el caso específico de este capítulo —*el personaje traicionado*— el libro *Los jefes* revela con claridad algunos puntales en ese trayecto. En el primer cuento, «Los jefes», que lleva el título de la obra misma, la víctima es el personaje-autor (sin nombre particular), muchacho inocente, ingenuo —anticipo de Alberto, pero sobre todo del Esclavo (Arana) en *La ciudad y los perros*—, y el victimario es el arrogante Lu. Ese personaje-narrador es el traicionado en su inocencia, siendo a la vez clave o síntesis de otros personajes que se le podrían añadir en esa representación simbólica, en otros cuentos: el muchacho llamado Justo, en «El desafío»; el indio amante de Leonor, en «El hermano menor»; Miguel, en «Día domingo»; el negro Jamaiquino, en gran medida, así como en parte Numa, en «Un visitante»; y el niño en «El abuelo».

Cuando el Teniente y el Sargento Lituma —personajes que reaparecen en *La casa verde* —quieren castigar al Jamaiquino creyéndolo traidor de la propia banda de delincuentes a que éste pertenecía, lo dejan solo cerca de la selva, a la merced de los otros bandidos que han de vengarse. Es en-

tonces cuando el Jamaiquino exclama, al ser sorprendido
por esa actitud de los policías:

> —¿Qué broma es ésa?... ¿No va a dejarme aquí, verdad, mi
> Teniente? Usted está oyendo esos ruidos ahí en el bosque. Yo
> me he portado bien. He cumplido. No puede hacerme eso...
> ¡No puede hacer una cosa tan perversa! [1].

En «El desafío», Justo, creyendo que va a vencer al Cojo,
efigie de todo mal, confía en sí mismo hasta que la realidad
le hace ver que su enemigo, del que se decía que era «un
asco de hombre» [2], le ha destruido. El narrador expresa así
la sorpresa de Justo:

> Justo se incorporaba, difícilmente, apoyando todo su cuerpo
> sobre el brazo derecho y cubriendo la cabeza con la mano
> libre, como si quisiera apartar de sus ojos una visión horri-
> ble [3].

Nótense en los nombres propios o la referencia social de
algunos de estos personajes víctimas, cómo se reflejan con
sugerencias la inocencia, o la pureza, o la ingenuidad, que
son traicionadas o corrompidas de alguna manera: *Justo*
(en «El desafío»), *Miguel* (en «Día domingo»), el *indio* (en
«El hermano menor»), el *negro* (en «Un visitante»), el *niño*
(en «El abuelo»).

En cambio, los victimarios, que representan la sociedad
en su estado de descomposición, quedan estampados en
nombres como El Cojo, Lu (¿acaso alusión a Lucifer?) y
Lituma y Chunga (que han de reaparecer luego en *La casa
verde*). Sobre estos personajes de *Los jefes*, reflejos de la
corrupta sociedad, volveremos en el próximo capítulo.

---

1 *Los jefes*, pág. 114.
2 *Ibid.*, pág. 40.
3 *Ibid.*, pág. 53.

Ahora, en la novela *La ciudad y los perros* no cabe duda que la víctima, o personaje-inocente, está repartido en varios. En primer término, podríamos decir como declaración general que todos los cadetes del Leoncio Prado son la víctima de los militares que lo gobiernan. Siendo la juventud del Colegio Leoncio Prado un microcosmos de la inocente sociedad peruana que ha sido corrompida por el sistema castrense y por todos los vicios mayores de éste —ante el cual los «vicios» de los adolescentes del colegio quedan eclipsados—, no cabe duda que el personaje-inocente en *La ciudad y los perros* es colectivo. Sin embargo, Vargas Llosa destaca algunas figuras como representativas de ese personaje colectivo. Así, la concentración está en Alberto, en el «Esclavo» Arana, en Gamboa. En cambio, todos los directores del Colegio, sobre todo sus jefes mayores, forman el personaje colectivo victimario. Hay que aclarar que el Jaguar es el eslabón entre estos dos polos, ya que es corruptor y corrompido. Estructuralmente, el Jaguar es la figura central de la obra, sin el cual, no habría trama redondeada en esta novela. Temática e ideológicamente, la víctima definitiva es el Esclavo, que paga hasta con su vida haber sido inocente. Que lo haya matado el Jaguar u otro no importa —y por eso Vargas Llosa deja ese elemento sin resolver, ambiguo, como no dándole importancia. ¿Por qué? Porque quien mató al «Esclavo» Arana fue el militarismo del Colegio. Claro se ve que no fue un accidente; los militares sabían la verdad y la escondieron. Al esconder la verdad, produjeron el cataclismo psicológico de Alberto —que quedó marcado con el silencio para siempre, cuando ellos utilizaron el chantaje—, de Gamboa, víctima del traslado geográfico, y por lo tanto espiritual, y del mismo Jaguar, a quien transformaron en un simple burgués, cuya escoria interior sólo estaba disfrazada.

Si tomamos a Arana como una clave para destacar al colectivo personaje traicionado, veremos en primer término su mote simbólico: *el Esclavo*. Es decir, la víctima del poder. Nótese que «esclavos» en ese mismo sentido son también, aunque con sus correspondientes variantes, Justo, el indio, el negro (para sólo mencionar algunos) del libro *Los jefes*. Citemos algunas de las propias palabras de *La ciudad y los perros* que revelan a Arana, a Alberto y a Gamboa, como el triple personaje traicionado:

Vemos primero la conversación ingenua e inocente entre Alberto y Arana, al principio de la obra:

—¿Cómo haces para que te duren los cigarrillos? —dice Alberto—. A mí se me acaban los miércoles, a lo más.

—Fumo poco.

—¿Por qué eres tan rosquete? —dice Alberto—. ¿No te da vergüenza hacerle su turno al Jaguar?

—Yo hago lo que quiero —responde el Esclavo—. ¿A ti te importa?

—Te trata como a un esclavo —dice Alberto—. Todos te tratan como a un esclavo, qué caray. ¿Por qué tienes tanto miedo?

—A ti no te tengo miedo.

Alberto ríe. Su risa se corta bruscamente.

... ...

—¿Tú no has peleado nunca, no?

—Sólo una vez —dice el Esclavo.

—¿Aquí?

—No. Antes.

—Es por eso que estás fregado —dice Alberto—. Todo el mundo sabe que tienes miedo...

—Yo no voy a ser militar.

—Yo tampoco. Pero aquí eres militar, aunque no quieras. Y lo que importa en el Ejército es ser bien macho, tener unos huevos de acero, ¿comprendes? O comes o te comen, no hay más remedio. A mí no me gusta que me coman.

—No me gusta pelear —dice el Esclavo—. Mejor dicho, no sé... Pero tú no peleas mucho...

—Yo me hago el loco, quiero decir el pendejo. Eso también sirve, para que no te dominen. Si no te defiendes con uñas y dientes, ahí mismo se te montan encima.

—¿Tú vas a ser poeta? —dice el Esclavo.

—¿Estás cojudo? Voy a ser ingeniero... ¿Y tú, qué vas a ser?

—Yo quería ser marino —dice el Esclavo—. Pero ahora ya no. No me gusta la vida militar. Quizá sea ingeniero, también[4].

Cuando Gamboa intenta apoyar la teoría de Alberto de que el Jaguar mató a Arana, todo esto, es en general, lo que recibe Gamboa, en varias ocasiones de la narración:

—Tonterías... Usted debe leer novelas, Gamboa...[5]. No hay que forzar las cosas para que coincidan con las leyes, Gamboa, sino al revés, adaptar las leyes a las cosas[6].

En el momento en que Gamboa interviene para afirmar que su conciencia está limpia, se le intimida así:

—Con la conciencia limpia se gana el cielo..., pero no siempre los galones[7].

Y luego el castigo inexorable:

—Tengo que darle una mala noticia, Gamboa... Han pedido su traslado inmediato. Me temo que la cosa esté avanzada... Su foja de servicios lo protege. Pero en estos casos las influencias son muy útiles, usted ya sabe... No me extrañará que fuera a alguna guarnición de la selva[8].

---

[4] *La ciudad y los perros*, págs. 23-24.
[5] *Ibid.*, pág. 277.
[6] *Ibid.*, pág. 296.
[7] *Loc. cit.*
[8] *Ibid.*, pág. 315.

A Alberto, cuyo mote «el Poeta» sugiere irónicamente la idea de que es otra víctima condenada por la sociedad, la podredumbre social lo aniquila moralmente. Ya son bien conocidas las frases que Vargas Llosa ha usado para explicar el aire despreciativo con que se ha visto al escritor —y sobre todo al poeta— en América Latina. Exagere o no, sus palabras son las siguientes, que tomamos textualmente de la *Antología mínima de M. Vargas Llosa* (1969):

> En sociedades como las nuestras, la vocación literaria es una especie de lastre moral definitivo, que lo condiciona a uno. Significa un «handicap» tremendo respecto al resto de los hombres... que quieren ser abogados y dueños de empresa... (páginas 53-54).
>
> Porque la literatura en el Perú no significa absolutamente nada. En fin, elegir la literatura es casi como elegir la locura... (pág. 68).
>
> Allá, en la vida... de Lima, un muchacho que escribe poemas es automáticamente puesto en observación. El decir: «ése es medio poeta» en Lima es casi como decir «ése es medio maricón», o «medio delincuente», o «medio loco»... (pág. 70).

Por esto, el novelista, al ponerle a Alberto la misión de poeta, arranca nuestra compasión por el muchacho. Después que le presentan sus escritos eróticos —inicios literarios que podrían fructificar en gran escritor— lo amordazan de esta manera:

> —¿Sabe usted lo que debo hacer con estos papeles? —dijo el coronel—. Echarlo a la calle de inmediato, por degenerado. Y llamar a su padre, para que lo lleve a una clínica; tal vez los psiquiatras —¿me entiende usted, los psiquiatras?— puedan curarlo... Hay que tener un espíritu extraviado, pervertido, para dedicarse a escribir semejantes cosas. Hay que ser una escoria... ¿Tiene algo que decir?
> —No, mi coronel...
> —¿Merece usted que lo expulsen...? ¿Sí o no?
> —Sí, mi coronel.

—Estos papeles son su ruina... ¿Sí o no?
—Sí, mi coronel.

... ...

—¿Está usted arrepentido?
—Sí, mi coronel...
—¿Comprende lo que le digo?
—Sí, mi coronel.
—¿Hará todo lo necesario por enmendarse? ¿Tratará de ser un cadete modelo?
—Sí, mi coronel.

... ...

—¿Se da usted cuenta de lo que hago por usted?
—Sí, mi coronel...
—Por supuesto, usted guardará la más absoluta reserva sobre lo que se ha hablado aquí. La historia de los papeles, la ridícula invención del asesinato, todo... piense que está en el Ejército, una institución donde los superiores vigilan para que todo sea debidamente investigado y sancionado. Puede irse [9].

En las tres novelas restantes ocurre lo mismo que en los anteriores dos libros. En *La casa verde*, Bonifacia es el personaje-víctima más importante, con otros también haciéndole coro para formar un ser colectivo como personaje traicionado. Debido a que este personaje de Bonifacia como secreto enigma de esa novela, y de toda la novelística de Vargas Llosa, es el eje simbólico de la narrativa de este autor, aplazaremos su examen para el capítulo próximo, dedicado de lleno al estudio de esa sociedad ulcerada, de la cual es víctima Bonifacia. Ahí veremos la relación misteriosa de Bonifacia con la selva, con el color verde, con Latinoamérica.

Entre tanto, dejemos apuntado con claridad que este personaje, como tal, sin mayores simbolismos, es personaje

---

9 *Ibid.*, págs. 286-287.

traicionado como los anteriores ya examinados. No cabe duda que en *La casa verde*, abundante es la lista del personaje-víctima colectivo: Lalita, Aquilino, Anselmo, Fushía, etcétera. Por otra parte, personajes como Reátegui, el Padre García, las monjas, Lituma, y otros, son exponentes de la sociedad corruptora, como veremos ampliamente en el capítulo próximo.

En *Los cachorros* es Cuéllar el personaje traicionado. En *Conversación en la Catedral*, Zavalita, Ambrosio, «la Musa». La sociedad, en cambio, está aquí representada en gran medida por Don Fermín.

Ya se ha señalado que el verdadero *perro* que muerde a Cuéllar y lo manca para siempre hasta llevarlo a la muerte es la prejuiciada sociedad, corrompida en sus raíces morales más hondas. José Miguel Oviedo afirma:

> La castración física llega a importar menos, dentro de los términos del relato, que la castración sistemática y la alienación progresiva a que lo somete el grupo [10].

Ya Mario Benedetti había subrayado con vigor:

> Las mordeduras del perro acabaron con su virilidad, es cierto, antes de que ella naciera; pero son las dentelladas del prójimo las que acaban con su vida [11].

Y esa sociedad corrupta está personificada con literario disimulo en el perro Judas —véase el nombre seleccionado

---

[10] J. M. Oviedo, «prólogo» a *Los cachorros*, 1970, pág. 16.

[11] Mario Benedetti, *Letras del continente mestizo*, 1969, pág. 255. Ha afirmado muy certeramente Julio Ortega que Cuéllar «es y no es un castrado», es decir, que más bien es la *desmitificación* del castrado, una especie de metáfora o alegoría, como lo son también los irónicos simbolismos de Judas (el traidor) y Cuéllar (la víctima, esto es, el Cristo): «Sobre *Los cachorros*», *Cuadernos hispanoamericanos*, Madrid, núm. 224-225, agosto-septiembre de 1968, págs. 543-551.

por el autor— como símbolo de la traición. En *La ciudad y los perros* se hace referencia al término despectivo de *perros* que tienen allí los cadetes, pero la novela va más allá de ese mero dato histórico: la obra intenta remachar que los perros verdaderos —los corruptores, los que son inhumanos— son los personajes que representan a la sociedad enferma, y no los muchachos mismos que son inocentes víctimas sometidas al violento trauma de hacerse falsamente hombres bajo un régimen castrense. En otras palabras, el simbolismo *perro* utilizado en *La ciudad y los perros* y *Los cachorros* es el mismo.

Las palabras de Vargas Llosa para ir revelando la destrucción espiritual a que la sociedad sometió a Cuéllar, forman una especie de *crescendo*:

> Poco a poco fue resignándose a su apodo [de *Pichula*, órgano masculino en el lenguaje peruano]..., se hacía el desentendido y a veces hasta bromeaba... Hasta estiraba la mano a los nuevos amigos diciendo mucho gusto, Pichula Cuéllar a tus órdenes [12]... Pero pasó algo: Cuéllar comenzó a hacer locuras para llamar la atencion [13]... Se hacía el loco para impresionar [14]... Entonces Pichula Cuéllar volvió a las andadas [15]... Ya está, decíamos, era fatal: maricón... si nos ven mucho con él y Chingalo te confundirán [16]... se rompió tres costillas... y ya había vuelto a Miraflores, más loco que nunca, y ya se había matado, yendo al Norte, ¿cómo?, en un choque, ¿dónde?, en las traicioneras curvas de Pasamayo, pobre, decíamos *en el entierro, cuánto sufrió, qué vida tuvo*, pero este final es un hecho que *se lo buscó* [17].

---

[12] *Los cachorros*, pág. 68.
[13] *Ibid.*, pág. 77.
[14] *Ibid.*, pág. 78.
[15] *Ibid.*, pág. 103.
[16] *Ibid.*, pág. 114.
[17] *Ibid.*, págs. 116-117. El subrayado es nuestro.

Nótense las frases que hemos subrayado en la última cita. La muerte de Cuéllar está estilísticamente relacionada con las palabras *traicioneras curvas*. Lo *curvo* alude subrepticiamente al mal —tan expresivamente logrado en inglés con la palabra *evil*— y que se simboliza luego en *La casa verde* por el símbolo del reptil verde y su reflejo en la selva. La sociedad es ese mal, y es *traicionera*, y causó esa muerte de Cuéllar.

La misteriosa muerte de «la Musa» en *Conversación en la Catedral* denota al personaje inocente traicionado por la máquina de la burocracia. La búsqueda del asesino se hizo inútil: todo se fue en histeria, papeleo, protocolo, planes... y nada. La empatía de Zavalita y Ambrosio con los pormenores de ese asesinato —aun dentro de su larga conversación— arrastra a estos dos personajes hacia la víctima colectiva. Siendo en esta novela el padre de Zavalita, Don Fermín, el paradigma de esa sociedad corrompida, y siendo a su vez Zavalita el personaje vivo que sufre moralmente toda la problemática de esa corrupción social —que incluye, por tanto, la muerte de «la Musa»—, es lógico que la confrontación Zavalita-Fermín sea el núcleo del tema víctima-victimario.

Veamos algunos focos narrativos de esa confrontación:

> —...ni tú ni yo teníamos razón, papá, es el olor de la derrota, papá [18].
>
> ... ...
>
> —Y entonces, ¿por qué le discutes tanto al viejo? —dijo el Chispas—. Lo amargas dándole la contra en todo.
>
> —Sólo le doy la contra cuando se pone a defender a Odría y a los militares —dijo Santiago [19].

---

[18] *Conversación en la Catedral*, vol. I, pág. 27.
[19] *Ibid.*, pág. 39.

... ...;. ... ...

—Dices eso con un resentimiento terrible —murmuró don Fermín—. ¿Te pesa tanto no haberte dedicado a tirar bombas? No me lo reproches a mí. Yo te di un consejo, nada más, y acuérdate que te has pasado la vida dándome la contra [20].

No se trata, en ninguna de estas novelas y cuentos, de expresar una bifurcación maniqueísta, ya que sabemos que Vargas Llosa no es amigo de esos procedimientos de clasificación de los seres humanos. Recuérdese que en la tesis que exponemos de víctima-victimario, nos estamos refiriendo a su *weltanschauung*, a su filosofía social general, no a los personajes individualmente. Claro que los personajes reflejan, como motivaciones estructurales, esa posición filosófica, pero no como individuos. El estudio y análisis de los personajes como entes individuales, como seres humanos, con sus particulares idiosincrasias, será motivo de varias páginas en la parte tercera de esta obra, donde examinamos las técnicas. Allí descubriremos que los más abyectos personajes de Vargas Llosa tienen rasgos positivos, consciente o inconscientemente por parte de esos mismos personajes.

En todas las obras de Vargas Llosa hay una muerte enigmática: un personaje inocente muere físicamente, otras veces se presenta la muerte espiritual de uno o más. Por ejemplo, para mencionar un solo caso de *Los jefes*, citemos la muerte de Justo en el cuento «El desafío». Luego, la muerte de Arana y la muerte moral de Alberto en *La ciudad y los perros*. Después, la muerte de Lalita y Fushía, y la muerte moral de Bonifacia (entre otras muertes) en *La casa verde*. Entonces, la muerte de Cuéllar en *Los cachorros*. Finalmente, la muerte de «la Musa» y la muerte espiritual de Zavalita en *Conversación en la Catedral*.

---

[20] *Ibid.*, vol. II, pág. 202.

Es, pues, muy cierto que el personaje-traicionado revela un doble estado en el tiempo: *primero*, un *status* de inocencia, es decir, de ingenuidad, pureza, humildad, virginidad espiritual, aureola de niñez, ternura, sinceridad, situación indefensa, naturaleza prístina, etc.; y *segundo*, un *status de un ser ya traicionado*, esto es, que aquella inocencia se ha corrompido, aquella virginidad espiritual se ha violado cruelmente con una adultez enferma, y en fin, se ha *engañado* a la inocencia, se ha aprovechado de su momento indefenso en la vida para utilizarla con fines mercenarios y envilecedores, hasta llevarla a una aniquilación moral y a una muerte física. ¿No es esto, como hemos señalado, lo que le ocurre a Justo en el libro *Los jefes*, y al Esclavo y Alberto en *La ciudad y los perros*, y a Bonifacia en *La casa verde*, y a Cuéllar en *Los cachorros*, y a «la Musa» y Zavalita en *Conversación en la Catedral*?

Mas este personaje traicionado, antes de quedar atrapado definitivamente en las garras del pulpo social que lo devorará, ha de pasar por un trauma más o menos evolutivo, que será el rito de su iniciación en la corrupta sociedad. Ese ritual sanguinario que la sociedad le impone al individuo para hacerlo su víctima, es motivo de estudio en el siguiente apartado.

2. LA LEY DE LA JUNGLA

A pesar de que Luchting opina que el machismo es un «valor pasado de vigencia» [21] en la literatura, reaparece vivo, vigorosamente renacido, en la novelística de Vargas Llosa. La influencia de la tesis darwinista de la vida flota con

---

[21] W. A. Luchting, «Los fracasos de Mario Vargas Llosa», *Mundo Nuevo*, núm. 51-52, septiembre-octubre de 1970, pág. 68. Cf. «¿Machismus moribundus?», *Mundo Nuevo*, mayo-junio de 1968.

garras en sus novelas. Ya hemos visto en el anterior apartado cuando Alberto —aun en contra de sus más profundas
convicciones— le aconsejaba a Arana: «Pero aquí eres militar, aunque no quieras... *O comes o te comen*, no hay más
remedio» [22].

Para Vargas, militarismo es sinónimo de jungla, selva,
canibalismo: «O comes o te comen», como decía Alberto;
esto es, o matas o te matan, que traducido al problema de
nuestra temática equivaldría a decir: O destruyes y corrom-
pes y ulceras a quien nada te ha hecho, o serás tú aniquilado de alguna manera. Es la maquiavélica ley del lobo humano: *divide et impera*.

Sin embargo, esa jungla, que es la depravada sociedad en crisis de valores, no está aislada en un solo lugar
o individuo. Los personajes que la representan, o los sitios
en que se concentra, son microcosmos simbólicos. Por esto,
el Colegio Leoncio Prado de *La ciudad y los perros* es un
personaje colectivo. De ahí que no solamente representa ese
colegio la reglamentación militarista y la filosofía castrense,
sino toda la sociedad, con todas sus clases sociales y toda
su problemática. En ese colegio está la jungla. Pero volvemos a nuestro planteamiento: la jungla tiene una víctima
—el *inocente*, el *humilde*, el *desamparado*— representada en
los personajes que hemos mencionado, y una cabeza victima-
ria, representada por los jefes militares. Si comprendemos,
a pesar de esto, que los cadetes ahí representan a su vez a
toda la sociedad peruana, con sus diferentes problemas, veremos que ellos traen —por sus padres, por los mayores, por
los adultos— el veneno social al Colegio, en forma micros-
cópica, y, al calor y temple del militarismo tozudo y de la

---

[22] *La ciudad y los perros*, pág. 23.

vida del machismo de los internos, se desarrolla hasta convertirse en el cáncer que los devora a ellos mismos.

No son, pues, los cadetes la sociedad misma, sino los gérmenes sociales de sus progenitores, guardianes y familiares, los que representan esa sociedad. Esto es, los adultos ya depravados socialmente, quienes unidos a la «adultez» militarista, nos vuelven a reportar el mismo problema: victimario vs. víctima. En este caso: adulto vs. menor. El tema es el mismo que en inglés se ha dado en llamar *generation gap,* y que nosotros reajustamos en español como *disparidad generacional,* porque no se trata de expresar un mero vacío: existe una confrontación. Es por eso que del encuentro de esa polaridad generacional, puede Vargas Llosa trabajar en su estilo una maravillosa bimembración ideológico-lingüística, que produce técnicas como el óximoron sintáctico y la de los espejos enfrentados, que él llama «las cajas chinas», y aun otras más. Todo esto lo examinaremos en la sección sobre técnicas.

La vieja posición de la novelística tradicional hispanoamericana de la naturaleza tragándose al hombre, o éste en lucha con su medio físico —como en *La vorágine, Doña Bárbara, Canaima*—, no es la que encontramos en Vargas Llosa. No se vaya a confundir el lector entre el tema *naturaleza vs. hombre,* que es el tradicional, y *victimario vs. víctima* que es el actual, ya que las cuatro palabras pueden barajarse y parecer una ecuación lingüística. En el tema telúrico tradicional el hombre luchaba contra la naturaleza física, geográfica, topográfica, geológica, meteorológica, zoológica, que era superior a sus fuerzas, o luchaba contra sus representaciones humanas o simbólicas. En el tema actual, el hombre lucha contra un destructor que está en él mismo. No es ya tampoco el tema indianista, o criollista, o latifundista, o de mera protesta social, en que el pobre lucha contra

el rico para defenderse, o el peón contra el patrón, o el
obrero contra la casta económica. No es esa posición maniqueísta de buenos a la derecha y malos a la izquierda, o la
simplista de explotados hambrientos junto a Dios y de ex-
plotadores golosos junto al diablo.

Ahora el mal y el bien están en el hombre, y por esto el
autor no juzga a sus personajes [23]. Aquí ya vamos encontran-
do el meollo de todo el problema que se irá aclarando en
sucesivos apartados y capítulos. Los cadetes del Leoncio
Prado son las víctimas pero la sociedad depravada está en
ellos en ciernes —por las influencias que traen— y es por
esto que el horno militar les sirve de incubadora. Son, pues,
esos cadetes las víctimas inocentes de toda la enfermedad
social, de adentro (la que traen) y de afuera (la que les inyectan). Pero esta última es la culpable de que la primera
se desarrolle, por lo cual representa, con letras mayúsculas,
al victimario. He ahí un verdadero neorrealismo, un neonatu-
ralismo, en donde se yergue siempre una tragedia enigmática. Carlos Fuentes ha plasmado con maestría este aspecto
en la narrativa de Vargas Llosa, al decir: «Todos los personajes saben que sólo ha quedado una realidad trágica:
el abismo entre lo que se sabe y lo que se hace» [24].

En la novela indianista, por ejemplo, o en la de protesta
político-social —pongamos por caso tres muestras: *El mundo es ancho y ajeno* de Ciro Alegría, *Huasipungo* de Jorge
Icaza, *Tungsteno* de César Vallejo— el tema es de lucha de
clases, de lucha económica, de lucha política, y punto. En
las novelas de Vargas Llosa el tema es moral, internamente
moral, tema de valores, tema axiológico. Señalándolo en una
forma rectilínea, ha dicho Benedetti que «la novela de

---

[23] L. Harss, *Into the mainstream*, 1967, pág. 351.
[24] Carlos Fuentes, «El afán totalizante de Vargas Llosa», *La nueva
novela hispanoamericana*, 1969, pág. 42.

Vargas Llosa sirve para desenmascarar la infamia que yace oculta...»[25]. La lucha surge de una confrontación, y cuando el veneno del victimario inocula a su víctima, el caos y la agonía quedan encerrados en la conciencia, en la vida de esas víctimas. Que haya fatalismo o no, que haya determinismo o no, lo discutiremos en futuros capítulos.

Así como el colegio militar es la «jungla» en *La ciudad y los perros*, lo es también el colegio donde estudia Cuéllar y lo es Miraflores en *Los cachorros*, y lo es la selva (simbólica aquí) y la misma «casa verde» (también simbólica) en *La casa verde*, y lo es la oficina del periódico donde trabaja Zavalita, y la casa de su padre, y el restorán donde habla con Ambrosio, en *Conversación en la Catedral*. Esa jungla que se ve afuera en la sociedad, la llevamos dentro porque somos parte de ella, y va destruyendo y royendo como una solitaria —el símil es del mismo Vargas Llosa— [26] nuestras entrañas.

Ese machismo adolescente es entonces el primer brote que produce la incubadora. Mas siendo la *fuerza bruta* lo representativo de ese falso machismo, es lógico que se destaque más en el militarismo. En *Los jefes*, Vargas plantea el problema de la ley no escrita de la jungla, con una exhibición de incipiente machismo en varios muchachos. En *La ciudad y los perros* esa *ley no escrita* se explaya con toda furia en el machismo ya casi diabólico de los cadetes adolescentes. En *La casa verde* la tal ley se transmuta poéticamente en el reptil de la selva misteriosa, que aparece, como telón de fondo, tragándose la *vida moral* de los personajes. En *Los cachorros* esa ley vuelve a aparecer más escuetamente, desplazada a una sociedad de señoritiños aburguesados

[25] M. Benedetti, *op. cit.*, pág. 244.
[26] M. Vargas Llosa, *La novela*, en los *Cuadernos de Literatura*, Montevideo, 1969, pág. 6.

y frívolos. En *Conversación en la Catedral* la ley de la jungla brota como una lepra de los centros burocráticos.

Y es el militarismo el eje cumbre de esa ley. El militarismo, de alguna manera eslabonado a la educación —sea del hogar, religiosa, o militar misma—, unido a la política, asociado con el prejuicio social y la burguesía. Militarismo, dogma, reglamentación, imposición violenta de la ignorancia colectiva. De esta manera, *militarismo* viene a ser un término plurisemántico, polisémico, que incluye a todo el diapasón social. Podríamos decir que hay militarismo enchapado o revelado, en el sentido que lo hemos descrito, en *Conversación en la Catedral, Los cachorros* y *La casa verde,* como lo hay muy meridianamente en *La ciudad y los perros* y *Los jefes.*

Sobre ese sentido de polisemia que le hemos aplicado al vocablo *militarismo,* ha declarado Vargas Llosa lo siguiente:

> ...el machismo, el mito de la fuerza bruta, la exaltación de la violencia, *todos los valores* en última instancia *militares,* que revelan una *concepción castrense* del mundo... Así nació mi antimilitarismo irrenunciable... el fenómeno del militarismo en sí es tremendo, pero también... abarca un fenómeno más vasto: *la injusticia social en que se funda toda la historia peruana* [27].

Esa injusticia de que el novelista nos habla aplicándola solamente al Perú, aparece en sus obras con dimensión continental, y aún más, universal, fundamentalmente humana. Injusticia social que es la ley no escrita de la jungla de los hombres. ¿No justifica esa temática la actitud de rebeldía que Vargas Llosa le asigna al escritor como primera condi-

---

[27] *Antología mínima de M. Vargas Llosa,* 1969, pág. 61. El subrayado es nuestro.

ción de su vida? ¿No es por eso que él aboga en y fuera de sus narraciones por el inconformismo creador, por la rebelión contra el victimario, en forma de un diálogo en que se revelen las ocultas verdades?

3. EL ELEMENTO AUTOBIOGRÁFICO

El personaje traicionado por la ley de la jungla humana: he aquí el axioma en que se debate la temática vargasllosiana. ¿Hasta qué punto está el autor implícito en ese *personaje traicionado*? Trataremos de contestar.

Primero queremos aclarar que traicionado no necesariamente quiere decir aniquilado o destruido totalmente. El personaje traicionado sufre un trauma porque su estado de espiritual ingenuidad es mancillado por la vileza humana. De ahí en adelante, la evolución de ese personaje depende de sí mismo, de la voluntad de su sometimiento o rebelión a su victimario. ¿Ha de ser conformista o reformista? En las obras de Vargas Llosa, los personajes víctimas que escogieron el primer camino terminaron en la muerte, o el envilecimiento total, o al menos en una rutinaria depravación de aburguesado conformismo. Los que escogieron el segundo, acabaron como rebeldes, con éxito o sin él, generalmente sufriendo toda clase de humillaciones. Veamos las relaciones de autor-personaje en cuanto a esta problemática se refiere.

Los adultos de las novelas de Vargas Llosa se mofan de los adolescentes y hasta de los niños. Muchos de aquéllos obligan a éstos a asumir actitudes de adultez antes de tiempo. Lo que ocurre a la larga es la traición de la inocencia del ser humano no-adulto todavía, como hemos venido explicando. En las palabras de Carlos Fuentes, diríamos que «el adulto quiere que el adolescente madure a fin de que se corrompa, de que participe de la podredumbre del adulto»[28]. De hecho, Fuentes se burla de los adultos, en su referencia a *La ciudad y los perros* de Vargas Llosa, al explicar que, a la postre, son los oficiales del colegio los que parodian, solemne e inconscientemente, la vida de los adolescentes[29].

Así como el adolescente es generalmente la figura *representativa* del inocente en las novelas vargasllosianas, el adulto es quien representa al corruptor, y éste está identificado muchas veces con el padre, o con algo relacionado con la paternidad. Si ser padre significa ser adulto, y si ser adulto significa ser símbolo del corruptor, entonces ser padre —por el silogismo— es ser corruptor. Cuéllar, en *Los cachorros*, no llega a ser padre en forma natural, pero fue corrompido violentamente, castrada su inocencia vital y espiritual por la sociedad; es decir, se hizo *padre* (adulto, corrupto) a la fuerza. Por esto arguye Julio Ortega que Cuéllar «es y no es un castrado» y que más bien es una alegoría del verdadero castrado[30].

Luchting recalca la presencia constante del *padre* (o la paternidad) en las obras de Vargas Llosa. A propósito de esto, escribe:

> Creo que ahora se puede afirmar inequívocamente que *una* de las temáticas principales en *La casa verde* —así como, dicho sea de paso, también en *La ciudad y los perros* (piénsese en los padres del poeta y del Esclavo o en la figura-padre del

---

[28] C. Fuentes, *op. cit.*, pág. 39.

[29] *Loc. cit.* Ha señalado Leopoldo Rodríguez Alcalde que «si fuera posible construir una estadística de los héroes de las novelas de este siglo, seguramente comprobaríamos que una enorme proporción de tales protagonistas son niños o adolescentes»: *Hora actual de la novela en el mundo*, Madrid, Taurus, 1959, pág. 61.

[30] Julio Ortega, *op. cit.*, págs. 546-547.

teniente Gamboa, en los padres «artificiales» o ausentes en el caso del Boa o en el del Jaguar)— es el fenómeno de la paternidad [31].

Tal vez la figura del padre en *Conversación en la Catedral* es la que más cerca está del elemento autobiográfico de Vargas Llosa. La relación entre Zavalita y Don Fermín es casi paralela a la de Mario y su señor padre. Sin embargo, no necesariamente se extrema esto en una mitificación del padre mismo como el Cronos que devora a sus hijos, sino en una metaforización —como diría Julio Ortega— del padre como la sociedad burguesa. El padre viene a representar, pues, microcósmicamente, a la aburguesada sociedad en decadencia. Recalca Luis Harss, al respecto de esto, las reacciones personales de Mario Vargas Llosa sobre la significación de su propio padre en lo que luego será el simbólico *padre* de sus novelas:

> I met him [al propio padre] very late. We got along very badly the years we lived together. Our characters were poles apart... He disapproved of the way I'd been brought up, pampered and coddled, and found me willful and soft. He thought the Leoncio Prado would make a man of me. For me it was like discovering Hell —an unknown reality, the opposite side of life. *It marked me to the core* [32].

En esa metaforización del padre como burguesía van implícitos los elementos negativos de la sociedad limeña, y latinoamericana en general, que Vargas Llosa quiere exponer a lo vivo, sea con intención satírica o no. Algunos de esos elementos implícitos en el padre como símbolo son: el fracaso del hogar, es decir, el fracaso de la educación hogareña,

---

[31] W. A. Luchting, «Los mitos y lo mitizante en *La casa verde*», *Mundo Nuevo*, núm. 43, enero de 1970, pág. 59.

[32] L. Harss, *op. cit.*, pág. 353. El subrayado es nuestro.

y también el fracaso de la educación en todos sus aspectos: civil, religiosa, militar. Simboliza el total fracaso del sistema educativo tradicional [33].

La nebulosidad en que aparecen los orígenes de los personajes de Vargas Llosa —el autor no quiere «acordarse» de los padres de ellos— ya acentúa el fracaso del hogar. Como aclara Carlos Fuentes, lo rectilíneo de este aspecto en la novelística de Vargas es que presenta un problema de toda la América Latina, sobre todo de aquellos sectores de más población india: la bastardía. El padre desconocido para el mundo, pero muy conocido de los hijos; la madre anónima, pero víctima también, como el hijo, del total abandono. Este fenómeno de la bastardía literaria de los personajes en la novela hispanoamericana está muy bien traído por Fuentes. Oigámosle en sus propias palabras, desnudas y viriles:

> Mundo de la bastardía... ¿Quién es mi padre?, pregunta sin cesar Juan Preciado en el *Pedro Páramo* de Rulfo; ¿quién es mi madre?, clama la Japonesita en otro burdel, el de José Donoso en *El lugar sin límites*. Una gran carcajada anónima les contesta, a ellos como a los bastardos que pueblan la Casa Verde: hijos de atropellada, fusiloquitos, siete leches, madre puta, padre desconocido. Y sin embargo, el padre tenía un nombre: Pedro Páramo, Don Anselmo el arpista, Hernán Cortés, Francisco Pizarro [34].

Fracaso del hogar, padre culpable, padre símbolo de toda la podredumbre de la burguesía: he ahí la metáfora social. Vargas Llosa fue víctima personalmente de todo esto, de una manera u otra. Como individuo, fue atropellado espiritualmente por su padre, por su familia, por su nación, por

---

[33] Cf. «Los fracasos de Mario Vargas Llosa», *Mundo Nuevo*, números 51-52, septiembre-octubre de 1970, págs. 64-65.
[34] C. Fuentes, *op. cit.*, pág. 45.

los prejuicios sociales [35]. De esa experiencia, transmutada en arte, nacería más tarde ese tema maravilloso de la corrupción de la inocencia, que, aunque es tan viejo como Matusalén, en Vargas Llosa adquiere una vitalidad nueva, una dimensión virgen, un fulgor vigoroso [36].

---

[35] Cuando Elena Poniatowska, la escritora mexicana, en entrevista exclusiva, le preguntó a Mario Vargas Llosa en 1965 si no tenía planes para tener hijos y criar una familia, contestó: «No sé... A mí por de pronto me aterra la *paternidad*». [*Antología mínima de M. Vargas Llosa*, 1969, pág. 46. El subrayado es nuestro.] En ese entonces Mario añoraba mucho a Julia, su primera esposa: *op. cit.*, página 47. Hoy día Mario Vargas Llosa es el feliz padre de varios hijos.

[36] El tema del padre volverá a examinarse, desde otra dimensión, en el próximo **capítulo.**

CAPÍTULO IV

LA SOCIEDAD IMPOSTORA

De su experiencia candente con la sociedad arrancó Vargas Llosa el conocimiento de primera mano sobre la falsedad de aquélla. Engaño, traición, impostura. Vargas Llosa mismo es como un personaje víctima, pero que a tiempo se rebela contra esa sociedad, y se liberta de sus garras, aunque quede marcado por ella. Esa problemática del hombre atrapado en esa trampa (o librado de ella), será enfocada en el capítulo número 5 de esta obra. En tanto, en el presente, examinaremos a la sociedad misma con toda la nauseabunda fealdad de su impostura, tal como aparece en su narrativa. Es curioso notar que la idea de impostura social ya la había concebido Vargas Llosa desde sus inicios novelísticos: de hecho, uno de los títulos que al principio le puso a su novela *La ciudad y los perros* fue *Los impostores*.

1. EL PODER CIVIL

No cabe duda que Vargas Llosa es, ante todo, un escritor, un novelista. No creemos que sea un político. Vargas

Llosa rehuye ser político, aunque tiene sus particulares ideas políticas, lo cual es distinto. Ya ha expresado él en varias ocasiones la peligrosa dicotomía de ser político y escritor —buen escritor— al mismo tiempo:

> Yo creo que el gran drama de la literatura social latinoamericana ha sido eso: que por la legítima indignación del escritor latinoamericano respecto a lo que ocurre en torno suyo y la necesidad que siente de enjuiciar y de denunciar lo que ocurre, *el político que hay en él mata al escritor* porque entonces convierte a la literatura —antes de que exista— en un vehículo, en un instrumento. Hace de la literatura fundamentalmente algo útil. Cuando tú quieres escribir movido, acicateado por razones interesadas, la creación no surge porque lo más importante en la novela que es la vivencia no llega a existir [1]...

Para Vargas Llosa el político como tal es un tipo burgués, o se acerca mucho a serlo. Puesto que burguesía para nuestro novelista significa frivolidad, vida vacía, prejuicios, conformismo y posición acomodaticia ante el poder esclavizador dominante, se entiende entonces con claridad su antipatía al político. Comenta Luchting el total radicalismo de Vargas Llosa ante todo poder feudal y burgués que esté acomodado a las instituciones dominantes, en su análisis de *Conversación en la Catedral*, y recalca que «...inclusive el intento de cambiar los valores mediante esfuerzos políticos se frustra totalmente, fracasa como caído en un pozo de pesimismo negrísimo» [2].

Vargas no ve ninguna esperanza en la política en sí. La percibe como un falso fuego que alimenta al pulpo corrup-

---

[1] *Antología mínima de M. Vargas Llosa*, 1969, págs. 75-76. Subrayado nuestro.

[2] W. A. Luchting, «Los fracasos de Mario Vargas Llosa», *Mundo Nuevo*, núms. 51-52, septiembre-octubre de 1970, pág. 71.

tor de la sociedad. La figura de Odría está presentada como símbolo de ese pulpo en *Conversación en la Catedral*. Todo lo que huela a consulado, embajada, diplomático, senador tal o cual, hiere el agudo olfato radical de Vargas Llosa. El personaje Chispas, en esta última novela citada, dice, refiriéndose a los políticos: «...yo los hubiera fusilado a todos» [3]. Más adelante, Bermúdez comenta que todos los políticos son «como perros» [4] —otra vez la connotación peyorativa al vocablo *perro*, después de su primera novela—, y que vienen «a lamerte las manos, a pedirte recomendaciones y a proponerte negociados» [5]. A Vargas no se le escapa ni el aprismo. Toda la primera parte de *Conversación en la Catedral* está llena de irónicas alusiones a ese movimiento.

Los políticos, los aduladores a sueldo, los burgueses que viven del entronamiento de la injusticia forman, en general, el *poder civil* para Vargas Llosa. No se puede confiar en ellos, parece decirnos nuestro autor. Por boca de uno de sus personajes revela: «Hoy te apoyan, mañana te clavan un puñal en la espalda» [6]. Siendo Odría el paradigma de ese poder civil —que es a la vez militar, en el caso de muchos países latinoamericanos—, nuestro novelista emite su fallo así, otra vez por medio de otro personaje:

> Yo digo que Odría es un dictador y un asesino y lo digo aquí, en la calle, en cualquier parte [7].

El poder civil con toda su burocracia comprada controla la educación, las leyes, las finanzas. Zavalita, víctima de ese poder, se siente **frustrado**:

---

[3] *Conversación en la Catedral*, vol. I, pág. 39.
[4] *Ibid.*, pág. 67.
[5] *Loc. cit.*
[6] *Ibid.*, pág. 68.
[7] *Ibid.*, pág. 84.

Porque gracias a San Marcos me jodí —dice Santiago—. Y
en este país el que no se jode, jode a los demás [8].

El fracaso de la educación en el hogar también tiene sus
raíces en el corroído poder civil. Así es que no solamente
la educación universitaria y general, sino la familia en lo
más íntimo y sagrado, en el seno básico del fuego hogareño,
caen como víctimas del gran pulpo devorador que es el
poder civil. Wolfgang Luchting ha sondeado este aspecto de
la problemática educativa en *Conversación en la Catedral*,
tanto en su aspecto universitario como del hogar. Sus conclusiones merecen citarse:

> La educación universitaria, en el plano político, llega a ser
> viciada al perder Zavalita a su amiga y al ser rescatado de la
> cárcel por su propio padre, símbolo de todo aquello que, en
> su actividad política, pretende aborrecer. Zavalita sufre el *shock*
> acaso más grande al descubrir que su padre es, entre otras
> cosas, un pederasta pasivo. Este descubrimiento me parece a
> mí ser de una brutalidad inigualable [9].

A través de la revelación desnuda, naturalista, de la intra-
historia del Perú en sus hitos contemporáneos más vitales,
Vargas Llosa llega en *Conversación en la Catedral*, como en
La ciudad y los perros, a levantar una pantalla que refleja
la vértebra del poder civil de toda la América Latina. Perú
en un momento de su historia le sirve a este novelista para
captar *toda* la historia de su patria y *toda* la vibración polí-
tico-económico-militar del continente.

Todo ese nauseabundo servilismo del poder civil estudiado por Vargas Llosa en sus novelas se concentra en lo que
él cree ser lo peor en un ser humano: negar la patria. Para

---

8 *Ibid.*, pág. 166.
9 W. A. Luchting, *op. cit.*, pág. 65.

Vargas una cosa es encontrar males horrendos en su país, y otra cosa es sentirse profundamente peruano. La patria es la doncella mancillada. La patria es el ser inocente que ha sido traicionado por la sociedad impostora. Querer a la patria no impide señalar los defectos y los peligros que tenga, las rocas que obstaculizan su felicidad. Vargas Llosa es buen patriota, y por antonomasia buen latinoamericano, ejemplar americano (en el sentido continental). Por eso, en *La ciudad y los perros* encontramos unas frases rebeldemente acusadoras a un individuo que no quería a su patria:

> Dicen que no es francés sino peruano y que se hace pasar por francés, eso se llama ser hijo de perra. Renegar de su patria, no conozco nada más cobarde [10].

Otra vez la connotación peyorativa alusiva al *perro*, para todo lo que sea denigrante. Nos parece que esta palabra *perro* se la quiere aplicar Vargas Llosa al *poder civil*. Lo hace de muchas maneras y de muy variados modos. Además de que esa sátira aparece en todas sus obras, es en *La ciudad y los perros*, por supuesto, donde más obviamente se muestra. Aparentemente, a *prima facie*, los cadetes del Leoncio Prado son los *perros*, nombre que ellos mismos se ponen, sobre todo a los recién llegados en el primer año, que son los más *inocentes*. Son las víctimas del poder. Éste los ha transformado en *perros*, y entonces se lanzan unos sobre otros a matarse, como animales. La sociedad los ha bestializado. La ciudad (la sociedad) y los perros (sus víctimas). Primero son meros cachorros, luego la impostora sociedad —poder civil, económico, militar— los hace *perros* en todo el sentido peyorativo del vocablo.

---

[10] *La ciudad y los perros*, pág. 148.

Un paralelo encontramos entre esta concepción social de Vargas Llosa en esa obra y la posición de Ciro Alegría en su novela *Los perros hambrientos* [11]. No cabe duda que ha debido haber cierta influencia ideológica de Ciro en Mario. En el libro de Alegría, los perros matan, *por hambre*, al rebaño que primero cuidaban, protegían y amaban; después los hombres, bestializados —*perros* humanos— les imitan. En las novelas de Vargas Llosa los militares *matan* la inocencia, la pureza, de los muchachos por egoísmo y miedo, es decir, por *hambre* de poder.

2. EL PODER CLERICAL

En la narrativa de Vargas Llosa no hay una fuerte sátira anticlerical. No nos presenta una exposicion del tema como ha hecho en Hispanoamérica Yáñez, en *Al filo del agua*, o como hizo Galdós en España en otras épocas. La posición de Vargas es mostrar al clero como institución dogmática unida al poder político dominante. No lo ve, pues, desde un punto de vista estrictamente anticlerical o antirreligioso. Es más bien un enfoque político-social.

---

[11] Véase la cuarta edición de *Los perros hambrientos*, Santiago de Chile, Edit. Zig-Zag, 1954, págs. 171-172: «Patrón, ¿cómo que nuay nada? Sus mulas y caballos finos tan comiendo cebada. ¿No vale más quiun animal un cristiano?... Peyor que perros tamos... Nosotros sí que semos como perros hambrientos... Si tienesté corazón en el pecho, patrón, conduelasé... No nos deje botaos como meros perros hambrientos, patrón...». Es decir, que el poder social y económico, representado en Don Cipriano, transforma en *perros* a los indios que representan sus inocentes víctimas. Asimismo, en *La ciudad y los perros* de Vargas Llosa, el poder civil y militar —y todo el sistema social— transforma en *perros* (en el sentido psicológico ahora) a los inocentes jóvenes. Véase al efecto nuestro ensayo «Los «perros» en Ciro Alegría y Vargas Llosa».

Si Julio Reátegui en *La casa verde* representa el Estado, el Padre García representa al clero. A pesar de toda la antipatía que el autor nos hace sentir por el Padre García —y aun por las monjitas españolas que secuestran indias para «educarlas»—, al terminar la novela, el Padre García queda humanamente vindicado, y algún rastro de simpatía le tenemos, al condolerse de su propio enemigo el arpista Anselmo. Vargas Llosa no critica ni desnuda el fanatismo del Padre García, aunque sea evidente que éste es fanático, sino su fuerza social, su control, su deseo de poder. Sin embargo, ya que la filosofía social de nuestro narrador no es maniqueísta, sus personajes, aun en el momento más abyecto y criminal de sus vidas, dejan entrever algún rasgo de bondad o de conmovedora sensibilidad, que los humaniza. No son, pues, personajes meramente símbolos, recortados de una sola pieza, al estilo de la vieja novela realista-naturalista, sino entes humanos, complejamente humanos [12].

Si enfocamos las alusiones indirectas con que el autor presenta a las monjitas en *La casa verde*, podemos penetrar en la intención satírica del novelista. Cuando la Superiora riñe a Bonifacia, aquélla intenta presentar a ésta como culpable de todo, pecadora y traidora, mientras a las monjas las muestra como santas y elegidas de Dios. La ironía solapada es evidente:

> Bonifacia cogió el ruedo del hábito de la Superiora y lo besó...
> —La Madre Angélica te riñe con razón —dijo la Superiora—. Has ofendido a Dios y has traicionado la confianza que te teníamos.

---

[12] Cf. E. Rodríguez Monegal, «Madurez de Vargas Llosa», *Mundo Nuevo*, núm. 3, septiembre de 1966, pág. 72.

—Para que no le dé *rabia*, Madre —dijo Bonifacia—. ¿No ves que siempre que le da *rabia* se enferma? Si no me importa que me riña [13].

Nótese el énfasis al vocablo *rabia*, repetido dos veces, muy de cerca. De hecho, en la lengua española, la rabia es enfermedad de los perros, y el término se aplica al ser humano metafóricamente. ¿No hay aquí un trasunto a llamar *perros* a los poderosos de la congregación religiosa? ¿No es éste el sentido de *perros* que en verdad hemos explicado en el apartado anterior, utilizado por Vargas Llosa —como en *La ciudad y los perros*— para aplicarlo, no necesariamente a los cadetes, sino indirectamente a los directores de la institución?

Cuando las monjas insisten en el pecado de Bonifacia, la inocencia de ésta se hace meridiana en contraste con la virulenta fiscalización enfermiza de sus directoras:

—No se te ocurrió ni tenías la intención pero las hiciste escapar —dijo la Superiora—. Y no sólo a esas dos, sino también a las otras. Lo habías planeado todo con ellas hace tiempo, ¿no es cierto?

—No, Madre, te juro que no —dijo Bonifacia...

—Eso no es una excusa —dijo la Superiora—, no te escudes tanto en el diablo. Si te tentó fue porque te dejaste tentar [14].

Ya anteriormente la Madre Angélica le había escupido a Bonifacia estas palabras: «Tenías malos instintos, demonio, sólo las inmundicias te gustaban» [15]. Cuando después de acusarla de traicionar a la Misión, la Superiora le hace ver claro que tiene que irse para siempre de allí, Bonifacia llora y

---

13 *La casa verde*, pág. 65. Subrayado nuestro.
14 *Ibid.*, págs. 66-67.
15 *Ibid.*, pág. 45.

aparece más que nunca como la inocente víctima del poder
—en este caso el poder del clero— y grita:

> —Déjame como sirvienta no más... barreré y llevaré las
> basuras y la ayudaré a la Madre Griselda en la cocina. Te
> ruego, Madre [16].

Es curioso cómo coinciden en su grueso enfoque de soslayada sátira dos escenas casi paralelas entre *La ciudad y
los perros* y *La casa verde*. En la primera, es el momento
en que los militares, habiendo atrapado a Alberto en la en-
crucijada de sus propios escritos, acuden al chantaje para
callarle la boca, amordazarle el espíritu y triturarle su libertad:

> —¿Sabe usted lo que debo hacer con estos papeles? —dijo
> el coronel... —Echarlo a la calle de inmediato, por degenera-
> do... ¿Está usted arrepentido?... Pórtese como un hombre.
> ¿Comprende lo que le digo?
> —Sí, mi coronel.
> —¿Hará todo lo necesario para enmendarse? ¿Tratará de
> ser un cadete modelo? [17].

Compárese esa escena con aquélla en que la Superiora
reprende a Bonifacia por sus «pecados» contra otra institución diferente —religiosa—, pero fundamentada en el mismo
poder: la sociedad enferma y ulcerada. Nos referimos a esta
escena de *La casa verde*:

> —¿Me pones condiciones para arrepentirte de tus faltas?
> —dijo la Superiora—. Era lo único que faltaba. Y no sé por
> qué quieres quedarte en la Misión. ¿No hiciste escapar a las
> niñas porque te daba pena que estuvieran aquí? Más bien de-
> berías estar feliz de marcharte...

---

[16] *Ibid.*, pág. 69.
[17] *La ciudad y los perros*, págs. 286-287.

—¿Dónde voy a ir? Madre, no quiero ser otra vez pagana. La Virgen era buena ¿cierto? todo lo perdonaba ¿cierto? Ten compasión, Madre, sé buena, para mí tú eres como la Virgen.
—A mí no me compras con zalamerías, yo no soy la Madre Angélica [18].

Es decir, que a la frase de Bonifacia «para mí tú eres como la Virgen», contesta la Superiora, para no mencionar a la Virgen misma: «Yo no soy la Madre Angélica», que equivale a un «yo no soy como la Virgen que mencionas». Nótese el juego de palabras, con doble sentido, con esa sátira de trasfondo, aguda, biliosa, pero delicadamente velada en el caso del poder clerical. En cambio, la fuerza con que Vargas Llosa esgrime contra el poder civil y militar es una avalancha desbordada. A pesar de esto, la sátira contra ese poder clerical, así presentada, más a medio tono, a *sotto voce*, que de frente, queda eslabonada a la sátira general contra todo el poder social. Para Vargas Llosa, como hemos visto, y como continuaremos demostrando, no hay poderes divididos, sólo hay un poder esclavizador: la sociedad, se muestre bajo el poder civil, clerical, o militar.

El fracaso de la educación religiosa es, en general, el blanco de ataque de Vargas Llosa. Así como en *La ciudad y los perros* presenta el fracaso de la educación militar, en otras obras presenta el anterior. Por ejemplo, las raíces de la frustración de Cuéllar se pueden trazar hasta el colegio religioso donde estudiaba. También el infeliz Cuéllar se convierte en otro «perro» de la sociedad. ¿No se nota la empatía satírica entre los «cachorros» de esta novela y los «perros» de la obra en que aparece Alberto? [19].

---

[18] *La casa verde*, pág. 68.
[19] Frank Dauster, «Vargas Llosa and the end of chivalry», *Books Abroad*, vol. 44, núm. 1, invierno de 1970, pág. 44.

En *Conversación en la Catedral*, la sátira es más abierta. Aquí se identifica el poder clerical con la sociedad decadente y prostituida. Cuando Don Fermín intentó enviar a su hijo a una universidad religiosa, Zavalita reacciona como una fiera, así:

> —La Católica no es mejor que San Marcos, papá —dijo Santiago—. Es un colegio de curas. Y yo no quiero saber nada con los curas, yo odio a los curas[20].

Y por toda contestación a ese exabrupto, le dicen en tono amenazante: «Te vas a ir al infierno, imbécil...»[21]. Otra vez vemos al padre relacionado con el poder social dominante, en este caso el clerical. Pero de hecho, el *infierno* está en esas instituciones que, según Vargas Llosa, corrompen al ciudadano ingenuo, inocente, virgen. Ya ha señalado Luis Harss cómo en *La casa verde* se intenta exponer subrepticiamente la trata de mujeres, la prostitución de niñas inocentes, después de raptarlas de sus hogares... y todo esto hecho por las monjitas en nombre de una educación religiosa totalmente fracasada[22].

Sería interesante ahora citar las frases textuales de Vargas Llosa sobre el problema del clero en el Perú, según la entrevista publicada en la *Antología mínima de M. Vargas Llosa*:

> La iglesia peruana es retrógrada. Aunque hay que ser justos, en los últimos años han aparecido elementos progresistas más o menos excepcionales, pero en general la posición de la iglesia ha sido reaccionaria. La iglesia ha estado, ¿como diríamos?, apoyada y en sus intereses vinculada a la clase dirigente peruana... En la sierra peruana, uno de los instrumentos claves de la explotación del indígena es siempre el cura local. Esto

---

[20] *Conversación en la Catedral*, vol. I, pág. 89.
[21] *Loc. cit.*
[22] L. Harss, *Into the mainstream*, 1967, págs. 368-369.

se ve muy bien en los libros de José María Arguedas, por ejemplo, que ha escrito también sobre la sierra. Ahí ves cómo el cura es el instrumento de esclavización espiritual, moral, del indígena. Es él quien se encarga de vaciarlo de espíritu de rebelión, de inconformismo, predicándole la resignación, el perdón de las ofensas... Pero yo creo que el problema religioso —como lo dijo Mariátegui en sus siete ensayos—, está subordinado a los otros problemas[23].

El poder clerical en Vargas Llosa, como otra boca del dragón social —siendo las otras dos bocas el poder civil y el poder militar— vomita fuego del mismo corazón podrido de los otros poderes, para devorar a sus víctimas. Puesto que hemos examinado ya los dos primeros poderes, analicemos ahora el militar, para ver la posición que la narrativa de Vargas Llosa adopta ante su amenaza.

3. EL PODER MILITAR

Hemos citado en páginas anteriores la opinión sobre el militarismo que Mario Vargas Llosa, excitado, expresó a Elena Poniatowska, en 1965:

> ...el machismo, el mito de la fuerza bruta, la exaltación de la violencia, todos los valores en última instancia militares, que revelan una concepción castrense del mundo... Así nació mi antimilitarismo irrenunciable... el militarismo nos ha hecho un daño terrible a lo largo de toda la historia peruana. Pero, claro, el fenómeno del militarismo... abarca un fenómeno más vasto: la injusticia social en que se funda toda la historia peruana[24].

---

[23] *Antología mínima de M. Vargas Llosa*, 1969, págs. 72-73.
[24] *Ibid.*, págs. 60-61.

Aunque en el cuento «Los jefes» del libro del mismo título ya aparece apuntado el tema militarista en un colegio, y se ve también soslayado en el cuento «Un visitante» (del mismo primer libro de Vargas), es en la novela *La ciudad y los perros* en donde el tema se desborda con ímpetu expresionista. Hemos visto que en la primera mitad de la novela se ven los efectos de la depravación moral de los niños-adolescentes que entran al Colegio militar, y en la otra mitad viene la confrontación entre los cadetes (representados aquí por Alberto) y el poder militar. Sin embargo, ya desde el principio, el tema está señalado como el eje ígneo del libro, y se le clasifica desde ese momento como lacra social:

> —Yo no voy a ser militar.
> —Yo tampoco. Pero aquí eres militar aunque no quieras. Y lo que importa en el Ejército es ser bien macho, tener unos huevos de acero, ¿comprendes? O comes o te comen, no hay más remedio. A mí no me gusta que me coman[25].

Con esa actitud y esa visión de la vida los cadetes se deciden a «hacerse hombres», esto es, a depravarse con las ideas de adultez que el Ejército les imparte y que la sociedad —como causa primera— les obliga a aceptar. Los oficiales dirigentes y otros suboficiales dan el ejemplo de «militarismo», que en la novela de Vargas Llosa quiere decir *violencia y brutalidad*. Hasta Gamboa, que más tarde reniega de los métodos de chantaje usados con Alberto, está sometido y esclavizado por el régimen. Hay un momento en que Gamboa tiene que mostrar su «militarismo» con más crudeza que nunca, muy al principio de la novela, y así lo expresa el autor:

---

[25] *La ciudad y los perros,* pág. 23.

—¿Quién habla ahí? —grita el teniente. El murmullo sigue flotando, disminuido, moribundo.
—¡Silencio! —brama Gamboa—. ¡Silencio, carajo!
Es obedecido. Los brigadieres emergen de las filas, se cuadran a dos metros de los suboficiales, chocan los tacones, saludan... [26].

Cuando más tarde Alberto delata al Jaguar como asesino de Arana, el novelista resalta la *animalidad* de los militares con tintes especiales y muy hábiles juegos de palabras:

Gamboa seguía sentado en la silla de *patas de fiera*... [27].

... ...

El capitán Garrido tenía las manos sobre el escritorio y sus *dedos, muy nerviosos, arañaban* unos papeles [28].

... ...

La frente del capitán Garrido estaba húmeda y en cada uno de sus ojos había una *llamita amarilla* [29].

... ...

[El mayor]... era un hombre obeso y *colorado*, con un bigotillo *rojizo* [30].

... ...

El capitán lo miraba, *masticando furiosamente* [31].

... ...

Pero —el mayor intentó nuevamente *morderse* el bigote— lo otro es inadmisible y absurdo [32].

... ...

---

[26] *Ibid.*, pág. 38.
[27] *Ibid.*, pág. 245. [Todos los subrayados, desde esta nota 27 hasta la 38, son nuestros.]
[28] *Ibid.*, pág. 254.
[29] *Loc. cit.*
[30] *Ibid.*, pág. 275.
[31] *Loc. cit.*
[32] *Ibid.*, pág. 276.

Usted no me conoce, Gamboa. Soy manso *sólo* cuando se portan bien conmigo. Pero soy un *enemigo peligroso*, ya lo va a comprobar[33].

... ...

...el mayor revisaba el parte, movía los labios y su frente se *plegaba y desplegaba*. El capitán Garrido fue a un paso muy ligero, casi al *trote*...[34].

... ...

[El capitán]... se pasó la mano por las *frenéticas mandíbulas*[35].

... ...

—¿Fernández? —dijo la voz que *retumbaba* bajo el cielo nublado... la *vocecita silbante* que los mantenía inmóviles en el salón de actos, hablándoles de patriotismo y espíritu de sacrificio[36].

... ...

El coronel lo observaba; era *bruñido y regordete*[37].

... ...

El coronel, hasta entonces, recostado en el sillón, había avanzado hasta el borde del asiento: su vientre aparecía, bajo su cabeza, *como un ser aparte*[38].

Es interesante observar los subrayados que hemos hecho a las citas que anteceden. Las *patas de fiera* de la silla aluden a la fiereza de los militares que las ocupan. La acción de *arañar* el papel alude a la garra del animal furioso. La pequeña *llama amarilla* en los ojos del capitán hace referencia a la amarillez de los ojos de muchos animales. La inten-

---

[33] *Ibid.*, pág. 277.
[34] *Ibid.*, pág. 278.
[35] *Ibid.*, pág. 279.
[36] *Ibid.*, pág. 282.
[37] *Loc. cit.*
[38] *Ibid.*, pág. 283.

sificación del color *rojo* para reflejar al mayor, destaca lo infernal de su espíritu. La furia con que *mastica* el capitán también alude a esa animalidad, a su canibalismo. Lo mismo diríamos de la alusión al mayor, *mordiéndose* el bigote. Nótese que *morder* es una referencia indirecta al *perro*. La mansedumbre *egoísta* y *peligrosa* del militar, según la cita número 33, también señala caracteres instintivamente animales. El nervioso *pliegue y despliegue* de la frente del mayor, caminar a *trote* del capitán y la alusión a las *mandíbulas frenéticas* de éste también describen, con gruesos brochazos expresionistas, los sobrerrelieves caninos (y animales en general) de estos militares de la novela. El contraste entre la voz que primero, al impresionar, *retumba* (como la de un monstruo), pero que luego, en el momento de hipnotizar a los cadetes con sus teorías patrioteras, se hace muelle, serpentina, una *vocecita silbante* —dice el novelista— como de envenenada culebra que hechiza a sus víctimas antes de tragárselas. Finalmente, la gordura y brillantez del coronel —como un cerdo— queda hecha caricatura cuando el autor hace aparecer el *vientre del militar como un ser aparte*. Es decir, que la barrigota del coronel se independiza como si fuera la panza de un animal elefantino o mastodonte. Son muchas, pues, las alusiones soslayadas que el autor hace a esa *animalidad* de los militares: unas veces refiriéndose a sus cuerpos, otras veces a sus mentes. Las alusiones siempre están entintadas con vigorosos matices naturalistas y pinceladas expresionistas.

En *La casa verde*, la figura de Julio Reátegui, asociada al poder económico, viene a ser blanco de ataque del autor. Como gobernador de Santa María de Nieva, comete varias injusticias, y se enriquece con el caucho de la selva del Perú, a costa de sus propios infelices compatriotas, y de las torturas infligidas sobre el cacique Jum.

La dictadura del general Odría es el núcleo militarista de la sátira en *Conversación en la Catedral*. Por medio de Bermúdez —asociado al principio con Odría, después su enemigo— el dictador logra controlar todo el país, amordazarlo, destruir su sentido de libertad. De ahí los exabruptos que la novela vomita hacia Odría:

> —En el Perú estamos en la edad de piedra, mi amigo...[39].
> —Subieron al gobierno a la fuerza —dijo Santiago—. Odría ha metido presa a un montón de gente[40].
> —El Presidente conoce la mentalidad de estos hijos de puta —dijo el coronel Espina—. Hoy te apoyan, mañana te clavan un puñal en la espalda[41]...
> —¿Miedo?... Yo digo que Odría es un dictador y un asesino, y lo digo aquí, en la calle, en cualquier parte[42].

Para Alberto Oliart, la presentación de la sátira contra la dictadura de Odría en *Conversación en la Catedral* tiene cierta intención política, pero no en el sentido de «novela comprometida»[43].

Toda esta revelación de la crudeza militarista que Vargas Llosa presenta en sus narraciones subraya con enérgico trazo el planteamiento de *victimario vs. víctima*, o sea, la sociedad impostora deglutiendo al personaje inocente. El sentido de hombría de los militares de sus novelas cae en el extremo de la depravación y la animalidad. Mientras el capitán, en *La ciudad y los perros* expresa con un orgullo egocéntrico que los cadetes «se han hecho hombres»[44] en

---

[39] *Conversación en la Catedral*, vol. I, pág. 21.
[40] *Ibid.*, pág. 39.
[41] *Ibid.*, pág. 68.
[42] *Ibid.*, págs. 83-84.
[43] Alberto Oliart, «La tercera novela de Vargas Llosa», *Cuadernos Hispanoamericanos*, núms. 248-249, agosto-septiembre de 1970, pág. 500.
[44] *La ciudad y los perros*, pág. 263.

su colegio, la realidad va revelando luego todo lo contrario, que han perdido lo más sagrado del hombre: el respeto a sí mismo, el concepto de los valores espirituales, la sensibilidad honda y segura para rebelarse radicalmente contra toda injusticia.

Por eso, vienen muy a cuento, las frases de Mario Benedetti, en su análisis de este aspecto en la narrativa de Vargas Llosa, cuando el crítico uruguayo recalca que los militares desarrollan en cada cadete «una horrible vergüenza de ser manso, de ser bueno, de caer alguna vez en la execrable debilidad de conmoverse» [45].

4. EL «REPTIL VERDE»

Los tres poderes —civil, clerical y militar— forman, como hemos apuntado ya, las tres bocas de un mismo dragón: la sociedad impostora, que viene a ser el victimario en la novelística de Vargas Llosa. Ese dragón —remedo de las novelas de caballerías— aparece majestuosamente devorador, y con toda su nauseabunda revelación, en *La casa verde*, a nuestro juicio la obra maestra de Mario Vargas Llosa.

El reptil verde, el dragón de tres bocas, el enemigo del Perú, de Latinoamérica, según el novelista, es el personaje invisible, omnipresente, sin embargo, de *La casa verde*. En el presente apartado analizaremos ese *personaje*, en todos los aspectos que el novelista le imparte, y veremos su trascendental importancia en la evolución narrativa de nuestro autor. De hecho, ese mítico «reptil verde», aunque desarrollado literariamente en *La casa verde*, aparece también en el trasfondo de sus otras producciones narrativas.

---

[45] M. Benedetti, *Letras del continente mestizo*, 1969, pág. 241.

El gran símbolo del reptil verde —visto a través de la técnica de los espejos (o de las «cajas chinas») por medio de esa «casa verde» en la novela *La casa verde*— es el eje vertebral de toda la narrativa de Vargas Llosa. Resume en simbiosis aglutinante los tres temas anteriores: poder civil, poder clerical, poder militar. Es el clímax estallante de su temática.

Apunta el símbolo en *Los jefes*, madura en *La ciudad y los perros*, y explota definitivamente en *La casa verde*. Luego, en *Los cachorros*, hace un resoplido dramático y se diluye desaguadamente en *Conversación en la Catedral*. Con esto que acabamos de señalar, hemos también dejado saber que *La casa verde* es, a nuestro juicio, la obra cumbre de Mario Vargas Llosa, en todos los conceptos de temática y técnicas. Por ahora, examinando tan sólo lo primero, diremos que el gran tema del *victimario vs. víctima* aparece en *La casa verde* con toda la majestad que la fuerza novelística de Vargas Llosa sea capaz de expresar. Y ese tema, reflejado en el símbolo que llamamos *el reptil verde*, queda plasmado de mano maestra en esa novela.

La sociedad impostora, engullendo a sus víctimas inocentes, aparece caracterizada como el reptil verde que han echado en la selva latinoamericana. Ahí está nuestra selva, en un principio virgen y pura, pero que luego, cuando el viento «sopla en otro sentido» [46], como señala Benedetti, las criaturas —que son la selva misma— «se deterioran y corrompen» [47]. Aunque Mario Benedetti no ha querido explicar el gran símbolo que hay en esta novela reveladora, lo ha insinuado con poco disimulo:

---

[46] *Ibid.*, pág. 247.
[47] *Loc. cit.*

Entre el prostíbulo de Piura, llamado «la casa verde», y esa otra gran casa verde que es la selva, Vargas Llosa hace circular el tiempo, su tiempo novelístico, como una gran corriente de aire [48].

Esa selva «verde» tiene ahora adentro, como espíritu infernal, al gran dragón: el reptil *verde*. Es el reptil verde quien ha hecho *verde* a la selva. Ya aquí estamos en el plano de símbolos mayores, que se iniciaron con el título mismo de la novela *La casa «verde»*. Lo *verde* viene a ser en esta novela lo corrupto, lo diabólico, lo infernal. Recordamos ahora otros títulos de novelas en la narrativa hispanoamericana, que ya señalan el matiz negativo del verde: *El infierno verde*, del costarricense José Marín Cañas, y *El papa verde*, de Miguel Ángel Asturias.

Lo verde como lo satánico que seduce, pudre y devora a sus víctimas. La selva es verde, en el girar del símbolo, porque la clorofila diabólica del reptil verde la ha pigmentado al seducirla, al corromperla. Esa selva pura y virgen en un principio —Bonifacia de niña— se ha transformado en selva putrefacta y destruida luego: la *Selvática*.

La casa que es *verde*, es el primer plano del símbolo. La casa es un prostíbulo, es encarnación de la podredumbre social. Ese primer plano de la realidad sensorial y objetiva, pero intrascendente de por sí, se proyecta a un segundo plano: la *selva*, que está cercana, y casi la rodea. Aquí entramos al plano onírico, o mejor, al plano mágico del símbolo: al realismo mágico. Ya no es la casa en sí la esencia de esa podredumbre: ahora es toda la selva, no la selva exclusivamente peruana, sino la selva latinoamericana en todo el amplio sentido de la palabra. El puente de enlace entre el plano objetivo de la *casa* y el plano mágico-simbó-

---

[48] *Loc. cit.*

lico de la selva, es Bonifacia. De niña inocente, de indiecita pura, ingenua, candorosa, se convierte luego en la nauseabunda y repulsiva personalidad de la Selvática, porque el reptil *verde*, habiendo envenenado a la casa *verde*, la ha hecho *ipso facto* su víctima.

Es decir, que al caer de nuevo en un personaje de carne y hueso como la Selvática —efecto del poder maléfico y destructor del reptil verde— volvemos a lo sensorial y objetivo, y éste es el tercer plano del símbolo. Sin embargo, en el juego de dimensiones que todo el símbolo presenta, hay que señalar que se evidencian ciertas identificaciones que podrían traer confusión al lector, y deseamos aclararlas: Bonifacia, al ser corrompida por la sociedad, se transmuta en la Selvática. Esa sociedad es el reptil verde, personaje invisible, que merodea por la selva y que envenena y emponzoña a ésta. Siendo la Selvática símbolo de esa selva corrompida, la casa *verde* viene a ser Bonifacia misma envenenada, la colectividad latinoamericana emponzoñada, la selva pura destruida por el reptil verde que es la sociedad impostora como victimario.

Podríamos establecer los siguientes paralelos:

1) *Bonifacia.* — *La casa antes de ser pintada de verde*: víctima inocente y pura: la conciencia latinoamericana en estado de autodeterminación.

2) *Selvática.* — *La casa «verde»*: la inocencia corrompida: la conciencia latinoamericana en estado de descomposición por haber sido la víctima de la sociedad impostora (el corrupto poder civil-clerical-militar).

3) *El reptil «verde».* — El personaje invisible que imanta y tiñe de *verde* (infernal) a sus víctimas; símbolo de la sociedad impostora de que hemos tratado en todo este capítulo: el poder civil-clerical-militar en estado de corrupción social. Pudiera trazarse el símbolo hasta abarcar no la selva en sí,

sino el espíritu de la selva, tal vez personificado por el río en que va Fushía. Ese río atraviesa la selva y se mueve como un reptil. A la vez, el novelista lo asocia con una mujer (¿la Selvática?) en uno de los más míticos pasajes de la novela, cuando Aquilino dice, en la página 51: «...la Amazonia es como mujer caliente, no se está quieta. Aquí todo se mueve, los ríos, los animales, los árboles. Vaya tierra loca la que nos ha tocado...»

De lo intrascendente de un vulgar prostíbulo, el novelista remonta, por refracción de espejos, a lo trascendental de la problemática latinoamericana. Por esto, repetimos, *La casa verde* entraña el clímax de la temática vargasllosiana. Es además, novela de técnicas maestras, como analizaremos en la tercera parte de esta obra.

De nada valdría incendiar la casa verde, como lo intenta el apergaminado Padre García, pues «el Prostíbulo-Fénix renacerá de sus cenizas y seguirá devorando a sus pupilas», como ha enfocado rectilíneamente Carlos Fuentes [49]. Ese *devorar* a sus víctimas, hace que el símbolo sea el reptil verde, el gran dragón de las novelas de caballerías, que Vargas Llosa echa a rodar por su novela. Es posible que, saliéndonos del plano onírico o de la dimensión mágico-mítica, y volviendo a un nivel de realismo social objetivo, el novelista se esté refiriendo en ese reptil verde a la *ley de la jungla* de la que habló en Puerto Rico para el periodista de *El Mundo* en 1969 [50].

El tema de la explotación y la corrupción de la inocencia, que, como han comprobado muchos críticos [51], es constante en Vargas Llosa, es de raíces políticas, y más aún de en-

---

[49] C. Fuentes, *La nueva novela hispanoamericana*, 1969, pág. 48.

[50] Ramón Rodríguez, «Novelista explica sus ideas políticas», *El Mundo*, San Juan, Puerto Rico, 15 de febrero de 1969, pág. 20.

[51] Para citar tan sólo uno que lo señala muy claramente: Frank Dauster, *op. cit.*, pág. 42.

vergadura político-social. De ahí que el novelista levanta el tema al plano mítico y transforma a la víctima en personaje colectivo: la casa verde, y su personificación: la Selvática. De ahí también que el mito mayor, *el reptil verde*, se levante como espíritu infernal que ronda «la selva» —no necesariamente la selva geográfica, sino la humana, la social— y hace transformaciones cameleónicas en los personajes: Bonifacia-Selvática, Sargento-Lituma, Anselmo-Arpista, etc.

Personajes víctimas del *reptil verde* son casi todos, pero sobresalen como víctimas mayores, además de Bonifacia —que es el mito en sí—: Fushía[52], cuya lepra le destruye por dentro (espiritualmente) y por fuera; Antonia, la inocente cieguita, víctima también de un bamboleante destino en manos de su protector; el mismo Lituma, brutal, carnal, animalizado por los tratos de la casa verde; y tantos más que son víctimas de las garras del gran dragón: Reátegui, Lalita, Jum, Aquilino, y otros. La «selva» los ha devorado; es decir, el *reptil verde* que hay en la selva. No es ahora la selva tiempo-espacial de *La vorágine*, sino una selva intrahumana, político-social, de tentáculos universales y hondamente interiorizados.

Aunque algunos críticos se han acercado a este personaje central de *La casa verde*, a este *reptil* mítico que merodea en el trasfondo de las vidas de todos los personajes que intervienen en la novela, algunos estudiosos lo han confundido con meros objetos o con determinantes geográficos que le roban todo el significado trascendente que tiene. Así, por ejemplo, Esperanza Figueroa Amaral ha dicho que el río es el personaje central del libro[53]. Nos apunta Esperanza

---

[52] Juan Larco, «*La casa verde*», *Casa de las Américas*, vol. 6, número 38, septiembre-octubre de 1966, pág. 115.

[53] Esperanza Figueroa Amaral, «*La casa verde* de Mario Vargas Llosa», *Revista Iberoamericana*, núm. 65, enero-abril de 1968, pág. 111.

una verdad: que hay dos realidades contrapuestas en la novela: una que es evasiva —los hombres—, y otra que es omnipresente, pero aquí falla, a nuestro juicio, al decir que es el río. Esto es, no compartimos su afirmación de que sea el río el personaje central del libro. Creemos que es Bonifacia, como suprema víctima de la sociedad. Creemos que esa sociedad está mitificada en el personaje de trasfondo que es el reptil verde de la selva, aunque, como hemos señalado, el río sugiera ese reptil demoníaco y mítico. En cambio, estamos de acuerdo con Esperanza Figueroa en otro símbolo del río como «tiempo que fluye, que se enrosca»[54]. Su análisis estilístico de este símbolo y la relación que ella encuentra con el fluir vital de ciertos personajes en la novela, es una exposición exquisitamente lograda.

Mario Benedetti señala que «esa otra gran casa verde» es en efecto «la selva»[55], pero no conecta con el misterioso enigma de lo que llamamos *el reptil verde*. Luchting ha negado que haya un nivel mítico en *La casa verde*. Ha afirmado en 1967:

> ...lo que se ha denominado «mitos» y «la dimensión mítica» en *La casa verde*, a mi ver no existe[56].

Es cierto que más tarde —tres años después— ha rectificado su criterio en parte, para admitir ese nivel del mito en la gran novela de Vargas Llosa, y ha señalado:

> No quiero, de ninguna manera, negar que en *La casa verde* hay dimensiones míticas, pero creo que son de otra índole; son mitizantes[57].

---

[54] *Ibid.*, pág. 112.
[55] M. Benedetti, *op. cit.*, pág. 247.
[56] W. A. Luchting, «Crítica paralela: Vargas Llosa y Ribeyro», *Mundo Nuevo*, núm. 11, mayo de 1967, pág. 25.
[57] W. A. Luchting, «Los mitos y lo mitizante en *La casa verde*», *Mundo Nuevo*, núm. 43, enero de 1970, pág. 56.

Lo que ocurre con los mitos de la narrativa de Vargas Llosa es que todos giran alrededor de ese reptil verde. Son como sus tentáculos. Si vamos a exprimir esa afirmación nuestra, diríamos que sólo hay un mito en toda su narrativa, pero que por el efecto de los espejos refractados, hay reproducciones, en grado menor, de ese mito. Otro aspecto a considerar en este asunto mítico de la narrativa vargasllosiana es que la dimensión del mito se extrae del engranaje de todos los personajes como un ser colectivo. De ese bamboleo de sus personajes, de esa vibración vital en que se revuelcan hombres y mujeres en un vórtice vertiginoso, de ahí brota el mito. Por eso mismo el reptil verde está en los personajes, está en Bonifacia (en la Selvática), está en la lepra de Fushía, está en el falso dogmatismo del Padre García, está en el militarismo de Reátegui, está en la podredumbre de la misma casa verde como prostíbulo. Lafforgue ha acertado con tino crítico al afirmar que «el mundo de Vargas Llosa tiene la férrea organización de un hormiguero», y en ese hormiguero, los seres «están atrapados» [58]. Son personajes a quienes el reptil verde ha enredado en sus garras y los ha desvitalizado primero para emponzoñarlos después. También Rosa Boldori ha señalado el clima de corrupción de la selva, sugeridor de la corrupción del burdel de la casa verde de Don Anselmo [59].

Luis Harss se ha acercado al mito pero no lo ha visto, pues la técnica circulatoria y vibrante de toda la novela *La casa verde* le ha eclipsado el escondite del «gran dragón». Sus frases más reveladoras al respecto son las que publicó en *Into the mainstream*:

---

[58] Jorge R. Lafforgue, *Nueva novela latinoamericana*, I, 1969, páginas 236.

[59] Rosa Boldori, *Mario Vargas Llosa y la literatura en el Perú de hoy*, Santa Fe, Ediciones Colmegna, 1969, pág. 71.

La casa verde moves like a dragnet, on all fronts at once, flushing out swirls of underwater life, where creatures hatch and thrash, sometines vanishing with a flick of a dark light, at others curling up on themselves like snakes biting their own tails [60].

Las alusiones que hay en la novela *La casa verde* a ese siniestro personaje mítico —*el reptil verde*— son casi oníricas, esfumantes, y apenas aprehensibles, pues están urdidas por la lengua maestra del novelista con una vibración escapatoria, diluible. Son alusiones tanto a la casa verde en sí, en su expresión de burdel, como a los ojos de la Selvática:

Cuando la casa estuvo edificada, don Anselmo dispuso que fuera íntegramente pintada de *verde*. Hasta los niños reían a carcajadas al ver cómo esos muros se cubrían de una *piel esmeralda* donde se estrellaba el sol y retrocedían reflejos *escamosos* [61].

... ...

...ese resplandor diurno de sus paredes que, a la distancia y en las noches, la convertía en un cuadrado, *fosforescente reptil* [62].

... ...

esas serpientes delgaditas... cómo se juntan y crecen, y su color, su *verde marrón*, y va engordando y estirándose [63].

Con los ojos de Bonifacia-Selvática, se alude así al simbólico verde [64]:

1) ...sus ojos fueron más grandes, *verdes* e intensos (página 26).

---

60 L. Harss, *op. cit.*, pág. 374.
61 *La casa verde*, pág. 96. Subrayado nuestro.
62 *Ibid.*, pág. 98. Subrayado nuestro.
63 *Ibid.*, pág. 347. Subrayado nuestro.
64 Subrayados nuestros.

2) ...dos *llamitas verdes* destellaron un segundo bajo la mata de cabellos (pág. 47).

3) Y ella tiene los ojos como dos cocuyos... *verdes* y asustados (pág. 88).

4) ...sus ojos *verdes* contrastaban con su tez oscura (página 120).

5) Bonifacia abre los ojos *verdes*, húmedos, desafiantes (página 121).

6) ...una cabellera negra invadió la luz... brillaron unos ojos *verdes* (pág. 166).

7) La Selvática dio un paso hacia él... dos *llamitas verdes* relumbraban suavemente en sus ojos (pág. 168).

8) Los ojos *verdes* relampagueaban (pág. 213).

9) El viejo... examinó los ojos *verdes* anhelantes... (pág. 233).

10) *Verdes*, grandes, asustados, sus ojos buscaban los de Josefino... (pág. 374).

No es solamente la Selvática la «manchada» del verde diabólico. También otros personajes. Por ejemplo, de Jum se dice que tenía «pómulos verdes» (pág. 58); Lituma usa «medias verdes» (pág. 62); la ventana frente a Lalita tiene «nubecillas verdes» (pág. 93); el cabo Roberto Delgado viste un «uniforme verde» (pág. 103); el arpa de Anselmo estaba «pintada de verde» (pág. 427).

Se presenta a una mula cuyo hocico tiene una «baba verdosa» (pág. 53); y se repite la referencia en la página 137: «baba verde»; se describen un sol «verdoso» (pág. 9) y un «cielo verde» (pág. 372); aparecen por doquiera «luces verdes» (págs. 143, 188), «cuerpos verdes» (pág. 139), «saliva verde» (pág. 260), «figuras verdioscuras». (pág. 326).

De todo este *verdear* reptilístico, como dijimos al principio de este apartado, Bonifacia es el eje imantador. Bonifacia abre y cierra la novela. Después de la introducción, páginas 9 a 22 —que es todo un largo párrafo— en que las monjitas van en busca de las indias inocentes, ya la imagen invisible de Bonifacia está viva en la obra. Por fin aparece en seguida, tan pronto abre la acción directa, en la página 23, oyéndose ya su voz en la página 27: «No me digas tonta, mamita.» Y el novelista, hábil en el despliegue de su símbolo supremo, hace aparecer la inocencia y pureza de Bonifacia ahora, al principio, no con el verde que luego poco a poco, al contacto con la sociedad tendrá, sino con los tintes clásicos del candor:

> Vestía una *túnica azul*, un estuche que ocultaba su cuerpo desde los hombros hasta los tobillos, y sus pies descalzos, del color de las tablas cobrizas del suelo, yacían juntos... [65].

Diríase que el novelista está describiendo una de las madonas de Rafael Sanzio, tal vez la Madona Sixtina. De esta pureza *azul*, en prístinas *túnicas* bíblicas, el novelista va *verdeando* esa figura, hasta presentar la putrefacción interior que el *reptil verde* ha logrado al transformarla en la Selvática, con que se cierra la acción central, antes de comenzar el Epílogo:

> ...y ahora la Selvática iba de un lado a otro, se quebraban copas, el Mono tras ella, resbalando y riendo... [66].

Y toda la acción *a posteriori* del Epílogo remata la presentación de la Selvática como una de las *profesionales* de la casa verde. Víctima de un poder más hondo que la muerte, Bonifacia —representada colectivamente como el burdel de la casa verde y trascendida a símbolo de la selva humana, de toda Latinoamérica—, se levanta en esta novela como el personaje mítico más logrado de la narrativa hispanoamericana contemporánea.

El propio Vargas Llosa ha declarado que las frustraciones y agonías de sus personajes-víctimas son «el resultado

[65] *La casa verde*, pág. 25. Subrayado nuestro.
[66] *Ibid.*, pág. 375.

del medio, del mundo en que se mueven, de esas extrañas camisas de fuerza invisibles que los están constantemente maniatando o alienando» [67].

No estamos desamparados en ñuestra apreciación de *La casa verde* como la obra maestra de Mario Vargas Llosa, y muy superior a *Conversación en la Catedral*. No vamos a citar frases de tantos críticos que han dedicado a esa novela elogios aun superiores a los nuestros: Esperanza Figueroa Amaral, Juan Larco, José Miguel Oviedo, Wolfgang Luchting, Rosa Boldori, Jorge Campos, José Domingo, Nelson Osorio, Emir Rodríguez Monegal, Frank Dauster, Raúl Villaseñor, Mario Castro Arenas, etc. De este último, compatriota del novelista, deseamos citar unas palabras muy significativas, con las cuales cerramos este capítulo:

> *La casa verde* es la obra más sólida, por donde se la encare, de la novelística peruana... a medida que se progresa en la lectura, la novela va cediendo sus secretos, entrega sus claves, descubre sus pistas, y el conjunto de la urdimbre narrativa se dibuja claramente en el inmenso tapiz novelístico [68].

---

[67] M. F., «Conversación con Vargas Llosa», *Imagen,* Caracas, suplemento núm. 6, agosto 1-15, 1967.

[68] Mario Castro Arenas, *La novela peruana y la evolución social,* 1964, págs. 263-264. A pesar de esto, otros críticos, muy pocos, han opinado que su obra maestra radica en alguna de las otras novelas. Roger Callois, por ejemplo, afirma que *La ciudad y los perros* es «una de las obras maestras de la literatura en lengua española durante los últimos veinte años», y José María Valverde opina igualmente. [Véase: José Escobar, «Mario Vargas Llosa: *La ciudad y los perros*», *Revista de Occidente,* año III, 2.ª época, núm. 26, mayo de 1965, página 261.]

CAPÍTULO V

FRUSTRACIÓN Y ESPERANZA

En la problemática vargasllosiana del victimario vs. víctima se plantea de fondo el tema del destino. De un lado se nos aparece un determinismo naturalista que acecha a los personajes y los persigue en vida y muerte. De otro, el libre albedrío se impone con decisiones violentas en la culminación existencial de sus creaciones. Fatalismo de una parte, que lleva a la frustración, y de otra parte una iniciativa dinámica que conduce a la esperanza. En esa lucha entre inercia y acción, se baten y se combaten los personajes de estas novelas. Lo interesante, en cambio, es que su rebelde iniciativa, que los frustra, se levanta, como círculo vicioso, en contra de esa misma frustración antagónica.

1. LOS FRUSTRADOS

Casi todos los personajes de Vargas Llosa son frustrados, pero entiéndase: frustrados rebeldes, es decir, frustrados conscientes que reconocen su íntima rebeldía. Aparente paradoja que no lo es. Se trata, como hemos señalado, de una especie de círculo vicioso. De hecho, las vidas de esos personajes se mueven en círculos. Y las estructuras de estas obras sugieren el *continuum* del círculo, en donde el principio y el fin siempre están unidos y presentes, en donde se han abolido lo pasado y lo futuro, para hacerlos un permanente *hoy* giratorio.

Esta arquitectura en círculos, dentro del andamiaje de las novelas de Vargas Llosa, ha sido vista anteriormente por Esperanza Figueroa Amaral —que la examina en *La casa verde*— [1] y por Luis Harss, quien ha apuntado la existencia de técnicas de puertas giratorias, métodos circulares, estructuras en vórtices, efectismos del reloj de arena, espirales, etcétera [2]. Por otro lado, José Emilio Pacheco [3], George Mc Murray [4] y Wolfgang A. Luchting [5] emplean la referencia al calidoscopio. Y aun José Miguel Oviedo [6], tan certero en sus juicios críticos, al tratar del *círculo vicioso* de *Conversación en la Catedral*, se refiere tan sólo al geográfico (personajes-país-personajes) y no al profundamente mítico. Sin embargo, ninguno señala el verdadero círculo vicioso de *rebeldía-frustración-rebeldía* en las entrañas de estos personajes.

Por darse, precisamente, en *La casa verde* la apoteosis del arte vargasllosiano —en temática y técnica— es por lo

---

[1] E. Figueroa Amaral, «*La casa verde* de Mario Vargas Llosa», *Revista Iberoamericana*, núm. 65, enero-abril de 1968, pág. 113.

[2] Luis Harss, *Into the mainstream*, 1967, págs. 342-376.

[3] J. E. Pacheco, «Lectura de Vargas Llosa», *Revista de la Universidad de México*, México, vol. XXII, núm. 8, abril de 1968, pág. 32.

[4] G. R. Mc Murray, «The novels of Mario Vargas Llosa», *Modern Language Quarterly*, Washington, vol. 29, núm. 3, septiembre de 1968, pág. 336.

[5] W. A. Luchting, «Vargas Vicuña, a technical predecessor of Mario Vargas Llosa?», *Actas de la PNCFL*, Massachusetts, vol. XIX, 19-20 de abril de 1968, pág. 133.

[6] J. M. Oviedo, *Mario Vargas Llosa: la invención de una realidad*, 1970, pág. 188.

que debemos afrontar el análisis crítico de *Conversación en la Catedral* con cierta cautela, colocándola donde justamente engrane dentro del andamiaje general de esta narrativa. En *La casa verde* culmina el sangriento drama social latinoamericano, en que la víctima es devorada por el reptil del poder subrepticio. En esa novela asistimos al clímax del sacrificio ritualístico de la muerte del carnero: Bonifacia se transforma en Selvática. Pero alerta ahora: hay implícito un gesto de rebeldía en toda la novela, que también está concentrado en Bonifacia, y es su consciencia rebosante de bondad, que palpita aun dentro de las entrañas del monstruo que la ha deglutido. Bonifacia siente la muerte de Anselmo como si fuera la de su propio padre, se desespera y atiende a los pormenores de su funeral. Bonifacia no condena al Padre García; casi lo redime. Bonifacia está absorbida por el reptil, pero su indomable humanidad, su rebeldía a no dejar de ser *ella,* permanece viva.

En cambio, si en *La casa verde* se descorre el drama trágico de la frustración social, es en *Conversación en la Catedral* donde se revela con evidencia la fuerza humana de la rebeldía contra la frustración misma. En esto reside el valor ideológico de esta larga novela en dos tomos.

No cabe duda que la controversia de valoración estética entre *La casa verde* y *Conversación en la Catedral* ha llevado a los críticos a largas disquisiciones. El mismo Vargas Llosa duda que su última novela sea superior a *La casa verde,* al decir que tal vez *Conversación en la Catedral* pueda ser coronación o gigantesco fracaso. Para José Miguel Oviedo, esta novela última es «más abarcadora» y de «mayores proyecciones externas» que *La casa verde*[7]. A nuestro juicio, lo es en lo que estrictamente afirma Oviedo: que abarca más,

---

[7] *Op. cit.,* pág. 185.

que se extiende más, es decir, en lo espacial, en la dimensión horizontal, pero no en la vertical. Nos parece que *Conversación en la Catedral* tiene menos interioridad que *La casa verde*, menos intensidad, menos trascendentalismo, menos exquisitez.

Ha sugerido Alberto Oliart que en *Conversación en la Catedral* hay una especie de «agotamiento»[8], a pesar de su laboreo técnico. Se nos ocurre que mejor sería especificar que ese agotamiento está más centrado en su eje estilístico, al ser puesta al trasluz con *La casa verde*. No ocurre, en cambio, en la expresión del tema de la frustración y la esperanza. Muy por el contrario, nos parece que en esta novela —*Conversación en la Catedral*— la furia de la rebeldía contra la peor de las frustraciones llega a un punto de ebullición.

El eje de la novela gira en torno a Santiago Zavala (o «Zavalita», como le llaman sus amigos). Por todos los costados de su vida, Zavalita fue presionado por la sociedad ulcerada por hombres ya corrompidos. Políticamente, fue perseguido estando en la universidad, estuvo preso, es detestado por su padre porque aquél es un intelectual de ideas radicales. En el seno de su familia, además de la enemistad del padre, su mujer es una burguesa conformista y abúlica, sus amigos todos unos burócratas asalariados de oportunistas posiciones ideológicas, su buen amigo Ambrosio resulta ser un asesino, y el monstruo promotor de toda la tragedia político-social-familiar viene a ser nada menos que Don Fermín Zavala, su propio padre, quien finalmente se revela como homosexual y como criminal.

De esa tragedia íntima arranca la frustración de Zavalita, cuya vida vemos descorrer, como en cinta cinematográfica,

---

[8] A. Oliart, «La tercera novela de Vargas Llosa», *Cuadernos Hispanoamericanos*, núms. 248-249, agosto-septiembre de 1970, pág. 505.

en las cuatro horas que dura su conversación con Ambrosio en la cantina llamada «La Catedral». Mas en esa larga *conversación* se entrecruzan dos declives en dimensión opuesta: el *descenso* de la angustia de Zavalita, que determina su caída en la frustración existencial, y el *ascenso* de la voluntad de este personaje por descubrir la verdad, por llegar al fondo del problema —aunque sólo encuentre ambigüedades— y por resolver el misterio central de su propio existir, dándole de esta manera un sentido a su vida. La desesperante investigación de Zavalita por descubrir quién mató a «la Musa», quién ordenó su muerte, quién es el misterioso causante de trasfondo de toda la tragedia del Perú, lo llevan a erguirse como un héroe de la rebeldía, aun dentro de su frustración. He aquí un frustrado rebelde —no un rebelde frustrado, pues no es lo mismo.

Concentrando en Don Fermín todo el símbolo de la burocracia peruana —y por antonomasia latinoamericana— en estado de descomposición, Vargas Llosa nos erige a la víctima (Zavalita) como el héroe caído y resurrecto de esta tragedia. Su resurrección, esto es, su vuelta a encontrarse, a hacerse consciente de su radicalismo, de su afirmación de sí mismo, aparece muy cerca del final, en el segundo tomo:

> Yo le hice saber al viejo que jamás metería la mano en sus negocios, así que olvídate de mi situación y de mi parte. Yo me desheredé solito cuando me. mandé mudar, Chispas. Así que ni acciones, ni compra y se acabó el tema para siempre, ¿okey? [9].

Otro gran frustrado, poco reconocido en esto por la crítica, es el Jaguar, en *La ciudad y los perros*: es el único personaje que se mantiene fiel a su radicalismo rebelde, dentro de sus frustraciones, y no acepta la amistad de Al-

---

[9] *Conversación en la Catedral*, vol. II, pág. 295.

berto, ni de nadie. Ahí también está ese Fushía, en *La casa verde*, monstruoso aborto de la naturaleza, diabólico, una entelequia indescifrable, quien, aun en medio de su leprosa agonía, quiere seguir conquistando hombres y mujeres y tierras. Ahí está ese Jum, de la misma novela, víctima de los blancos, afirmando en su frustrante desesperación de despreciado, la realidad de su vida y de su paternidad. Ahí está Cuéllar, en *Los cachorros*, destrozado y destruido, pero arremetiendo contra la misma sociedad que lo aniquila.

Y volviendo a *Conversación en la Catedral*, no es solamente Zavalita el frustrado rebelde. También lo es Ambrosio, aunque sea, por otro lado, cómplice de la destrucción social. Ambrosio, hundido en el lodazal de los ardides criminales de la burocracia que lo utilizó de conejillo de Indias, se levanta en un gesto de afirmación de su amistad por Zavalita. Hasta la misma «Musa» parece erguirse en su espíritu —sombra volátil del segundo tomo de la novela—, y despojada ya de su asesinado cuerpo, parece que lo hala y lo arrastra y muestra sus sangrantes heridas, para acusar macabramente a los inductores del crimen.

Toda esa sangre derramada, todas esas lágrimas, toda esa traumática tragedia interior que precede y sigue a los grandes personajes frustrados de Vargas Llosa, van moldeando otro carácter en cada uno de ellos: el hombre interior que tendrá que decidirse ante su destino. Mientras José Miguel Oviedo afirma que «la idea del *fatum* preside el universo humano de Vargas Llosa», Rosa Boldori ha señalado que se trata más bien de un «determinismo ambiental»[10]. Cierto, aunque hay que añadir que es un *fatum* flexible, diríamos, condicionado por esa voluntad interior del

10 Cf. J. M. Oviedo, *op. cit.*, pág. 157; Rosa Boldori, *Mario Vargas Llosa y la literatura en el Perú de hoy*, Santa Fe, Ediciones Colmegna, 1969, págs. 46 y 69.

personaje que —aunque doblegada ante todo— nunca se doblega ante sí misma.

2. EL HOMBRE ANTE SU DESTINO

Para Vargas Llosa no hay maniqueísmo válido. La dicotomía del bien y el mal absoluto no existe. Es decir, no existe como una realidad viva, fuera de la conciencia. Sin embargo, esa dicotomía abre un profundo surco en el humano existir y problematiza la vida del hombre. Ante esa problemática, la voluntad tiene que tomar una decisión, para ahogar su idea de ambivalencia.

Parece decirnos nuestro novelista, a través de su narrativa, que en todo bien hay algo de mal, y en todo mal hay algo de bien, pues de lo contrario permanecerían siempre separados, en perpetuo antagonismo y batalla, y no sería posible una armonía estabilizadora.

La dicotomía tiene que resolverse, pues, en la propia conciencia del hombre, en su más hondo ser, en la raíz y médula de su voluntad. Sus personajes se enfrentan con ese problema: armonizar la dicotomía existencial de sus vidas y de sus medioambientes. De hecho, toda la frustración y toda la tragedia de esas vidas, emergen de esa confrontación con su destino.

Los personajes agónicos vargasllosianos, frustrados en sus raíces, pero radicalmente rebeldes en su desesperación, se enfrentan a un destino ya planificado de antemano por otros, pero no quieren aceptarlo como tal, aunque se sometan a él. Es bueno recalcar que el someterse fatalmente a ese destino no implica en estos personajes una aceptación del mismo. El mero someterse les afirma vigorosamente su rebeldía. Y no se trata de una rebeldía activista, de perife-

rias, sino de afirmación interior de su auténtica personalidad.

El verdadero frustrado, el frustrado absoluto, es un ser
totalmente abúlico. Los «frustrados» de Vargas Llosa están
desbordantes de voluntad de acción, de rebeldía agresiva, de
coraje, aun dentro de su destruido mundo. En el cuento
«El desafío» del libro *Los jefes*, en el momento agónico de
la pelea entre el Cojo y Justo, éste sabe que la lleva perdida,
que ya no hay esperanzas de éxito para él, mas sin embargo,
no se desanima, y arremete más iracundo que nunca:

> —¡Julián! —gritó el Cojo—. ¡Dile que se rinda!
> ...Azuzado por las palabras del Cojo, Justo, sin duda, apartó
> su brazo del rostro en el segundo que yo descuidaba la pelea,
> y debió arrojarse sobre su enemigo extrayendo las últimas
> fuerzas de su dolor, de su amargura de vencido. El Cojo se
> libró fácilmente de esa acometida sentimental e inútil, saltan-
> do hacia atrás:
> —¡Don Leonidas! —gritó de nuevo, con acento furioso e
> implorante—. ¡Dígale que se rinda!
> —¡Calla y pelea! —bramó Leonidas, sin vacilar.
> Justo había intentado nuevamente un asalto, pero nosotros,
> sobre todo Leonidas, que era viejo y había visto muchas peleas
> en su vida, sabíamos que no había nada que hacer ya, que su
> brazo no tenía vigor ni siquiera para rasguñar la piel aceituna-
> da del Cojo. Con una angustia que nacía en lo más hondo,
> subía hasta la boca, resecándola, y hasta los ojos, nublándose,
> los vimos forcejear en cámara lenta, todavía un momento,
> hasta que la sombra se fragmentó una vez más: alguien se
> desplomaba en la tierra con un ruido seco [11].

En *La ciudad y los perros* hay varios casos que compro-
barían nuestra tesis. Escogemos uno poco comentado por
los críticos. Se trata de la posición caballeresca del teniente
Gamboa, cuando al final, pudiendo salvarse del fracaso total

---

[11] *Los jefes*, págs. 53-54.

de la vida que ahora le venía, al descubrir que el Jaguar, en juego o en serio, quería rendirse y confesar, le dice a éste, con un gesto de héroe épico:

> —¿Sabe usted lo que son los objetivos inútiles? —dijo Gamboa y el Jaguar murmuró: «¿cómo dice?».
> —Fíjese, cuando un enemigo está sin armas y se ha rendido, un combatiente responsable no puede disparar sobre él. No sólo por razones morales, sino también militares; por economía. Ni en la guerra debe haber muertos inútiles. Usted me entiende, vaya al Colegio y trate en el futuro de que la muerte del cadete Arana sirva para algo [12].

En *La casa verde* encontramos que ya cerca del final de la novela, cuando Bonifacia ya no es Bonifacia, sino la corrompida Selvática, una conversación sobre las monjitas que la «educaron» le despierta de pronto la íntima personalidad femenina, tierna y candorosa, que se resistía a morir en su alma defraudada:

> —¿Estás triste sólo por las madres? —dijo el Sargento.
> —También por Lalita —dijo Bonifacia—. Y pienso todo el tiempo en la Madre Angélica. Anoche se me prendió, no quería soltarme y no le salían las palabras de la pena.
> —Las monjitas se han portado bien —dijo el Sargento—. Cuántos regalos te han hecho.
> —¿Alguna vez volveremos? —dijo Bonifacia—. ¿Siquiera una vez, de paseo?
> —Quién sabe —dijo el Sargento—. Pero está un poco lejos para venir de paseo hasta aquí.
> —No llores —dijo Bonifacia—. Te voy a escribir y te voy a contar todo lo que haga.
> —Desde que salí de Iquitos no he tenido amigas —dijo Lalita—. Desde que era chica... Tú has sido mi mejor amiga.

---

[12] *La ciudad y los perros*, pág. 326.

—Y tú también la mía —dijo Bonifacia—. Más que amiga, Lalita. Tú y la Madre Angélica, son lo que más quiero aquí. Anda, no llores [13].

También Fushía se agarra a la vida, aun en medio de la agonía de su existencia, triturado por la lepra, despreciado por todos, traicionado por su amante, robado, perseguido, olvidado. Su agarre no es temor a la muerte, sino afirmación de su rebeldía a sentirse fracasado, fijeza de unas ráfagas de esperanza, de fe en la existencia misma que lo consumía. Tomando a saltos distintas escenas de su diálogo con Aquilino, podremos hilvanar esta línea existencial de expresión de voluntad de vivir, de decisión por ser rebelde ante la frustración que, inevitablemente, invade a este hombre criminal que ahora añora un poco de cariño humano:

—Pero te voy a decir una cosa —dijo Fushía—. Lo que más me duele de todo, Aquilino, lo que más me pesa, es haber tenido tanta mala suerte [14]. A mí me gustaría también volver a Campo Grande —dijo Fushía—. Averiguar qué fue de mis padres, de mis amigos de muchacho. Alguien se debe acordar de mí todavía... Ya ves para qué me ha servido la ambición... para acabar mil veces peor que tú, que nunca tuviste ambiciones.

—No te ayudó Dios, Fushía —dijo Aquilino—. Todas las cosas que pasan dependen de eso.

—¿Y por qué no me ayudó a mí y a otros sí? —dijo Fushía—. ¿Por qué me fregó a mí y ayudó a Reátegui por ejemplo?

—Pregúntaselo cuando te mueras —dijo Aquilino— [15].

—Quién eres tú para mandarme —dijo Fushía—. Llévame al Santiago, prefiero morirme entre gente que conozco... Es mi

---

13 *La casa verde*, pág. 359.
14 *Ibid.*, pág. 319.
15 *Ibid.*, pág. 342.

vida, Aquilino, no la tuya, no ˙quiero, no me abandones en
este sitio.˙Un poco de compasión, viejo, regresamos a la isla[16]...
—Me gustaría morirme ahora mismo —dijo Fushía—, sin
darme cuenta, de repente. Tú me envolverías en una manta y
me colgarías de un árbol, como a una hiambisa. Sólo que
nadie me lloraría cada mañana. ¿De qué te ríes?[17]...
—Un ratito más, Aquilino —grita Fushía—. No todavía, viejo,
acabas de llegar apenas[18].

En *Los cachorros*, Cuéllar se pone a trabajar en la fá-
brica de su padre, precisamente cuando más frustrado se
encuentra. Cuando ya todo lo había perdido, y hasta llora,
no quiere que le vean llorar, y se levanta, erguido, haciendo
gestos impostores —¡final heroísmo frustrante!— de héroe
supremo:

> Que no les hiciera caso,. Pichulita,. anda, no llores, y él abra-
> zaba el volante, suspiraba y .con la cabeza y la voz rota no,
> sollozaba, no, no lo habían estado fundiendo, y se secaba los
> ojos con su pañuelo, nadie se había burlado, quién se iba a
> atrever[19].

Hemos visto ya, en el apartado anterior, a Zavalita, re-
belándose contra toda imposición, aun sabiendo que está
ya totalmente dominado por la corrupción de su medioambiente[20]. El hombre frente a su destino, comprendiéndose
a sí mismo un manojo inmisericorde de bien y mal revuel-
tos hasta la saciedad, y comprendiendo que la derrota no
debe ser la ganadora, aunque su vida quede truncada por
las circunstancias del «reptil verde»: tal es la autoconciencia de estos personajes.

---

[16] *Ibid.*, pág. 361.
[17] *Ibid.*, pág. 365.
[18] *Ibid.*, pág. 388.
[19] *Los cachorros*, pág. 109.
[20] *Conversación en la Catedral*, vol. II, pág. 295.˙

Esa toma de conciencia en la narrativa de Vargas Llosa es el acicate que mueve todo el tiempo la vida interior de sus creaciones humanas. Sin ese aguijón, sus personajes se desplomarían, ya que el *fatum* de que hablaba José Miguel Oviedo, el derrumbe de la sociedad ambiental, los tentáculos del reptil diabólico que les rodean, los silenciarían transformándolos en meros monigotes, en maquinales marionetas, en unas larvas desvitalizadas que hablarían y actuarían sin sentido ni sentimiento.

¿Y por qué sus personajes deciden, dentro de su frustración existencial, la rebeldía ante esa misma vida frustrada? Contestar a esta pregunta es el motivo del próximo apartado, con el que cerraremos el capítulo y a la vez la segunda parte de esta obra.

3. LA REBELDÍA POR DECISIÓN

Dentro de una cosmovisión existencialista, la decisión es fundamental en la vida de un individuo, pero es el clímax de toda agonía. La libertad del hombre termina con sus decisiones, pero por otra parte, no hay expresión más auténtica de libertad que decidir voluntariamente un camino a seguir. Los personajes de Vargas Llosa toman siempre una decisión, no son personajes en el vacío. Las decisiones que eligen los llevan a una afirmación de sus egos, y a una auto-afirmación. Corrompidos por el medioambiente y por el *reptil verde* de la sociedad en crisis, estos personajes caen en ciclos de depresión que poco a poco los hunde en frustrada agonía. Sin embargo, a diferencia de los personajes que encontramos en los grandes autores del Absurdismo contemporáneo —Beckett, por ejemplo—, estos personajes de Vargas Llosa, aun dentro del más sangrante caos de frustración, dan muestra, de repente, de sus más íntimas y auténticas personalidades. Y ese fenómeno humano sólo es posible cuando el individuo cree y afirma la raíz de su verdadera personalidad. Es una especie de fidelidad al íntimo conocimiento de sí mismo. Una decisión final de rebeldía al medio y de absorción en el yo interior, una ráfaga de fuerza centrípeta que los lleva de nuevo —solamente en el círculo de sus conciencias— al centro mismo de su realidad personal.

Se rebelan, al final de sus vidas, dentro de la frustración, no por anarquía, sino por autarquía. Es la decisión de la rebeldía interior, ahogada brutalmente por las fuerzas frustrantes de la sociedad mugre.

Esta decisión de rebeldía sólo puede denotar una causa profunda y poco reconocida por los analistas de estos personajes: la presencia de la esperanza que subyace adormecida en las entrañas de cada frustrado personaje vargasllosiano.

En cambio, esas frustraciones no giran en torno a un vacío: el amor que da esperanza las revuelve, y mantiene viva cierta llama de un anhelo de sobrevivir. El tema del amor (en todos sus aspectos) en la narrativa de Vargas Llosa está pidiendo un buen estudio, concienzudo y serio: el amor de Bonifacia hacia las monjitas (y de la Selvática hacia Lituma), el amor de Fushía hacia Lalita y también su cariño amistoso por Aquilino, el amor de Anselmo por Toñita, el de Zavalita por Ana, los amores de «la Musa», de Teresita (tanto en *La ciudad y los perros* como en *Los cachorros*), y hasta el bestial cariño del Boa por la Malpapeada, y tantos otros matices. Ha señalado Graciela Mántaras Loedel que en todos esos personajes «hay, de una manera secreta o escondida, una asombrosa capacidad de amor»[21].

---

[21] Graciela Mántaras Loedel, «La narrativa de Mario Vargas Llosa», *Temas*, Montevideo, núm. 7, junio-julio de 1966, pág. 62.

En efecto, esta ensayista ha oteado el tema sin desarrollar-
lo, sugiriendo hermosas posibilidades de análisis [22].

Ya hemos visto los esfuerzos de Fushía por agarrarse a
la vida: anhelo de sobrevivir a su propia frustración, esperanzado en recobrar el amor de Lalita. Hemos examinado
los sentimientos nobles de Bonifacia, aun ya transformada
en la Selvática: esperanza de ser ella en su más recóndito
ser. Hemos observado la hidalguía del Teniente Gamboa de
no manchar su conciencia con otra acusación al Jaguar:
esperanza de conservar su caballerosidad innata.

Hay, pues, en el fondo irreductible de estos seres una
autoconciencia que les despierta la esperanza de sí mismos,
de ser ellos y no otros. Y esa esperanza es lo que los sostiene en pie de lucha, lo que los hace rebeldes a toda tira-
nía, lo que los lleva a despreciar aun su propia frustración,
a sobreponerse a ella y, en un sentido trascendental, a ven-
cerla. He aquí, por tanto, la paradoja de la frustración de
los personajes de Vargas Llosa, los cuales, en los abismos
de sus almas, encuentran fuerzas vírgenes que los redimen
a nuestros ojos, porque se nos revelan con la autenticidad
real de sus interioridades desnudas.

Esta configuración psicológica de la caracterización en
las novelas de Vargas Llosa es posible en virtud de la posición personal del propio autor. Tales personajes sólo pueden
ser creados por un escritor que ha afirmado una y otra vez
lo siguiente:

> ...Es preciso, por eso, recordar a nuestras sociedades lo que
> les espera. Advertirles que la literatura es fuego, que ella sig-
> nifica inconformismo y rebelión, que la razón de ser del es-
> critor es la protesta, la contradicción y la crítica... Nadie que
> esté satisfecho es capaz de escribir... La vocación literaria nace
> del desacuerdo de un hombre con el mundo, de la intuición

---

[22] *Ibid.*, págs. 62-63.

de deficiencias, vacíos y escorias a su alrededor... La literatura puede morir pero no será nunca conformista[23].

Otros subordinados temas menores son dignos de estudio en la narrativa de Vargas Llosa, pero por estar eclipsados por la temática clave que aquí hemos analizado, no los examinamos. Nos referimos a temas como, por ejemplo: el amor, el sexo, el tiempo, el humorismo, el indio, el negro, la adolescencia, el costumbrismo, la mujer, Dios, el criollo, Lima, casos psicopáticos, etc.[24]. Sabemos que, en los momentos que escribimos esta obra, se preparan diversas tesis universitarias en torno a algunos de esos temas en nuestro novelista. Como hemos apuntado ya —al señalar, por ejemplo, el interés de Graciela Mántaras Loedel en el tema del amor en los personajes vargasllosianos[25]— otros críticos han destacado otros tantos temas merecedores de análisis en la narrativa de Vargas Llosa.

---

[23] Mario Vargas Llosa, «La literatura es fuego». [Discurso pronunciado en la aceptación del Premio Rómulo Gallegos, en Caracas, el 10 de agosto de 1967.] *Mundo Nuevo*, núm. 17, noviembre de 1967, pág. 94.

[24] En nuestro estudio sobre el libro *Los jefes*, de Vargas Llosa —véase *Homenaje a Vargas Llosa*, editado por Helmy F. Giacomán—, esbozamos algunos apuntes sobre varios de estos temas subordinados, tales como el indio, la mujer, la adolescencia, Dios, y otros.

[25] Graciela Mántaras Loedel, *op. cit.*, págs. 62-63.

TERCERA PARTE

TÉCNICAS

CAPÍTULO VI

BARROQUISMO ESTRUCTURAL

Como estilista de primer orden, Vargas Llosa expresa su temática por medio de su técnica revolucionaria. Hemos señalado al principio de esta obra que la crítica estilística ve la obra literaria como un todo, no separado, no bifurcado, sin dicotomías de fondo y forma, sino como una unidad indivisible, en donde la *weltanschauung* sólo es aprehensible a través del manejo particular, *individual, personal,* de la palabra, y de la estructuración también personalísima de la obra toda[1]. En la segunda parte de este libro estudiamos la temática de la narrativa de Vargas Llosa para destacar su filosofía personal, su posición ante la realidad, su enfoque ante la problemática social y humana. Es decir, vislumbrar su *weltanschauung*. Vimos también que esos planteamientos de su cosmovisión sólo se daban en virtud de una determinada técnica nueva, revolucionaria. Así lo fuimos apuntando en los diversos capítulos de esa segunda parte[2], sin entrar en los detalles técnicos mismos, análisis que corresponde a esta tercera parte de nuestra obra.

---

[1] Véase el capítulo. I, apartado 3, titulado «La visión estilística de los contemporáneos».

[2] Véanse, por ejemplo, los siguientes casos: càpítulo III, apartado 1; capítulo IV, apartado 4; capítulo V, apartado 2.

Ahora examinaremos, en los cinco capítulos de esta tercera parte, las específicas técnicas experimentalistas que Vargas Llosa ha utilizado para destacar y afirmar su *weltanschauung*. Es en esta afirmación técnica donde reside el original valor estético de su narrativa.

Comenzamos en este capítulo sexto —primero de la tercera parte— con el estudio del barroquismo estructural de su obra, enfocando los andamiajes arquitectónicos de sus composiciones novelísticas. Aquí comprenderemos que hay en sus obras un desorden ordenado, fiel a cierto diseño neobarroco: el caos queda transmutado en cosmos.

Los capítulos VII, VIII y IX van dedicados al estudio de las tres técnicas mayores de la narrativa de Vargas Llosa, reedificadas de las novelas de caballerías —sobre todo de *Tirante el Blanco*—, pero neoestilizadas con original maestría por nuestro autor. Son, respectivamente las siguientes: *los vasos comunicantes, las cajas chinas y el salto cualitativo*. El capítulo final —décimo— recoge los demás procedimientos estilísticos destacados en su narrativa, en donde enfocamos, sobre todo, su revolución léxico-tropológica.

Concentrémonos, pues, ahora, en el presente capítulo VI, sobre el barroquismo estructural. Lo dividimos en cuatro apartados, en donde examinaremos, sucesivamente, su bien logrado experimentalismo revolucionario, sobresaliendo en ello los sintagmas de eslabones interpuestos, la bimembración ideológico-lingüística, y el andamiaje geométrico del aparente caos de sus estructuras.

1. EXPERIMENTALISMO REVOLUCIONARIO

Ya desde su libro de cuentos *Los jefes*, Vargas Llosa inicia la evolución de su conciencia artística de narrador ex-

perimentalista, que se acentúa en *La ciudad y los perros,*
culmina en *La casa verde,* se extiende en *Los cachorros* y
se dilata en *Conversación en la Catedral.* Su sentido de escritor revolucionario en el arte narrativo lo lleva a experimentar con técnicas viejas y nuevas, transmutándolas en
oro superfino, y a crear otras novísimas y originales. No es
plagiador el novelista que recurre a técnicas ya experimentadas antes, si las supera perfeccionándolas, o llevándolas
a un plano moderno de original estilización [3]. Esto ha hecho
Vargas con algunas de las técnicas de la novela de caballerías
que estudiaremos en los capítulos VII, VIII y IX. Su interés
mayor ha sido revolucionar las técnicas estereotipadas de la
novela tradicional hispánica —como lo han hecho otros de
sus contemporáneos— [4] pero imprimiéndoles su particular
estilo, único e inimitable.

Aunque los temas tratados en sus obras tengan el sello
típico de la temática permanente de la narrativa hispanoamericana, el foco vargasllosiano es muy suyo y original, y
esto ya lo hemos visto en el examen que hicimos de su
weltanschauung en la segunda parte de esta obra. El procedimiento técnico en la develación de esa temática es lo que
constituye el arte inigualable de Vargas Llosa [5].

---

[3] El verdadero artista es una especie de alquimista, que va tras-
mutando el hierro en oro. Ese *hierro* puede haberlo tomado de sus
predecesores. Si logra la alquímica transmutación, no hay plagio.
Además, todos los autores tienen influencias de otros: esto es una
constante en la evolución literaria. Los escritores no se forman en
el vacío.

[4] García Márquez, Fuentes, Cortázar, Rulfo, y otros.

[5] En eso está expresado el postulado estilístico —que en nuestra
lengua ha explicado con maestría Amado Alonso, y después de él
Dámaso Alonso, Carlos Bousoño, Cecilia Hernández de Mendoza, Enrique Anderson-Imbert, y nuestra modesta aportación en *Crítica Estilística*— de que la obra literaria de verdadero valor artístico es una
unidad indivisible, en donde los tradicionales conceptos de *fondo* y
forma se dan fundidos, inseparables.

También se puede argüir —como en efecto muchos han argüido— que las tramas de sus novelas, y las historias de amores y relaciones entre personajes, son vulgares, chabacanas, y hasta típicas de la novela rosa o folletinesca[6]. Sin embargo, en la maestría como transmuta esas historias y tramas en un tejido artístico de calidad insuperable es donde reside el valor permanente de su narrativa vigorosa, refrescada, nueva y original. De ahí esa amalgama de lo tradicional y lo moderno, de lo convencional y lo renovado, de lo viejo y lo contemporáneo.

Vargas Llosa ha ido experimentando con técnicas diferentes y cada vez más revolucionarias hasta lograr un arte que no admite otro adjetivo más que el de *vargasllosiano*, como hemos venido definiéndolo. Analicemos ahora en las obras mismas este experimentalismo revolucionario que ha hecho de su autor el novelista más discutido de nuestra época, y el que ha señalado a la más joven generación de narradores hispánicos la trayectoria del futuro de la novela como género literario.

2. SINTAGMA DE ESLABONES INTERPUESTOS

A pesar de todo, Vargas Llosa, en su logrado afán de revolucionar la sintaxis literaria con lo que aquí llamamos *sintagmas de eslabones interpuestos*, no deja de utilizar a menudo, como necesaria, la sintaxis tradicional, sea regular o figurada. En la sintaxis revolucionaria vargasllosiana, se da la espalda a la tradicional y se acuña un sintagma que sigue más bien el psicograma interior del pensamiento, la emoción, la imaginación, o la pura acción volitiva. Sus es-

---

[6] Cf. José Miguel Oviedo, *Mario Vargas Llosa: la invención de una realidad*, 1970, págs. 140 y 216.

tructuras sintagmáticas se acercan más a la configuración que tanto Trubetzkoy como Dámaso Alonso han dado al término [7]. Son sintagmas de aproximación *asociativa*, sintagmas de coordinación, pero con una relación sintáctica de tamaño indefinido, ya progresivos o no-progresivos.

Por lo general, estos sintagmas están referidos a la yuxtaposición —y a veces superposición— de tiempos diferentes, con binomios de diálogo-narración espaciados, pero no siempre. En algunas ocasiones enfocan el punto de vista narrativo con varios narradores yuxtapuestos. En otros momentos se refieren a diálogos paralelos dentro de la misma coordenada tiempo-espacial. Y hay otras combinaciones. Aunque se le ha llamado a esto un *collage* de voces —Monegal, por ejemplo—, el mismo Vargas Llosa lo ha bautizado con el término «voz plural», en su novela *Conversación en la Catedral* [volumen I, pág. 25]. En general, el diseño sintagmático forma una cadena de eslabones *interpuestos*, es decir, binariamente diferentes. De esta manera, diríamos que el eslabón A y el eslabón B pueden ser dos puntos de vista narrativos diferentes, o dos diálogos paralelos distintos, o dos yuxtaposiciones tiempo-espaciales disímiles, en un complejo sintagmático que podría diagramarse así:

$$A\text{-}B\text{-}A^1\text{-}B^1\text{-}A^2\text{-}B^2\text{-}A^3\text{-}B^3...A^n\text{-}B^n$$

No cabe duda que la correlación $A\text{-}A^1\text{-}A^2\text{-}A^3...A^n$ sería la misma coordenada repetida progresivamente, y lo mismo ocurriría en $B\text{-}B^1\text{-}B^2\text{-}B^3...B^n$. Veamos cómo este fenómeno paralelístico, de puro binomio eslabonado, se da en las novelas:

CASO 1.º *Binomio de eslabón dialógico-narrativo* (yuxtaposición tiempo-espacial): *Sintagmas asociativos:*

[7] Cf. Fernando Lázaro Carreter, *Diccionario de términos filológicos*, 1962, págs. 373-376.

De *La casa verde*, págs. 43-91, cita corrida, con las escisiones necesarias [8].

ESLABÓN A (dialógico, con tiempo-espacio presente):

—Algún día te darás cuenta de lo que has hecho y te arrepentirás —dijo la Madre Angélica—. Y si no te arrepientes, te irás al infierno, perversa.

ESLABÓN B (narrativo, con tiempo-espacio pasado):

Las pupilas duermen en una habitación larga, angosta, honda como un pozo; en las paredes desnudas hay tres ventanas... Bonifacia duerme en un catre de madera, al otro lado de la puerta, en un cuartito que es como una cuña entre el dormitorio de las pupilas y el patio. Sobre el lecho hay un crucifijo...

ESLABÓN A[1] (dialógico, con tiempo-espacio presente):

—Eras de este tamaño pero ya se podía adivinar lo que serías —la mano de la Superiora estaba a medio metro del suelo—. Sabes de qué hablo ¿no es cierto?...

ESLABÓN B[1] (narrativo, con tiempo-espacio pasado):

Después de las oraciones de la noche, las madres entran al Refectorio y las pupilas, precedidas por Bonifacia, se dirigen al dormitorio. Tienden sus camas y cuando están acostadas, Bonifacia apaga las lamparillas de resina, echa la llave a la puerta, se arrodilla al pie del crucifijo, reza y se acuesta.

ESLABÓN A[2] (dialógico, con tiempo-espacio presente):

—Corrías a la huerta, arañabas la tierra y apenas encontrabas una lombriz, un gusano, te lo metías a la boca —dijo la Superiora—. Siempre andabas enferma y ¿quiénes te curaban y te cuidaban? ¿Tampoco te acuerdas?...

---

[8] Al referirnos a *escisiones necesarias* implicamos que sólo estamos citando los sintagmas que mejor ilustran los casos expuestos.

ESLABÓN B^2 (narrativo, con tiempo-espacio pasado):

La Misión despierta al alba, cuando al rumor de los insectos sucede el canto de los pájaros. Bonifacia entra al dormitorio agitando una campanilla: las pupilas saltan de los catrecillos, rezan avemarías, se enfundan los guardapolvos. Luego se reparten en grupos por la Misión, 'de acuerdo a sus obligaciones: las menores barren el patio...

ESLABÓN A^3 (dialógico, con tiempo-espacio presente):

—Tu alma sigue siendo pagana, aunque hables cristiano y ya no andes desnuda —dijo la Madre Angélica—. No sólo no les importa, Madre, las hizo escapar porque quería que volvieran a ser salvajes.

ESLABÓN B^3 (narrativo, con tiempo-espacio pasado):

Cuando Bonifacia y las pupilas de la basura regresan a la Misión, la Madre Griselda, y sus ayudantas han preparado el refrigerio de la mañana... Después del refrigerio, las pupilas van a la capilla...

ESLABÓN A^n (dialógico, con tiempo-espacio presente):

—No pareces inteligente, Bonifacia —dijo la Superiora—. Más bien debiste sentir pena al ver a esas criaturas convertidas en dos animalitos, haciendo lo que hacen los monos.
—Te vas a enojar más todavía, Madre —dijo Bonifacia—. Vas a odiarme.

ESLABÓN B^n (narrativo, con tiempo-espacio pasado, regresando ahora al principio, uniéndose al *presente* del diálogo, y formando así el típico círculo de la estructura barroca):

Bonifacia cruza el patio, al pasar junto a la capilla se detiene. Entra, se sienta en una banca. [Y aquí es cuando la Madre Leonor anuncia que las pupilas se han escapado, y que la Madre Angélica está buscando a Bonifacia para regañarla. Enlaza con el diálogo del *Eslabón A*.]

CASO 2.º Binomio de superposición de foco narrativo monólogo-dialógico (diálogo y narración en presente, con doble foco superpuesto): *Sintagmas de coordinación:*

De *La casa verde*, pág. 121. Citamos primero la cadena sintagmática completa, y luego analizamos los eslabones:

> La Superiora ha palidecido, ¡esta niña!, su rostro está ahora blanco como sus manos, ¡esta tonta!, ¿de qué lloraba? Bonifacia abre los ojos verdes, húmedos, desafiantes, cruza el petate, hija, cae de rodillas ante la Superiora, sonsita, atrapa una de sus manos, la acerca a su rostro, la de los dientes limados ríe un segundo y la Superiora balbucea, mira a Reátegui, Bonifacia, cálmate: le había prometido, y a la Madre Angélica.

ESLABÓN A (narración):

La Superiora ha palidecido, ...

ESLABÓN B (monólogo-diálogo; *ahora sólo monólogo*):

¡esta niña! [Es lo que piensa la Superiora sobre Bonifacia.]

ESLABÓN A¹ (narración):

su rostro está ahora blanco como sus manos,

ESLABÓN B¹ (monólogo-diálogo; *ahora sólo monólogo*):

¡esta tonta!, ¿de qué lloraba? [Lo que piensa la Superiora de Bonifacia.]

ESLABÓN A² (narración):

Bonifacia abre los ojos verdes, húmedos, desafiantes, cruza el petate,

ESLABÓN B² (monólogo-diálogo; *ahora diálogo*):

hija, [La Superiora pronuncia esta palabra llena de una carga psíquica de ternura, indicándose así que su alma va ablandándose para perdonar a Bonifacia.]

ESLABÓN A^3 (narrativo):

cae de rodillas ante la Superiora,

ESLABÓN B^3 (monólogo-diálogo; *ahora diálogo*):

sonsita, [La Superiora, con este diminutivo preñado de amor, ha cedido a Bonifacia.]

ESLABÓN A^4 (narración):

atrapa una de sus manos, la acerca a su rostro, la de los dientes limados ríe un segundo, y la Superiora balbucea, mira a Reátegui, [conexión con sintagma final]: y a la Madre Angélica.

· ESLABÓN B^4 (monólogo-diálogo; *ahora diálogo y monólogo*):

DIÁLOGO:	MONÓLOGO:
Bonifacia, cálmate:	le había prometido,

El sintagma final —«y a la Madre Angélica»— queda enlazado armónicamente al Eslabón A^4, por medio de esa doble incisión diálogo-monólogo que es el Eslabón B^4.

CASO 3.º Binomio de punto de vista narrativo en diferentes secuencias: *Sintagmas asociativos*:

De *La ciudad y los perros*, diferentes páginas que se irán indicando:

FOCO A *Primera persona*:

Poco después del último examen, vi a Teresa con dos muchachas, por la Avenida Peña (pág. 257).

FOCO B *Tercera persona*:

Cuando el soldado vio acercarse a Gamboa se puso de pie y sacó la llave; giró sobre sí mismo para abrir la puerta... (pág. 268).

Foco A^1 *Primera persona*:

Al día siguiente llegué a la casa a las nueve de la mañana. Mi madre estaba sentada en la puerta. Me vio venir sin moverse (pág. 272).

Foco B^1 *Tercera persona*:

—Hola —dijo al Jaguar.
No parecía sorprendido al verlo allí. El sargento había cerrado la puerta, el calabozo estaba en la penumbra. —Hola —dijo Alberto (pág. 291).

Foco A^2 *Primera persona*:

Ese día estuve caminando por las charcas y en una de ellas una mujer me dio pan y un poco de leche (pág. 298).

Foco B^2 *Tercera persona*:

Alberto vio venir hacia su rostro la grasa empapada en una sustancia ocre y apretó los dientes (pág. 301).

En el kilométrico párrafo con que comienza *La casa verde* [págs. 9-22] encontramos la sintaxis revolucionaria por todas partes. Se intercalan la narración, la descripción, el diálogo y el monólogo con eslabones de yuxtaposición alternada, y de superposición aunada. Así, por ejemplo, el Rosario que la Madre Patrocinio está rezando va interrumpido sintagmáticamente por pensamientos interiores de ella y de otros personajes, por diálogos, descripciones y narración general, todo esto a su vez interrumpido e intercalado entre sí. La impresión es un rompecabezas sintáctico que el lector tiene que rehacer en un todo orgánico. Sin embargo, la idea detrás de esta aparente trabazón estructural es acaparar la realidad circunstancial de un momento dado en una unidad sinfónica y cromática a la vez. En el mismo sintagma estamos oyendo lo que todos a un tiempo están diciendo, lo que todos están pensando, lo que todos están haciendo. Arranquemos un jirón de este tejido del párrafo a que hemos aludido, para observar mejor estas coordenadas:

> La Madre Patrocinio está muy pálida, mueve los labios, sus dedos aprietan las cuentas negras de un rosario y eso sí, Sargento, que no olvidaran que eran niñas, ya lo sabía, ya lo sabía... y la Madre Patrocinio ay si cometían brutalidades y el práctico se encargaría de llevar las cosas, muchachos, nada de brutalidades: Santa María, Madre de Dios. Todos contemplan los labios exangües de la Madre Patrocinio, y ella Ruega por nosotros, tritura con sus dedos las bolitas negras y la Madre Angélica cálmese, Madre, y el Sargento ya, ahora era cuando... Pálida y plegada, la Madre Angélica reincide, atrapa el brazo con las dos manos, Santa María, y ahora aúllan, Madre de Dios, patalean, Santa María, rasguñan, todos tosen, Madre de Dios y en vez de tanto rezo que fueran bajando...

Análisis de los focos sintagmáticos:

FOCO 1.º *Narrativo:*

> La Madre Patrocinio está muy pálida, mueve los labios, sus dedos aprietan las cuentas negras de un rosario [intercalación]... Todos contemplan los labios exangües de la Madre Patrocinio [intercalación], tritura con sus dedos las bolitas negras [intercalación]... Pálida y plegada, la Madre Angélica reincide, atrapa el brazo con las dos manos [intercalación], y ahora aúllan [intercalación], patalean [intercalación], rasguñan, todos tosen [intercalación].

FOCO 2.º *Monólogo:*

> y la Madre Patrocinio [pensando] ay si cometían brutalidades... y el práctico se encargaría de llevar las cosas, muchachos, nada de brutalidades: Santa María, Madre de Dios [intercalación] y ella Ruega por nosotros... [intercalación] Santa María [intercalación], Madre de Dios [intercalación], Santa María [intercalación], Madre de Dios y en vez de tanto rezo que fueran bajando la voz.

FOCO 3.º *Diálogo*:

> ya lo sabía, ya lo sabía... [intercalación] y la Madre Angélica
> cálmese, Madre, y el Sargento ya, ahora era cuando...

Con esta distorsión expresionista de la sintaxis tradicional, en donde además el autor no utiliza ex profeso los signos
ortográficos claves para guiarnos, Vargas Llosa obliga al lector a ser constantemente una especie de corrector de prue-
bas. Veamos cómo leeríamos parte del trozo completo arriba
citado, si le pusiéramos la puntuación ortográfica corres-
pondiente:

> Pálida y plegada, la Madre Angélica reincide, atrapa el brazo
> con las dos manos —«Santa María»—, y ahora aúllan —«Madre
> de Dios»—, patalean —«Santa María»—, rasguñan, todos tosen
> —«Madre de Dios»... ¡y en vez de tanto rezo que fueran ba-
> jando! —.

Otro pasaje con los signos adecuados:

> Todos contemplan los labios exangües de la Madre Patro-
> cinio. Y ella «Ruega por nosotros» —tritura con sus dedos las
> bolitas negras. Y la Madre Angélica: «¡Cálmese, Madre!». Y
> el Sargento: «Ya, ahora era cuando...».

La misma técnica de binomio eslabonado —y a veces se
complica en plurinomio, a la que Luis Harss, en *Into the
mainstream* [1967, pág. 374] llama «conversación retroacti-
va» cuando eslabona pasado y presente— la encontramos
en el siguiente pasaje de *Conversación en la Catedral*:

> Estás flaco, tienes ojeras, habían entrado a la sala, quién
> te lavaba la ropa, se había sentado entre la señora Zoila y la
> Teté, ¿la comida de la pensión era buena?, sí mamá, y en los
> ojos del viejo ninguna incomodidad, ¿ibas a clases?, ninguna
> complicidad ni turbación en su voz. Sonreía, bromeaba, espe-
> ranzado y dichoso, pensaría va a volver, todo se iría a arreglar,

y la Teté dinos la verdad, truquero, no creo que no tengas enamorada. Era la verdad, Teté [I-48].

En ese pasaje, al introducir la lógica de la puntuación, se nos revelan los siguientes sintagmas asociativos, dentro de la cadena binomial a que nos hemos referido:

FOCO A. — *Narración*:   FOCO B. — *Diálogo*:

Estás flaco, tienes ojeras. Habían entrado a la sala.

               └────────→ —¿Quién te lavaba la ropa?

Se había sentado entre la señora Zoila y la Teté.

               └────────→ —¿La comida de la pensión era buena?
                                             —Sí, mamá.

Y en los ojos del viejo ninguna incomodidad.

               └────────→ —¿Ibas a clases?

Ninguna complicidad ni turbación en su voz. Sonreía, bromeaba, esperanzado y dichoso. Pensaría: «Va a volver, todo se iría a arreglar».

               └────────→ Y la Teté: «Dinos la verdad, truquero, no creo que no tengas enamorada».
                                               —Era la verdad, Teté.

En muchos pasajes de sus novelas encontramos el encadenamiento sintagmático, en eslabones conectados, con una proyección a veces kilométrica. Muchas de las cópulas claves para guiarnos en la interpretación, son pronombres: «y él...

y ella... y él... y ella...», y otras veces el juego sintáctico es con el pronombre *tú*. Veamos algunos ejemplos:

> ...*Y él* estoy celoso, Lalita, no me cuentes del perro de Reáte-gui... *y ella* saldrás, yo te ayudaré, Fushía. *Y él* hablaba de la frontera... Y de repente desnúdate, Lalita... *y ella* me han de picar las hormigas... *y él* aunque sea [9].

> ...*Y ella* ¿cómo era entonces, don Aquilino?, *y él* de dónde vendría, le preguntaban, *y él* puro misterio y mentira... *y él* íbamos por los campamentos... *Y ella* ¿usted qué hizo don Aquilino? [10]...

> ...*y ella* si el patrón supiera *y él* aunque supiera... *y él* no es nada malo... *y ella* es limpio, educado [11]...

> ...*Tú* escondámonos, agachémonos... *Tú* pasaron cerca y en caballos chúcaros... *Tú* no te pongas así... *tú* ya sé, se aburre tanto [12]...

Por toda la narrativa de Vargas Llosa encontramos esa bimembración ideológico-lingüística, en donde el eje vertical de la confrontación victimario-víctima (sociedad vs. individuo) se cruza con la coordenada horizontal de una yuxtaposición de focos sintagmáticos (unas veces opuestos y otras complementarios). Esta dialéctica de lo temático-técnico en continuo encuentro armónico —como son las secuencias de *luz-sombra* que constantemente aparecen en su narrativa [13],

---

[9] *La casa verde*, pág. 215. Los subrayados en las citas 9 a 12 son nuestros.

[10] *Ibid.*, pág. 263.

[11] *Ibid.*, pág. 287.

[12] *Ibid.*, págs. 267-268.

[13] Estas secuencias o «zonas» de luz y sombra, a manera de contrapunto, han sido explicadas en detalle por J. M. Oviedo, *op. cit.*, págs. 105-106. También ha estudiado Oviedo las superposiciones tiempo-espaciales desde otro punto de vista al nuestro, y le ha dado el nombre técnico de *narraciones telescópicas* (*op. cit.*, pág. 150), habiendo encontrado, además, diferentes niveles dentro de la zona del

aun desde *Los jefes,* y que corresponden paralelamente a las secuencias *víctima-victimario* en una octava, y en otra puede ser *afirmación del ser íntimo vs. conciencia de frustración*—, esta dialéctica, decimos, es una constante estructural en la narrativa vargasllosiana.

Este binomio de oposiciones, que es tan frecuente en los diseños estructurales sintácticos de la narrativa de Vargas Llosa, es lo que justifica casi siempre el uso de un especial oxímoron en su prosa. Veamos algunos de esos contrastes y oposiciones violentas:

> 1. *El verdoso amarillento sol del mediodía.* [*La casa verde,* pág. 9. Contrasta el tono frío del verde con el tibio del amarillo.]
>
> 2. *Tierra rojiza-lodo plomizo.* [*Ibid.,* pág. 10. Contraste parecido al anterior entre un tono vivo (rojo) y uno amortiguado (plomo).]
>
> 3. *Calurosa madrugada de diciembre.* [*Ibid.,* pág. 53. Se contrasta el calor con el frío de la madrugada invernal.]
>
> 4. *El sol inflama la hoja blanca.* [*Ibid.,* pág. 59. Contraste entre la vida ardiente y roja del sol y la palidez e inercia de la hoja.]
>
> 5. *El sabor dulce áspero.* [*Ibid.,* pág. 105. Oposición estilística entre lo dulce y lo áspero (referencia a lo agrio, desagradable, no-dulce).]
>
> 6. *Sol [es] crudo, vertical, de un amarillo casi blanco.* [*Ibid.,* pág. 382. Contraste hiperbólico en que lo rojizo ardiente se hace neutralmente blanco.]

Podríamos sintetizar nuestra tesis afirmando que el barroquismo estructural de Vargas Llosa es de tipo binomial, con un sobrecruce temático-técnico.

---

pasado, que él denomina con tres adjetivos: *remoto, cercano, inmediato* (*op. cit.,* pág. 158).

3. CONSTRUCCIONES NO-PREVISIBLES

No siempre las estructuras sintácticas vargasllosianas son de yuxtaposición o superposición sintagmáticas, con esos eslabonamientos alternados de focos disímiles que se armonizan dentro del andamiaje general del contexto. A menudo ocurre otro tipo de estructura sintáctica que también corre contra la lógica de la sintaxis tradicional, pero que se acerca mucho a una especie de combinación ideal del flujo de conciencia con la lengua coloquial. Incluye esta combinación varias construcciones no-previsibles, tales como la enálage, el anacoluto, el asíndeton, ciertas transposiciones morfosintácticas (como metátesis, metábasis, permutaciones, etc.), la aposiopesis, la diaporasis, ciertas reticencias, y una casi continua velocidad sintáctica tanto de tono como de atmósfera estilística.

Una serie de interrupciones bruscas del discurso, para en seguida referir otra cosa, dejando la interrupción en el afectivo suspenso de una preposición, es un tipo de aposiopesis muy frecuente en esta eléctrica prosa vargasllosiana:

> Vio, detrás de la señora Zoila, el rostro lleno, los bigotes y patillas grises, los ojos risueños de don Fermín, hola flaco, tu madre *se desanimó de*, hola Popeye, ¿estabas aquí? [14].
>
> ... ...
>
> *Perdóneme por*, le dio la mano el Teniente, robármelo a su esposo, pero ella no se rió [15].
>
> ... ...

---

[14] *Conversación en la Catedral*, vol. I, pág. 50. Subrayados nuestros en las citas 14 a 20.
[15] *Ibid.*, I-59.

Con tal de que no le den una paliza y *le desfiguren la* —su voz y su. sonrisa forzada se fueron apagando y murieron[16]...

... ...

Diciendo que el que mató a esa mujer fue un ex matón de Cayo Bermúdez, uno que ahora *es chofer de,* y ponía tu nombre, papá[17].

... ...

—¿Cómo fue niño? —dice Ambrosio—. ¿Sufrió mucho *antes de*?[18].

Aparte del titubeo propio de Cuéllar en *Los cachorros,* cuando se pone tartamudo en su nerviosidad —«¿ya no le importaba? y él qqqué le ibbba a importar y ellos ¿ya no la quería?, qqqué la ibbba a qqqquerer»[19]—, encontramos en la prosa vargasllosiana cierta técnica de diaporasis, efectista dubitación para lograr *moméntum* sobre ciertas cargas psíquicas:

—No sé si has visto los periódicos, papá, ese crimen— *pero no, pero nada,* Carlitos, me miraba a mí[20]...

Veamos ahora la combinación de la diaporasis (dubitación) con la aposiopesis (la brusca interrupción sugestiva), que en este caso es más bien una especie de reticencia:

/

Al día siguiente, Amalia había ido furiosa donde doña Lupe, a contarle: figúrese qué atrevimiento, figúrese lo que hubiera pasado si Ambrosio[21].

En la prosa narrativa de Vargas Llosa se da doblemente el polisíndeton y el asíndeton. Las cópulas bíblicas «y... y...

---

16 *Ibid.,* I-194.
17 *Ibid.,* vol. II, pág. 44.
18 *Ibid.,* II-275.
19 *Los cachorros,* pág. 102.
20 *Conversación en la Catedral,* vol. II, pág. 43.
21 *Ibid.,* II-233.

y...» son muy frecuentes en *La casa verde* y *Conversación en la Catedral*. Igualmente encontramos casos de ausencia copulativa —de palabra, frase, o signo ortográfico— en muchos párrafos, como hemos apuntado en el apartado precedente. Pero presentaremos dos casos típicos del especial asíndeton, en la obra de Vargas Llosa:

> Y ellos cálmate, hombre, hermano, entonces por qué, ¿mucho trago?, no, ¿estaba enfermo?, no, nada, se sentía bien, lo palmeábamos, hombre, viejo, hermano, lo alentaban, Pichulita [22].

> ... ...

> ...y ahora la Selvática iba de un lado a otro, se quebraban copas, el Mono tras ella, resbalando y riendo [23]...

Las enálages resaltan a veces con enigmática fuerza expresionista: «Todavía llevaban pantalón corto ese año, aún no fumábamos...» [24]. La violencia brusca del anacoluto también estalla de vez en cuando:

> Los dos cuartos se llenarían de humo y olor a aceite, ¿estaba con mucha hambre, amor? [25].

La velocidad sintáctica de la prosa narrativa de Vargas Llosa es lo que le inyecta fuerza eléctrica a la lengua española que utiliza. Esa velocidad atmosférica de *tempo*, foco, *moméntum*, crea en su palabra una vibración dinamizante que irradia a toda su obra y se imprime en la memoria del lector con proyecciones permanentes. Tal vez sea *La casa verde* donde mejor aparece estilísticamente esa velocidad sintáctica cristalina y a la vez nerviosamente chisporrotean-

---

[22] *Los cachorros*, pág. 109.
[23] *La casa verde*, pág. 375.
[24] *Los cachorros*, pág. 53.
[25] *Conversación en la Catedral*, vol. I, pág. 17.

te. Escogemos la escena del momento en que Lalita tiene su primer dolor de parto:

> Estaba anocheciendo, Fushía y don Aquilino comían yuca cocida, tomaban aguardiente a pico de botella, y Fushía ya oscurece, Lalita, préndete el mechero, ella se agachaba y ayayay, el primer dolor, no podía enderezarse, se cayó al suelo llorando. La levantaron, la subieron a la hamaca, Fushía encendió el mechero y ella creo que ya me llegó, tengo miedo[26].

4. EL CAOS GEOMÉTRICO

Los argumentos de las novelas de Vargas Llosa están estructurados geométricamente, como si el autor intentara levantar planos arquitectónicos en la dimensión literaria tiempo-espacial. Su geometría estética tiene, como todo arte barroco —en este caso neobarroco—, la meta de transformar el caos en cosmos, cristalizándose así el clásico desorden ordenado.

Ese caos geométrico —geometrizado, como lo haría un dios olímpico de la teogonía griega— está estructurado con cierta rabia expresionista que le imprime inquieta ferocidad y retorcimiento al sistema poético general de su narrativa. De aquí arranca su estilo vigoroso, recio, viril, y a la vez exquisitamente lírico. De un lado, una estructura geometrizada a fuerza de coordenadas, y de otro, una lírica fiereza expresionista, se combinan para levantar una obra de arte, en todo sentido lograda.

Es muy curioso e interesante el andamiaje piramidal que José Miguel Oviedo ha encontrado en *Conversación en la Catedral*[27]. Naturalmente que es una pirámide compuesta

---

[26] *La casa verde*, pág. 261.
[27] J. M. Oviedo, *op. cit.*, pág. 223. Véanse también los análisis a las técnicas del montaje que Emir Rodríguez Monegal hace en «Ma-

de ciertas voces [28] —pirámide que no deja de ser catedralicia, en el sentido arquitectónico ahora, y no en el de *cantina* que tiene en la novela—, y otras voces que forman, como él dice, «ondas dialógicas» [29] que componen la verdadera «sustancia misma del libro» [30].

En esa pirámide descubierta por Oviedo, la conversación en sí, de cuatro horas, forma la cúspide del triángulo piramidal. La sustancia de las «ondas dialógicas» se va abriendo, expandiendo, dilatando, por el tiempo-espacio literario, hasta llegar casi a la infinitud, que es la base de la construcción. En este caso, la pirámide está misteriosamente geometrizada de arriba hacia abajo. Sostiene Oviedo:

> Desde ese vértice de cuatro horas de charla en «La Catedral», produciéndose en la actualidad de la novela, ésta se abre temporalmente hasta cubrir los ocho años de dictadura odriísta, y aún más allá, porque algunos sectores de la novela son contemporáneos al régimen de Prado, que lo sucedió, y a la candidatura opositora de Belaúnde [31].

Oviedo ve esta concentración de líneas en *Conversación en la Catedral*, pero no la halla en *La casa verde*. Para él, el vértice de la pirámide es una síntesis-eje de cuatro horas, como foco telescópico, desde donde se visualizan los ocho o más años anteriores de historia peruana [32]. Según él, en *La casa verde* no se da ese fenómeno, sino que aquí hay una

---

durez de Vargas Llosa», *Mundo Nuevo*, núm. 3, septiembre de 1966, pág. 69.

[28] Emir Rodríguez Monegal bautiza esta técnica como un «*collage*» *de voces*, y la encuentra en diferentes versiones personales en las obras de Cabrera Infante y Manuel Puig: E. Rodríguez Monegal, *Narradores de esta América*, 1969, pág. 30.

[29] J. M. Oviedo, *loc. cit.*

[30] *Loc. cit.*

[31] *Ibid.*, pág. 227.

[32] *Loc. cit.*

«fragmentación de historias que se distribuyen a espacios regulares» [33].

Apoyamos la afirmación de Oviedo en cuanto a *Conversación en la Catedral*, pero no en cuanto a *La casa verde*. No cabe duda que las cuatro horas de conversación es el foco de observación de todas las historias, y lo que les da unidad. Es una especie de historia central, o centro de apoyo, como la historia particular de Scherezada en *Las mil y una noches*, que va enhebrando con su propia vida las distintas historias particulares. Sin embargo también diferimos en que las cuatro horas son toda la *prima-novela*; las ocho o más horas es la *alter-novela* que se desata de la primera. Todos y cada uno de los hechos de la *alter-novela* se reflejan, como efectos cromáticos, en la *prima-novela*. Zavalita y Ambrosio son como el diapasón de resonancia de todo lo que ocurre en la obra. Ellos son la obra. La estructura piramidal, sin embargo, es una forma personal de ver esa complejidad tiempoespacial, que no nos parece mal ni engañosa, aunque se pudieran dar otras formas estructurales.

En relación con *La casa verde*, no estamos de acuerdo con Oviedo. No se trata aquí, claro, de un solo foco conversacional desde el cual se proyectan las diferentes historias de la novela —como en *Conversación en la Catedral*—, sino de un *foco mítico* desde el que se ramifican, por empatía temática, las demás historias. Ya hemos visto, en la segunda parte de esta obra, que ese *foco mítico* es Bonifacia como símbolo mismo de la «casa verde», y como víctima del invisible, pero presente «reptil verde» [34]. Esto le imparte unidad y centro a la novela *La casa verde*, no menos importante y destacado que el que Oviedo ve en *Conversación en la*

---

[33] *Loc. cit.*
[34] Véase en la presente obra el capítulo IV, apartado 4.

Catedral, y que nosotros aceptamos. También diremos que en *La ciudad y los perros* el centro geométrico de imán, o eje estructural, es el Colegio Leoncio Prado. Desde él se observa el impacto de la sociedad sobre el individuo, y hay desde ese centro una proyección al pasado y otra al futuro.

Todo ese engranaje de focos es obvio si comprendemos que Vargas Llosa tiende a observar y analizar la realidad social desde pequeñas gotas microscópicas que puedan revelarle todo un macrocosmos. Da la impresión de un biólogo enfocando en la lente de su microscopio todo un universo tan sólo en una minúscula gota de agua. De hecho, ¿no son gotas de revelación macrocósmica el Colegio Leoncio Prado, la Casa Verde de Don Anselmo y el restorán La Catedral: tres focos para destapar los secretos de la podredumbre social?

Si hiciéramos un diagrama de esa estructura tiempo-espacial de toda la órbita de *La ciudad y los perros*, a base de destacar su eje de imán en el Leoncio Prado, tendríamos el siguiente esquema:

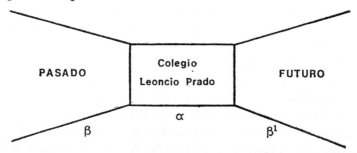

En este diagrama, α es el presente permanente de la novela, desde el Leoncio Prado. Allí encontramos una proyección hacia atrás —β— en las vidas pasadas de los cadetes, que nos suministran las historias de las sociedades de donde cada uno viene. También hallamos una proyección hacia adelante —β¹— en los desenlaces futuros de esas vidas, una vez fuera del colegio.

Sin embargo, al delinear el diseño cronológico de la estructura, nos saldría un diagrama bastante tradicional, de la siguiente manera:

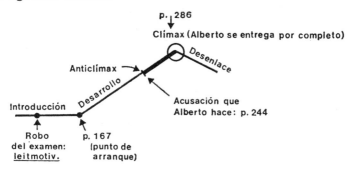

Al acercarnos a un esquema de *Los cachorros*, también encontramos un diseño tradicional, parecido al anterior:

En el *desarrollo* se incorpora toda la crisis de los fracasos de Cuéllar, su desajuste emocional y el proceso evolutivo de su frustración. Pasada la gran crisis del clímax, el personaje decae ya en total corrupción, aun con sus finales gestos de imposible machismo, y desemboca en la muerte.

No ocurre así con las estructuras aparentemente caóticas de *La casa verde* y *Conversación en la Catedral*. Ese caos, maravillosamente estructurado por el novelista, se va organizando en líneas definidas, una vez que encontramos los ejes interiores sobre los que giran las líneas historiales.

En *Conversación en la Catedral*, las líneas geométricas nos llevan al siguiente diagrama:

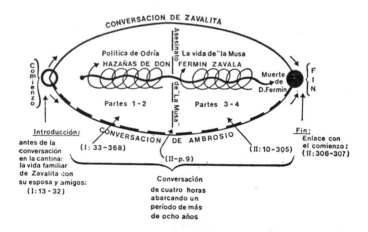

En el precedente diagrama vemos que todas las historias —las dos espirales: una de la política de Odría y otra de la vida de la Musa, así como las hazañas de Don Fermín, clave de enlace con Zavalita y Ambrosio— están englobadas en el gran óvalo de la conversación total. La técnica de la espiral —historias enlazadas a otras historias— es una variante de «las cajas chinas» que analizaremos en futuro capítulo. En las dos espirales dentro de la conversación se nos dan todos los resortes claves para reflejar la temática de la podredumbre social. En el eje zigzagueante de la vida de Don Fermín encontramos el centro simbólico de la sociedad impostora, y su efecto sobre Zavalita, Ambrosio, la Musa, y otros personajes. Zavalita, aún más que Ambrosio, es, como hemos señalado, la caja de resonancia de toda la mugre social que se desencadena en las distintas historias dentro del óvalo de las cuatro horas. El asesinato misterioso de «la Musa» inyecta acción refrescante, vigor y nuevo interés a la trayectoria general, exactamente a mitad de la obra, evitando así una posible caída en sopor o monotonía. Pero esto es un recurso técnico de tensión, puro truco literario para levantar el suspenso de nuevo, y enlazar todos los resortes últimos hacia el final de la novela, que enlaza con el principio. De hecho, ese principio aludido, o sea la Introducción de la novela, forma de por sí una breve historieta de Zavalita y su esposa, que tiene estructura de cuento, y del cual se podría trazar un diseño escuetamente tradicional.

Novela de estructura especial, revolucionaria, anti-tradicional, sin clímax orgánico necesariamente, hay que leerla toda para absorberla toda: así es *Conversación en la Catedral*. Lo mismo diríamos de *La casa verde*, pues su estructura, también anti-tradicional, requiere un lector atento y cuidadoso para extraer el mensaje más poético y velado que se encierra en toda la producción novelística de Vargas Llosa. El diseño estructural de *La casa verde* sería así:

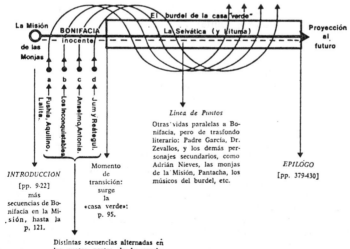

En este diagrama de apariencia caótica, distinguimos, para poner orden al caos [35], los siguientes esquemas:

1.º La línea horizontal-central, eje de la novela: Bonifacia inocente transformada luego en la Selvática como víctima de la sociedad mugre.

2.º El círculo al principio de la obra: la Misión de donde parte Bonifacia, y donde en efecto se inicia su frustración y su caída interior.

3.º El rectángulo que aparece a la derecha: el burdel de la casa «verde» en donde se reconcentra *el reptil verde*, pero como símbolo, ya que ese «reptil» se encuentra desde el principio mismo de la obra en la Misión de las monjas, en las historias de Reátegui, Fushía y Jum, y en tantos otros lugares de la obra.

4.º La línea de puntos, paralela a Bonifacia, representa las vidas de otros personajes que no entran de lleno en historias orgánicas, pero que muchos de ellos juegan un papel importante en la trabazón estructural y mítica de la obra.

5.º Las líneas ondulantes que rodean la vida de Bonifacia: las cuatro historias claves de la obra, que enlazan, como espirales, la de Bonifacia-Selvática con el Sargento Lituma: *a)* Fushía, Aquilino, Lalita; *b)* los Inconquistables; *c)* Anselmo, Antonia; *d)* Jum y Reátegui.

Éstas son las relaciones estructurales que encontramos para relacionar las vidas de los personajes y las historias

---

[35] De que las estructuras novelísticas de Vargas Llosa son siempre un diseño de riguroso orden, a pesar de todas las apariencias externas de confusión, como ocurre en el barroquismo artístico, dan testimonio muchos críticos. Citemos uno como ejemplo, Rodríguez Monegal: «No se crea que este libro [se refiere a *La casa verde*] es caótico. Por el contrario, si un defecto puede achacársele es el de ser demasiado ordenado; hasta diría, fanáticamente ordenado. Pero se trata de un orden sutil, nada visible a primera vista, y que requiere un análisis algo pormenorizado para revelar sus claves.» [E. Rodríguez Monegal, «Madurez de Vargas Llosa», *Mundo Nuevo*, núm. 3, septiembre de 1966, pág. 69.]

presentadas. Sin embargo, para coordinar las simetrías de las distintas secuencias, referimos al lector a los excelentes esquemas que ha trazado José Miguel Oviedo en su atinado libro sobre Vargas Llosa, en donde, en efecto, hace resaltar la historia central de Bonifacia como eje de las demás, al afirmar:

> Quizá sea ésta la historia más compleja (más discutible también) porque alimenta y es alimentada por todas las otras, enhebrándolas mientras se transfiere de uno a otro ámbito geográfico [36].

Es verdaderamente asombroso el barroquismo estructural de la novelística vargasllosiana. Lo que hemos presentado en las precedentes páginas es tan sólo un esbozo, unos apuntes. Para agotar los pormenores geométricos de sus delineaciones estructurales hasta el último punto, se requeriría todo un libro especializado al efecto. Sería interesante que algún estilólogo hiciera ese estudio analítico exclusivamente de las estructuras en Vargas Llosa, pues serían muchos los hallazgos a revelar.

Toda la morfosintaxis en lírico enrevesamiento expresionista, todos los sintagmas yuxtapuestos y superpuestos en eslabones tiempo-espaciales, todos los párrafos-capítulos, todas las construcciones sintácticas no-previsibles, toda la velocidad de la sintaxis revolucionaria antitradicional, con su especial *tempo*, foco, atmósfera, *moméntum*, infiltran a la narrativa de Vargas Llosa una reciedumbre estilística muy personal, que, como ya señalamos, sólo cabe bautizarla con el adjetivo de *estructura vargasllosiana*. Y su barroquismo —típico y legítimo, claro, de la actual novelística hispa-

---

[36] J. M. Oviedo, *op. cit.*, pág. 125.

noamericana, idea que ya señaló Alejo Carpentier [37]— es en su narrativa de inconfundible entalladura.

---

[37] Alejo Carpentier, «Problemática de la actual novela latinoamericana», en *La novela hispanoamericana*, antología editada por Juan Loveluck, 1969, pág. 159.

Capítulo VII

SIMULTANEIDAD RÍTMICA, O «LOS VASOS
COMUNICANTES»

1. DEFINICIÓN Y ÁMBITO

La técnica de simultaneidad rítmica ha sido bautizada
por el propio Vargas Llosa como *técnica de los vasos comunicantes* [1]. En sus palabras textuales se expresa así:

> Consiste en asociar dentro de una unidad narrativa aconte-
> cimientos, personajes, situaciones, que ocurren en tiempos o
> en lugares distintos; consiste en asociar o en fundir dichos
> acontecimientos, personajes, situaciones. Al fundirse en una
> sola realidad narrativa cada situación aporta sus propias ten-
> siones, sus propias emociones, sus propias vivencias; y de esa
> fusión surge una nueva vivencia que es la que me parece que
> va a precipitar un elemento extraño, inquietante, turbador,
> que va a dar esa ilusión, esa apariencia de vida [2].

Y a renglón seguido el novelista cita ejemplos de esta
técnica que aparecen en el *Tirante el Blanco* de Martorell,
Madame Bovary de Flaubert, *Las palmeras salvajes* de Faulkner [3]. Y añade que en esta técnica siempre hay

---

[1] M. Vargas Llosa, *La novela,* 1969, pág. 22.
[2] *Loc. cit.*
[3] *Ibid.,* págs. 22-24.

dos historias que no se tocan, que se están desarrollando una al lado de la otra de manera independiente; pero hay una especie de clima común que las envuelve[4].

Según Vargas Llosa, el propósito es crear en el lector una especie de inquietud, de incertidumbre, de sorpresa, que a su vez produce cierta catarsis. Esto proyecta una vivencia en la psiquis del lector, de donde surge luego la verdadera vivencia del mundo literario[5].

Aunque es una técnica que arranca de las novelas de caballerías, y ha sido utilizada por escritores modernos y contemporáneos, Vargas Llosa le imprime su particular sello expresivo. Las dos narraciones paralelas que de alguna manera hacen contacto, por medio de un personaje que las enlaza o a través de una atmósfera literaria común a ambas, se multiplican en la narrativa vargasllosiana hasta convertirse en coro de historias, de voces, de ecos, que parten de disímiles y a veces misteriosos orígenes. Muchas veces ese contacto de las diversas narraciones que afluyen, forma contrastes entre éstas, chocando unas con otras, en porfía de viriles violencias que sacan chispas y aristas, pero que efectivamente se complementan en cierta unidad final.

Esto construye a su vez una especie de *contrapunto* rítmico, que le da fluidez, variedad, renacido interés, tensión y suspenso al relato general de Vargas Llosa. Junto a escenas tiernas, delicadas, de lírica mansedumbre, se contraponen otras de distorsión, caricatura, grotesca violencia, o de un expresionismo brutal.

Otro enfoque que le imparte Vargas Llosa a esta técnica es la del casi continuo diálogo —ya directo (teatral), ya diluido, disimulado en una aparente narración o descrip-

---

4 *Ibid.*, pág. 24.
5 *Loc. cit.*

ción, o envasado dentro de otro diálogo—, inyectándole así a su prosa dinamismo, nervio, vivencia. No cabe duda que en el manejo del diálogo, Vargas Llosa es un maestro terminado. Quizás sea que el dramaturgo vivo que surgió en *La huida del inca* nunca murió, sino que se vigorizó, transmutando sus pócimas a otras retortas alquímicas. De ahí que sus personajes no hablan maquinalmente, ni conversan «literariamente», sino que lo que van hablando es vida pura, actualización de la realidad interior y exterior en palpitante desbordamiento de continua presencia[6]. Diríamos, para remachar esta verdad, que los personajes vargasllosianos no emiten palabras, sino que las *mastican*.

El contrapunto de esta narrativa lo hace Vargas Llosa por secuencias rítmicas, con exposición de historias simultáneas. Generalmente se trata de dos o más momentos diferentes en el tiempo, realizados en un mismo lugar.

Todas las acciones pasadas o futuras vienen a desembocar en el presente y aquí. En esta especie de acronía, todo está en el hoy, y la existencia viene a ser una constante actualidad, una vivencia del presente. Para Vargas Llosa, rastreando teorías sartreanas, sólo subsiste el presente, como existencia única del hombre[7].

---

6 Esto confirma el concepto de vocación literaria que tiene Mario, en que ve la literatura como un todo orgánico, sin tradicionales fronteras de géneros, y a lo cual ha dedicado toda su energía vital. Es la «actividad excluyente» de que le ha hablado a Rosa Boldori. Cf. R. Boldori, «Mario Vargas Llosa: angustia, rebelión y compromiso en la nueva literatura peruana», *Letras*, Lima, núms. 78-79, 1967, página 34.

7 Ha señalado Nelson Osorio esta aparente contradicción de los niveles de realidad del tiempo en la nueva narrativa, que están, sin embargo, «necesariamente imbricados». Según él, el gran logro del novelista contemporáneo es ver la realidad de América como «un mundo en que, contrariando al mismo Lope, se puede vivir el Juicio Final y el *Génesis* en un mismo día.» (N. Osorio Tejeda, «La expre-

Lo espacio-temporal registrado en las narraciones que quedan fuera del presente, se distancian con unas secuencias acordemente acopladas, según patrones rítmicos que el novelista escoge, siempre diferentes en sus distintas novelas. Por esto, lo cierto es que el contrapunto de sus «vasos comunicantes» es una *simultaneidad rítmica*. Esa inyección del ritmo de secuencias, dentro de la geometrización integral de sus estructuras, es lo que hace de sus novelas modelos sinfónicos, en donde predomina un diseño de orden musical.

2. EL CONTRAPUNTO DE LAS SECUENCIAS

En *La casa verde* se da un doble juego de secuencias narrativas de simultaneidad rítmica. Se van presentando las distintas historias alternadamente, pero a la vez, muchas de ellas presentan juegos alternantes dentro de sí mismas. Tomemos una vez más la secuencia de Bonifacia en la primera parte de su vida en la novela, que es en la Misión, con las monjas. Sabemos que la novela está dividida, en su totalidad en cuatro partes numeradas, y un epílogo. Esas cuatro partes —y también el epílogo— van precedidas de un largo párrafo-introdución. En la primera parte, ese párrafo-introducción corre desde la página 9 (donde abre la novela) hasta la página 22. En esas primeras trece páginas Bonifacia no desempeña ningún papel literario, pero se insinúa que la presencia de un personaje que identifique a las indiecitas que las monjas van buscando, ha de aparecer pronto. Es en la página 23 cuando la novela rompe dramáticamente con el diálogo vivo, y comienzan las secuencias de Bonifacia y de los demás personajes.

---

sión de los niveles de realidad en la narrativa de Vargas Llosa»,
Atenea, núm. 419, enero-marzo de 1968, pág. 126.)

Si recapitulamos las secuencias de Bonifacia —antes de conocer a Lituma—, es decir, la Bonifacia pura, virgen, símbolo de la virtud humana y de la inocencia «no mancillada» de Latinoamérica[8], veremos que encontramos el siguiente esquema, no registrado por Oviedo:

Secuencias preliminares
de Bonifacia: *Otras secuencias alternadas*:

Secuencia 1.ª: págs. 23-27.

Secuencia de Fushía-Aquilino, de la Mangachería, los Inconquistables: págs. 28-41.

Secuencia 2.ª: págs. 43-48.

Secuencia de Fushía-Aquilino, Anselmo, Reátegui, Jum, los Inconquistables: págs. 48-64.

Secuencia 3.ª: págs. 65-70.

Secuencia de Fushía-Aquilino-Lalita, Anselmo, Adrián Nieves, los Inconquistables: págs. 70-84.

Secuencia 4.ª: págs. 85-91. [Se cierra el ciclo primero sobre Bonifacia.]

Secuencia de Fushía-Aquilino-Lalita, Reátegui, Adrián Nieves, Anselmo; aparece Lituma; nace la Casa Verde: págs. 91-109.

[Termina la Primera Parte. El párrafo-introducción de la Segunda Parte será transición para la caída de Bonifacia en manos de Lituma y en la Casa Verde, a partir de la página 129.]

---

[8] Tal como lo hemos ya analizado en la segunda parte de esta obra, al referirnos a Bonifacia como el personaje simbólico de Latinoamérica.

Por medio de este diagrama vemos que hay una secuencia continua de Bonifacia, sólo interrumpida por las alternantes de las otras historias. Si quisiéramos, pues, leer, como si fuera un solo episodio, la historia preliminar de Bonifacia, tendríamos que hacerlo en este orden de paginación: 23-27, 43-48, 65-70, 85-91, en que se cierra el ciclo. Más tarde, como hemos indicado al final del diagrama, se inician otros ciclos de la Selvática.

Lo mismo diríamos de las otras historias, que tienen sus continuas secuencias, y que habría que leerlas —si deseamos seguir un orden cronológico de las secuencias— según alternados de páginas.

Volviendo a nuestro ejemplo del ciclo de secuencias de Bonifacia, encontramos que dentro de cada secuencia separada hay otro juego alternante de secuencias. Notamos que el ciclo grande de las secuencias —de la página 23 a la 91— abarca, pues, espirales de secuencias menores, *pero de otro tipo.* He aquí la variedad de foco, que le da vigor a este uso particular del contrapunto vargasllosiano. Si fuéramos a diagramar este esquema mayor y menor, tendríamos que aclarar que el primero se refiere al *acontecer cronológico del tiempo,* pero de dos momentos temporales diferentes, mientras que el segundo es el enfoque, descronológico en sí, de encadenados instantes de esos dos tiempos (pasado y presente). Un diagrama del ciclo general daría el esquema mayor, así:

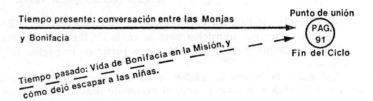

Para diagramar ahora las secuencias alternantes descronológicas dentro de cada una de las cuatro secuencias cronológicas, tenemos que escindir el esquema arriba trazado para introducir el esquema menor, resultando un diagrama total que abarcaría todo el ciclo. En este esquema menor, las secuencias del presente-pasado se sucederán alternadamente desde A (presente) y A^1 (pasado) siguiendo B-B^1, C-C^1, etcétera, hasta un número indeterminado que marcamos como X^n-$X^{n'}$:

PRIMER CICLO DE LA HISTORIA DE BONIFACIA
(*La casa verde*)

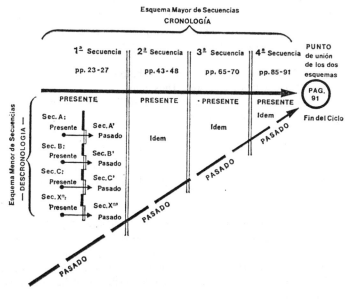

El contrapunto especial de tipo vargasllosiano de este gran primer ciclo —como el de todos los demás de la novela— reside precisamente en el esquema menor de secuencias en descronología dentro de cada secuencia mayor. Aunque hemos citado varios pasajes de *La casa verde* en el capítulo precedente, que ilustran esto, no se hizo entonces con este objetivo, sino para el efecto del capítulo, que en el momento aludido fue presentar eslabones especiales de sintagmas. que revelaran las estructuras morfosintácticas de la prosa vargasllosiana. Ahora volvemos a *La casa verde* para señalar ese juego descronológico en el indicado esquema menor de secuencias, que mostrarán el contrapunto de simultaneidad rítmica de Vargas Llosa, a lo que él llama, como hemos apuntado, «vasos comunicantes». Escogiendo de las distintas secuencias, al azar, encontramos este contrapunto muy claro en todo el ciclo. El motivo de la conversación entre las Madres de la Misión y Bonifacia, a quien hicieron llamar, es que ésta ha dejado escapar a las niñas, sin permiso de nadie. Así rompe el ciclo en la página 23:

> —¡Se han escapado, Madre! —balbuceó la Madre Angélica—. No queda ni una sola, Dios mío...
> —Busque a Bonifacia, Madre Angélica —susurró la Superiora—. Llévela a mi despacho [9].

Las Madres tratan el caso como si fuera un gran crimen, poniendo a la infeliz Bonifacia en un *status* de reo, e iniciando una larga investigación a base de preguntas, contrapreguntas e insultos a la muchacha:

> —No perdamos tiempo, Bonifacia —dijo la Superiora—. Dímelo todo... —Te he hecho una pregunta, Bonifacia... ¿qué esperas?... ¿Te robaron las llaves?... ¡No cambiarás nunca, descuidada!... ¡Habla de una vez, demonio!... Tienes todo el día para ir a la capilla pero en la noche tu deber es cuidar a las pupilas [10]...

---

[9] *La casa verde*, págs. 23-24.
[10] *Ibid.*, pág. 25.

Luego Bonifacia confiesa:

> —Yo les abrí la puerta... Yo las hice escapar, ¿ves que no
> soy tonta?[11].

Las secuencias menores se inician aquí con una especie de
introito lento, *pianissimo*, de una descripción de Santa María de Nieva: págs. 23-24-26. Y las imprecaciones sobre Bonifacia continúan sin interrupción:

> —Eres el mismo demonio... Una malvada y una ingrata.
> La ingratitud es lo peor... Hasta los animales son agradeci-
> dos... Algún día te darás cuenta de lo que has hecho y te
> arrepentirás... Y si no te arrepientes, te irás al infierno, per-
> versa[12].

Es en este momento —secuencia segunda, página 43—
cuando entramos de lleno al esquema menor de secuencias
descronológicas, al comenzar en seguida, en la misma página 43, a enfocar la habitación larga donde duermen las pupilas y donde Bonifacia también duerme junto a ellas. Hay,
pues, un doble juego de cámaras: una enfoca el presente
(Bonifacia hablando con la Madre Superiora) y otra el pasado (Bonifacia durmiendo con las pupilas). De ahí arranca
entonces el esquema mayor del ciclo que correrá *cronológicamente*, arrastrando consigo el contrapunto rítmico *descronológico* del esquema menor. Transcribamos algunas de
las secuencias de la *descronología*:

------

[11] *Ibid.*, pág. 27.
[12] *Ibid.*, pág. 43.

ACCIÓN RÍTMICA SIMULTÁNEA: CONTRAPUNTO TIEMPO-
ESPACIAL

PRESENTE

[Acción mayormente a base de
diálogo, en un tiempo de más
o menos media hora.]

Tempo lento

PASADO

[Acción mayormente a base de
narración y descripción, en un
tiempo de unas 24 horas.]

Tempo rápido

SECUENCIA A:

Bonifacia se ladeó, alzó la cabeza, sus ojos examinaron la mano
de la Superiora [13]...

SECUENCIA A[1]:

Después de las oraciones de la
noche, las madres entran al Refectorio y las pupilas, precedidas
por Bonifacia, se dirigen al dormitorio. Tienden sus camas y,
cuando están acostadas, Bonifacia
apaga las lamparillas de resina,
echa llave a la puerta, se arrodilla
al pie del crucifijo, reza y se
acuesta [14].

SECUENCIA B:

—Corrías a la huerta, arañabas
la tierra y apenas encontrabas una
lombriz, un gusano, te lo metías
a la boca —dijo la Superiora—.
Siempre andabas enferma y ¿quié-

---

[13] *Ibid.*, pág. 44.
[14] *Loc. cit.*

nes te curaban y te cuidaban?
¿Tampoco te acuerdas?

—Y estabas desnuda —gritó la
Madre Angélica— y esa por gusto
que yo te hiciera vestidos, te los
arrancabas y salías mostrando tus
vergüenzas a todo el mundo y ya
debías tener más de diez años. Tenías malos instintos, demonio, sólo
las inmundicias te gustaban [15]...

SECUENCIA B¹:

La Misión despierta al alba, cuando al rumor de los insectos sucede el canto de los pájaros. Bonifacia entra al dormitorio agitando
una campanilla: las pupilas saltan
de los catrecillos, rezan avemarías,
se enfundan los guardapolvos [16]...

SECUENCIA C:

—¿No te importa que esas niñas
vuelvan a vivir en la indecencia y
en el pecado? —dijo la Superiora—. ¿Que pierdan todo lo que
han aprendido aquí?

—Tu alma sigue siendo pagana,
aunque hables cristiano y ya no
andes desnuda —dijo la Madre Angélica [17].

SECUENCIA C¹:

En la tarde, la Madre Angélica
y Bonifacia llevan a las pupilas a
la orilla del río, las dejan chapo-

---

[15] *Ibid.*, págs. 44-45.
[16] *Ibid.*, pág. 45.
[17] *Ibid.*, pág. 46.

tear, pescar, subirse a los árboles [18]...

SECUENCIA D:

—No sigas haciéndote la niña
—dijo la Superiora—.. Has tenido
toda la noche para lloriquear a tu
gusto [19].

SECUENCIA D[1]:

Bonifacia da una palmada y el
cuchicheo de las pupilas disminu-
ye pero no cesa [20]...

SECUENCIA E:

—No se te ocurrió ni tenías la
intención pero las hiciste escapar
—dijo la Superiora—. Y no sólo
a esas dos, sino también a las
otras. Lo habías planeado todo con
ellas hace tiempo, ¿no es cierto? [21].

SECUENCIA E[1]:

Bonifacia mira hacia la puerta
de la despensa, se inclina y muy
despacio, desentonadamente, per-
suasivamente, comienza a gruñir [22].

SECUENCIA F:

—¿Y por qué no viniste a avi-
sarme? —dijo la Superiora—. Te
escondiste en la capilla porque sa-
bías que habías hecho mal... Yo
también lo siento, a pesar de lo
mal que te has portado... Pero

---

[18] *Ibid.*, pág. 48.
[19] *Ibid.*, pág. 65.
[20] *Loc. cit.*
[21] *Ibid.*, págs. 66-67.
[22] *Ibid.*, pág. 67.

por la Misión es necesario que te
vayas [23].

SECUENCIA F[1]:

    Bonifacia entra, enciende el me-
chero, abre el baúl, lo registra,
saca el viejo manojo de llaves y
sale. Vuelve a coger a las chiquillas de la mano [24].

SECUENCIA G:

—Pareces loca —dijo la Madre
Angélica—, de repente sales con
cada cosa [25].

SECUENCIA G[1]:

    Bonifacia y las chiquillas salen
en puntas de pie... La Residencia
de las madres ha desaparecido en
la noche [26].

SECUENCIA H:

—Tienes una manera muy injus-
ta de ver las cosas —dijo la Superiora—... La Madre Angélica no
ha hecho otra cosa que mimarte
desde que llegaste a la Misión [27].

SECUENCIA H[1]:

    Las suelta, les indica silencio con
un gesto y echa a correr, siempre
de puntillas [28].

SECUENCIA I:

—¿Yo era muy chiquita entonces? —dijo Bonifacia—. ¿De qué

---

[23] *Ibid.*; pág. 69.
[24] *Ibid.*, pág. 85.
[25] *Loc. cit.*
[26] *Ibid.*, pág. 86.
[27] *Loc. cit.*
[28] *Loc. cit.*

tamaño, mamita? Muéstrame con
tu mano.

—Así, de este tamaño —dijo la
Madre Angélica—. Pero ya eras un
demonio [29].

SECUENCIA I[1]:

Súbitamente Bonifacia da media
vuelta... señala la oscuridad del
monte... y ahora las luciérnagas se
adelantan [30]...

SECUENCIA J:

—No pareces inteligente, Bonifacia —dijo la Superiora—. Más bien
debiste sentir pena al ver a esas
criaturas convertidas en dos animalitos, haciendo lo que hacen los
monos [31].

SECUENCIA J[1]:

...ante Bonifacia hay sólo una masa compacta de guardapolvos y
ojos codiciosos. Qué le importaba,
entonces, Dios sabría, ellas sabrían,
que volvieran al dormitorio o se
escaparan o se murieran [32]...

SECUENCIA K:

—Le cortaron el pelo para sa-
carle al diablo que tenía adentro
—dijo la Madre Angélica [33].

SECUENCIA K[1]:

Salen una tras otra..., y ella rápido, Dios las ayudaría, rezaría por

---

[29] *Loc. cit.*
[30] *Ibid.*, pág. 88.
[31] *Ibid.*, pág. 89.
[32] *Loc. cit.*
[33] *Loc. cit.*

ellas... A cada pupila que se detiene en el umbral y vuelve la cabeza hacia la oculta Residencia, la empuja, la obliga a hundirse en el boquerón vegetal, a hollar la tierra fangosa y perderse en las tinieblas [34].

SECUENCIA L:

—¿Por qué no llevaste a esas niñas al dormitorio? —dijo la Superiora...

—Y además eras una fierecilla —dijo la Madre Angélica—. Había que corretearte por toda la Misión. A mí me diste un mordisco en la mano, bandida [35].

SECUENCIA L¹:

—Las pupilas se han escapado —dijo la Madre Leonor—, la Madre Angélica te está buscando. Anda, corre, la Superiora quiere hablar contigo, Bonifacia [36]. [Página 91, fin del ciclo, con la unión de las dos grandes líneas de secuencias.]

Aunque la precedente cita ha sido más larga de lo normal, hemos podido ver el diseño del ciclo completo, que empieza en la página 23, cuando la Madre Superiora le ha ordenado a la Madre Angélica: «Busque a Bonifacia..., llévela a mi despacho», y termina en la página 91, cuando, en

---

[34] *Ibid.*, pág. 90.
[35] *Ibid.*, págs. 90-91.
[36] *Ibid.*, pág. 91.

cumplimiento con esa orden la Madre Angélica va donde
Bonifacia y le dice: «Anda, corre, la Superiora quiere hablar
contigo». Es decir, hay un enlace con el principio de la secuencia primera del esquema mayor.

En el juego esquemático menor las secuencias pasado-
presente muestran esa doble toma de cámara que es tan
común en el cine, sobre todo en el más revolucionario de
nuestros días. Algunas de las *tomas* utilizan los recursos de
aproximación o alejamiento típicos del cinematógrafo. Veamos, por ejemplo, las siguientes *tomas*, a base de las secuencias con letras que hemos citado en las precedentes páginas:

1. «Multiple view» .... Secuencias A^1, B^1, C^1, J^1, K^1.
2. «Flashback» .... Secuencias D a D^1, E a E^1, H a H^1.
3. «Closeup» .... Secuencias F^1, I.
4. «Slowup» .... Secuencias A, I^1.
5. «Fadeout» .... Secuencias G, G^1.

Encontramos estos esquemas mayores y menores, con
sus respectivas simultaneidades rítmicas, en las demás historias de *La casa verde*, así como en *Conversación en la
Catedral*. Es cierto que, en algunos casos, Vargas Llosa
varía la técnica, haciendo que el esquema menor dependa
de un monólogo o de la actuación de un personaje que esté
en primer plano en el esquema mayor. Esto ocurre, por
ejemplo, en las secuencias entre Fushía y Aquilino a través
de su viaje por el río hasta sucumbir en la muerte de aquél.
Otro elemento rítmico introducido por Vargas Llosa en todas
sus obras narrativas —desde *Los jefes* hasta *Conversación
en la Catedral*— es la presencia de personajes de una historia
en otras, dentro de la misma obra, estableciendo así cadenas
psicológicas entre las secuencias narrativas.

No es nuestro propósito aquí presentar *toda* la esquema-
tización del contrapunto rítmico de la narrativa vargasllosia-

na [37]. Nuestro objetivo ha sido solamente señalar cómo el novelista ha utilizado esa técnica en su particular modificación estilística, y nos parece que con el ejemplo dado arriba se tiene una idea de ese procedimiento. Sin embargo, un análisis esquemático completo de todas las secuencias de simultaneidad rítmica en la novelística total de Vargas Llosa, con los correspondientes diagramas, haría un grueso tomo, interesante sin lugar a duda, y orientador en cierta medida para el lector neófito, pero quizás solamente útil al especialista [38]. Repetimos: no es tal nuestro objetivo en esta obra.

---

[37] Se podrían trazar diseños señalando ciertas técnicas de contrapunto muy especiales utilizadas por Vargas Llosa en *Conversación en la Catedral*. Por ejemplo, hay un esquema global de toda la obra en que las cuatro horas de la conversación entre Zavalita y Ambrosio *contrapuntean* rítmicamente con la totalidad de lo tratado en las historias de esa conversación, y que abarcan un período de más de ocho años. Luego, dentro de ese patrón mayor, hay de nuevo secuencias menores en la conversación, que van contraponiendo el presente, retrotrayendo así la acción en un continuo zigzagueo de *flash-back*, que acaba por crear una nueva atmósfera cíclica, de construcciones espirales, que cuajan el verdadero dinamismo de esta larga novela.

[38] Es posible también una especie de contrapunteo psicológico a base de personajes —pero con una relación temporal— en donde un individuo tiene personalidad y un nombre y un tiempo dado, y otra personalidad con otro nombre en otro tiempo posterior: Bonifacia-Selvática, Lituma-el Sargento, Anselmo-el Arpista. Esto también se da en las otras novelas de Vargas Llosa, por ejemplo en *La ciudad y los perros*: el Esclavo-Arana, el poeta-Alberto; en *Conversación en la Catedral*: la «Musa»-Hortensia. Algunos críticos han soslayado esto, sin ahondarlo. Dos de los que le han dedicado más atención a este problema son Wolfgang A. Luchting: «Los fracasos de Mario Vargas Llosa», *Mundo Nuevo*, núms. 51-52, septiembre-octubre de 1970, páginas 70-71; y Nelson Osorio, «La expresión de los niveles de realidad en la narrativa de Vargas Llosa», *Atenea*, núm. 419, enero-marzo de 1968, págs. 131-132.

3. LA NUEVA VIVENCIA

La intención de Vargas Llosa al barajar estos recursos técnicos de los *vasos comunicantes* es, sin duda, estética, vital, humana. El disloque cronológico mantiene los dos niveles psíquicos —objetivo (del presente) y subjetivo (de la memoria)— en alerta dinamismo. El entrecruce o intraposición de un nivel con otro —caso de los procedimientos sintagmáticos— aviva, agudiza, enfoca más concentradamente la fuerza inquietante que se va despertando en el lector para llegar a las vértebras de la obra. Las *tomas* y los *cortes* fílmicos entre secuencias arrancan vibraciones de cierta pluridimensionalidad en el guión que se va formando en la psiquis del lector.

Todo ello es síntoma de que se ha de precipitar en la pantalla sensitiva de los lectores una turbación de valores, de planos, de niveles, que a su vez, dadas las claves que la misma obra suministra, se irán integrando en un todo orgánico, que será el rompecabezas completado dentro de vigoroso marco.

Esta especie de catarsis es la que surge subconscientemente en las entrañas mismas de la realidad existencial del lector. De una manera totalmente lógica se ha de producir finalmente esa *nueva* vivencia en cada uno de los que leemos la novela con cierto cuidado. Tal es la meta final del novelista que nos ocupa: despertar en el lector su vivencia particular; de tal manera que al conjuro de estas técnicas rítmicas, ondulatorias, vibrantes, se produzca, por cristalización, la otra vivencia —la eternal y verdadera—, que es la *literaria* [39].

---

[39] Cf. Mario Vargas Llosa, *La novela*, 1969, pág. 24.

CAPÍTULO VIII

POLIRREPRODUCCIÓN DEL REFLEJO, O «LAS CAJAS CHINAS»

1. SIGNIFICADO LITERARIO

Al enfocar ahora esta segunda gran técnica de las novelas de caballerías medievales y renacentistas, y de *Las mil y una noches*, volvemos a las palabras textuales de Mario Vargas Llosa, en relación con las «cajas chinas»:

> Otra técnica que me parece que se ha repetido a lo largo de la historia de la novela es la que podríamos llamar técnica de las cajas chinas. Como ustedes saben, en las cajas chinas siempre hay adentro una más pequeña; abrimos, sacamos una caja más pequeña, y de esa caja sale otra caja más pequeña, y luego otra caja más pequeña, y se diría que así podría ser hasta el infinito... los personajes de sus historias cuentan, a su vez, historias, y en las historias que cuentan estos personajes están también encerrando otras historias que son contadas por los personajes de estas historias. Es exactamente lo que ocurre con las cajas chinas... Se trata de introducir entre el lector y la materia narrativa intermediarios que vayan produciendo transformaciones en esta materia, aportando nuevas tensiones, nuevas emociones, para que el lector esté siempre dentro del hechizo indispensable para la cabal realización de una novela en el espíritu del lector[1].

---

[1] M. Vargas Llosa, *La novela*, 1969, págs. 24-25.

Señala Vargas Llosa la presencia de esa técnica en Faulkner y en José María Arguedas, entre los modernos. Claro, que esta técnica, como muchísimas variantes, es universal. Los clásicos la han trabajado de muchas maneras particulares: Cervantes, Shakespeare, Goethe, Balzac. Muchos nombres ha recibido, como por ejemplo: autor dentro de autor (Cervantes dentro de Cide Hamete Benengeli), teatro dentro del teatro (el drama que Hamlet hace representar dentro del drama), cuento dentro del cuento, novela dentro de la novela, relato dentro del relato. Se conoce también como la técnica del espejo dentro del espejo, ya que en verdad en este fenómeno físico, se produce una polirreproducción del reflejo: A_1/A^1, A_2/A^2, A_3/A^3, A_4/A^4... A_n/A^n. Esa proyección del reflejo hasta lo infinito crea una metáfora estructural: la saeta lanzada al espacio que se pierde en lo inconcebible, es decir, en otra dimensión. De hecho, es el intento de proyectar una realidad en otra, creando, sin embargo una nueva realidad vivencial, que es la literaria, que el autor desea inyectar en la sensibilidad del lector.

No se trata, por supuesto, de un mero encadenamiento yuxtapuesto de historias, sino de un re-envase de historias, de una espiral narrativa cuyo diseño ha de producir cierto tipo y tónica de realidad. Es un vaciar una historia en otra, hasta proyectarse en lo infinito. Muchas veces, en esta proyección hacia la infinitud, el autor busca un acercamiento a cierto nivel onírico, o semionírico. Otras veces, la intención es metafísica. Otras, sencillamente dilatar la dimensión real presente hacia una de atmósfera metafórica, dinámica, hechizante, como intenta Vargas Llosa.

Ya veremos que, para darle variedad, elegancia, dinamismo y riqueza tonal al procedimiento completo, Vargas Llosa se aleja un poco —en ocasiones— de la fórmula, y registra matices y registros diversos dentro de la técnica clásica.

2. EL ESPEJO SE REPRODUCE

Tal como hicimos en el examen de los «vasos comunicantes», procederemos en el de las «cajas chinas», al presentar algunos ejemplos claves en la novelística de Vargas Llosa. En *La ciudad y los perros* la historieta del supuesto asesinato del cadete Arana aparece en dos «reflejos» o versiones diferentes. Primero por Alberto a los oficiales del Colegio. Más tarde, el espejo se enfrenta a otro espejo: Alberto habla con el Jaguar, éste queda impregnado con la imagen de la historieta del asesinato: el espejo se ha reproducido. Veamos ambas imágenes de «cajas chinas». La versión de Alberto es la siguiente:

> —Sí, mi teniente —dice—. Me hago responsable. Lo mató el Jaguar para vengar a Cava... Todo fue por la consigna, mi teniente. Por lo del vidrio. Para él fue horrible, peor que para cualquiera. Hacía quince días que no salía. Primero le robaron su pijama. Y a la semana siguiente lo consignó usted por soplarme en el examen de Química. Estaba desesperado, tenía que salir, ¿comprende usted, mi teniente?... Quiero decir que estaba enamorado, mi teniente. Le gustaba una muchacha. El Esclavo no tenía amigos, hay que pensar en eso, no se juntaba con nadie. Se pasó los tres años del colegio solo, sin hablar con nadie. Todos lo fregaban. Y él quería salir para ver a esa chica. Usted no puede saber cómo lo batían todo el tiempo. Le robaban sus cosas, le quitaban sus cigarrillos... Lo orinaban cuando dormía, le cortaban el uniforme para que lo consignaran, escupían en su comida, lo obligaban a ponerse entre los últimos aunque hubiera llegado primero a la fila... Cuando supieron que habían descubierto a Cava, se pusieron furiosos. Pero Arana no era un soplón... Por eso lo mataron, para vengarse.
> —¿Quién lo mató?
> —El Jaguar, mi teniente... Fue el Jaguar [2].

---

2 *La ciudad y los perros*, págs. 244-245.

Mucho más tarde, el Jaguar, intentando sincerarse con el teniente Gamboa, le declara que él mató a Arana, y la novela despliega entonces la ambigüedad que ya algunos críticos han apuntado: si el Jaguar decía la verdad o sólo hablaba para reforzar el mito de su machismo. Esto no es lo importante ahora, sino el reflejo técnico de la historieta. El problema de esa ambigüedad, que a nuestro juicio es ex profeso en Vargas Llosa, le imparte tensión, suspenso, infinitud, a la novela, y crea esa atmósfera literaria de misterio onírico que el novelista desea cristalizar. A ello, se agrega la versión misma del Jaguar, que forma la «reproducción del espejo», o la «*otra* caja china», dentro de esta técnica, vigorizando aún más esa dimensión de ambigüedad, onirismo y suspenso.

—¿Por qué ha cambiado de opinión ahora? —dijo el teniente—. ¿Por qué no me contó la verdad cuando lo interrogué?

—No he cambiado de opinión —dijo el Jaguar—. Sólo que —vaciló un momento e hizo, como para sí, un signo de asentimiento— ahora comprendo mejor al Esclavo. Para él no éramos sus compañeros, sino sus enemigos. ¿No le digo que no sabía lo que era vivir aplastado? Todos lo batíamos, es la pura verdad, hasta cansarnos, yo más que los otros. No puedo olvidarme de su cara, mi teniente. Le juro que en el fondo no sé cómo lo hice. Yo había pensado pegarle, darle un susto. Pero esa mañana lo vi, ahí al frente, con la cabeza levantada y le apunté. Yo quería vengar a la sección, ¿cómo podría saber que los otros eran peor que él, mi teniente? Creo que lo mejor es que me metan a la cárcel. Todos decían que iba a terminar así, mi madre, usted también. Ya puede darse gusto, mi teniente[3].

Los cambios y variantes que Vargas Llosa introduce en la técnica de «cajas chinas» en *La casa verde* son notorios. Vamos a presentar, como modelo, parte de la conversación

---

3 *Ibid.*, pág. 325.

entre Fushía y Aquilino en relación con Lalita. En ese diálogo veremos las combinaciones de la *técnica de cajas chinas* con la de *vasos comunicantes*. La conversación está hecha a contrapunto de tiempo dentro de un espacio diferente, pero la polirreproducción del reflejo se nota como iridizadamente, en reverberaciones esporádicas, que el lector tiene que aunar —otra vez el ensamblaje del rompecabezas— para poder aprehender el total mosaico. Si seguimos los signos de la fórmula que dimos para las «cajas chinas», nos será más fácil descifrar esta conversación. Recuérdese que Fushía y Aquilino están solos, navegando por el río:

H H_1

—¿Cómo lo conociste, Fushía? —dijo Aquilino—. ¿Fue mucho después que nos separamos? [4].

—Hace un año, doctor Portillo, más o menos —dijo la mujer—. Entonces vivíamos en Belén y con la llena y el agua se nos entraba a la casa.

—Sí, claro, señora —dijo el doctor Portillo—. Pero hábleme del japonés, ¿quiere? [5].

...y Aquilino ¿y la Lalita? qué decía ella de todo eso.

—Ya tenía sus pelos larguísimos —dijo Fushía—. Y entonces su cara era limpia, ni un granito siquiera. Qué bonita era, Aquilino [6].

—Venía con una sombrilla, vestido con ternos blancos y zapatos

---

[4] *La casa verde*, pág. 70.
[5] *Loc. cit.*
[6] *Ibid.*, pág. 71.

también blancos —dijo la mujer—. Nos sacaba a pasear, al cine[7]...

—¿Estabas enamorado de la Lalita en esa época? —dijo Aquilino.

—La agarré virgencita —dijo Fushía—, sin saber nada de nada de la vida. Se ponía a llorar y si yo estaba de malas le daba un sopapo, y si de buenas le compraba caramelos. Era como tener una mujer y una hija a la vez, Aquilino[8].

—...El japonés estaba siempre de viaje, pero tanta gente iba de viaje y además cómo iba a saber ella que embarcar caucho era contrabando y tabaco no[9].

—Siendo tan muchachita, le daría pena dejar a su madre —dijo Aquilino—. ¿Cómo la convenciste a la Lalita, Fushía?...

—Selva adentro la Lalita valía su peso en oro —dijo Fushía—. ¿No te he dicho que era bonita entonces? A cualquiera lo tentaba.

—Su peso en oro —dijo Aquilino—. Como si hubiera pensado hacer negocio con ella.

—Hice un buen negocio con ella —dijo Fushía[10].

—Y una noche no vino, ni la siguiente, y después llegó una carta de ella —dijo la mujer—. Diciéndome que se iba al extranjero con el japonés, y que se casarían. Le

---

[7] *Loc. cit.*
[8] *Ibid.*, pág. 72.
[9] *Ibid.*, págs. 72-73.
[10] *Ibid.*, pág. 73.

—¿Y dónde te fuiste a esconder
con la Lalita? —dijo Aquilino.
—A Uchamala —dijo Fushía—.
Un fundo en el Marañón de ese
perro de Reátegui. Vamos a pasar
cerca, viejo [12].

he traído la carta, doctor... Yo creí
que era cosa de amor, doctor
—dijo la mujer—. Que él sería casado y que por eso se escapó con
mi hija. Sólo unos días después
salió en el periódico que el japonés
era un bandido [11].

Luego, las historias continúan a través de todas las secuencias en que aparecen Fushía y Aquilino, que son, además
de las páginas 28-31, 48-53, 70-75, las siguientes: 91-95, 129-
135, 176-182, 214-219, 235-240, 261-266, 284-287, 299-306, 315-320,
337-344, 360-366, 385-390. Con esta secuencia final en las páginas 385-390, asistimos a la muerte de Fushía, quien ya no
volvería a ver a su Lalita.

Las variantes que Vargas Llosa introduce en esta técnica
de las «cajas chinas» en *La casa verde*, son de tal manera,
que llega a alejarse un poco del procedimiento clásico que
él ha observado en las obras que la tienen en forma redonda y cabal. De hecho, no hay una historia *completa* dentro
de otra historia *completa* en el método utilizado por Vargas
Llosa. Más bien se dan retazos de una historia en cada sub-
secuencia —o sea en los esquemas menores—, y es el lector
quien va rehaciendo la historia completa en su imaginación.
Estos pedazos de historia, a veces pedacitos, esbozos, apuntes, se van reuniendo en el transcurso del contrapunto conversacional, y el reflejo reproducido aparece entonces con
toda su claridad.

---

[11] *Ibid.*, págs. 73-74.
[12] *Ibid.*, pág. 75.

Otra variante, parecida a la anterior, aparece en la deliciosa secuencia de Anselmo y la fundación de la casa verde, en las páginas 95 a 103. Aquí, a diferencia de las demás secuencias, Vargas Llosa separa gráficamente, con cursivas, el «segundo espejo» o la «segunda caja china», es decir, la versión de la historia en el nivel de otro personaje u otros personajes. Se trata en este caso de cómo se fundó la primera casa verde, y cómo luego fue incendiada. Sabemos que muchos años después fue reedificada. Pero en este pasaje se narra la primitiva fundación por Don Anselmo.

El autor como narrador omnisciente en este caso —lo cual es raro en la novelística de Vargas Llosa, que evita esa omnisciencia—, es quien nos da la historia primera (o primer espejo), y las cursivas intercaladas nos van dando la versión de la historia (segundo espejo) por medio del Padre García y de los vecinos sobrevivientes (personaje colectivo). Es un contrapunto sin conversación entre los dos focos narrativos, que se puede proyectar así:

HISTORIA PRIMERA (H) ...... Narración (Autor omnisciente).

HISTORIA SEGUNDA (H₁) ...... Diálogo «monologado» del Pa-
          [-reflejo-]   dre García y los vecinos sobre-
                                               vivientes.

En *Conversación en la Catedral,* volumen segundo, vemos el juego técnico de las «cajas chinas», otra vez contrapunteado esporádicamente, en la conversación que surge con motivo del misterioso asesinato de «la Musa». Aquí la variante es muy diferente a *La casa verde.* La primera historia es lineal —la vida y muerte de «la Musa»—, y queda interrumpida constantemente por una serie de retorcimientos narrativos (siempre en forma dialógica) de otras historias y personajes que han de reflejar *algo* de la historia lineal de «la Musa».

Si trazamos un proyecto cronológico del manejo de esta técnica de la polirreproducción del reflejo en esta historia de «la Musa», nos daría el siguiente esquema:

HISTORIA DE «LA MUSA»	OTRAS HISTORIAS QUE REFLE- JAN *EN PARTE* LA DE «LA MUSA»
H	H$_1$ (con variantes)
	[Las síntesis en corchetes son nuestras.]

1) —¿La Musa chaveteada? —dijo Periquito...—. Vaya notición.
—...¿Quién la mató?
—Un crimen pasional, parece —dijo Santiago—. Nunca oí hablar de ella...
—¿Querida de Cayo Bermúdez? —dijo Darío—. Entonces sí que es notición [13].

2) [Vuelta al periódico. Importancia de la noticia para la primera plana. Intervención de Paqueta.] [14]

3) —Quisiera saber algo de la vida privada de la Musa. Alguna anécdota, cualquier cosa [15].

4 [Versión narrativa dada por la Paqueta. Intervención de Ivonne.] [16]

5) —¿Cómo se llamaba esa amiga con la que vivió? —dijo Santiago [17].

6) [Nuevas versiones de la Paqueta; y otras de Periquito y Be-

---

[13] *Conversación en la Catedral*, págs. 9-13.
[14] *Ibid.*, págs. 14-18.
[15] *Ibid.*, pág. 19.
[16] *Ibid.*, págs. 20-21.
[17] *Ibid.*, pág. 22.

cerra. Nueva intervención de Ivonne.] [18]

7) —...¿Desde cuándo vivías con
la Musa? [19].

8) [Versiones de Carlitos y Becerrita.] [20]

9) —...Usted sabe que el matón
de Cayo Mierda la mató... ¿Cayo
Mierda es Cayo Bermúdez? ¿Estás seguro que él la mandó matar?...
—...¿Quién es el tipo que contrató al matón?
—...Se llama Ambrosio [21].

10) [Esta revelación termina la
secuencia sobre las historias, por
«reflejo», de la Musa. Más adelante
en la novela, aparecerán escenas
vivas del pasado (entonces en tiempo presente) sobre la vida de la
Musa.]

3. VALORACIÓN DE ESTA
TÉCNICA EN VARGAS LLOSA

Una vez más encontramos que el diálogo, vigorosamente
intensificado en la novelística de Vargas Llosa, roba fuerza
a la narrativa, pero —aclaremos— a la narrativa tradicional,
ya que las secuencias dialógicas vargasllosianas tienen configuración narrativa. Hemos visto en previos capítulos el
manejo narrativo de los eslabones sintagmáticos de esta

---

18 *Ibid.*, págs. 23-29.
19 *Ibid.*, pág. 30.
20 *Ibid.*, págs. 30-31.
21 *Ibid.*, págs. 32-33.

prosa eléctrica de Vargas Llosa, y verificamos cómo el diálogo contribuye a reforzar el matiz narrativo. De hecho, este novelista ha logrado cristalizar una prosa que no es diálogo ni narración (ni descripción ni meditación) propiamente, sino una aleación, una fusión vitalizadora en que se narra dialogando, sin hablar, y se dialoga narrando, sin narrar.

Ha señalado Oviedo [22] que «el sistema de la *caja china* no trabaja exactamente como quiere Vargas Llosa». A nuestro parecer, trabaja perfectamente, pero con las variantes introducidas ex profeso por el novelista, para imprimirle matiz original, nuevo, vital, y trabaja a maravilla con las combinaciones que hace con otras técnicas, como las de simultaneidad rítmica, contrapunto dialógico, «flashback» fílmico,. y otras. Todas estas modificaciones de la técnica de las «cajas chinas» le inyectan gran virilidad a la prosa vargasllosiana, frescura lírica y a la vez reciedumbre y originalidad.

En el *Absalom, Absalom* de Faulkner —señalado por el mismo Vargas Llosa como modelo de la técnica de las «cajas chinas»— [23] hay un reajuste más ceñido al patrón clásico de este procedimiento de la polirreproducción del reflejo. En cambio, no es así en la novelística de Vargas Llosa, a pesar de que ambas novelas —nos referimos ahora también a *Conversación en la Catedral*— parten de una *weltanschauung* que está cimentada sobre una conversación. Sin embargo, como hemos señalado, las «cajas vargasllosianas saltan a veces a pedazos, pero esto es la variante original, el «rompecabezas estilístico» que el novelista le imparte a su técnica para crear su personal presentación de esa técnica. No es, como otros han indicado [24], una falla en Vargas Llosa». Tal

[22] J. M. Oviedo, *Mario Vargas Llosa: la invención de una realidad*, 1970, pág. 155.
[23] M. Vargas Llosa, *La novela*, 1969, pág. 25.
[24] J. M. Oviedo, *loc. cit.*

parece que el novelista no ha deseado ser un corriente imitador, copiador, o reproductor servil de esas técnicas que tanto admira. A pesar de su firme convicción de los escondidos recursos que puedan encerrar, y de los innegables valores literarios, estéticos, que registren, Vargas Llosa no se ha decidido por fotografiar esos procedimientos estilísticos en sus novelas. Los ha variado, los ha retorcido, los ha combinado. Es una especie de «vuelta de tuerca», como diría el mismo Oviedo.

No cabe duda que hubiera sido muy fácil para nuestro novelista reproducir al pie de la letra las técnicas de los *vasos comunicantes* y las *cajas chinas* —así como el del *salto cualitativo* que analizaremos en el próximo capítulo— si se lo hubiera propuesto. Aunque nunca —que sepamos— se ha expresado sobre las variantes introducidas a esas técnicas en sus novelas, y que él ha rastreado desde las novelas de caballerías, estamos seguros que el gran logro estético de esas variantes es parte del plan estructural de la narrativa total del autor, y no una hermosa falla que resultó ser positiva en vez de negativa. Con un escritor tan consciente de su arte, tan metódicamente equilibrado en la estructuración interior de sus andamiajes literarios, tan preocupado por el más mínimo detalle estilístico, a quien nada se le escapa en la cristalización estética de su narrativa, nunca sería una falla no ser servil a una técnica con la que está encariñado.

Aun en el manejo de los *vasos comunicantes*, que le ha salido, como hemos visto, más fiel a los patrones clásicos de la técnica, Vargas Llosa introduce variantes, matices, tonalidades y combinaciones diversas. Tanto en el uso de la simultaneidad rítmica, como de la polirreproducción del reflejo —*vasos comunicantes y cajas chinas*—, el autor de *La casa verde* se revela como un creador recio, como un artista original, como un artífice genial.

CapÍtulo IX

INTRAFUSIÓN DE LO VEROSÍMIL-ONÍRICO, O
«EL SALTO CUALITATIVO»

1. ACLARACIÓN PRELIMINAR

Examinemos ahora el tercero y último de los tres procedimientos técnicos que arrancan de las novelas de caballerías, y que Vargas Llosa siempre ha admirado. Dice el novelista:

> Un último tipo de técnica, dentro de la cual puede haber
> una variedad infinita de procedimientos, sería la que llamo
> «de la muda o el salto cualitativo». Consiste en una acumula-
> ción *in crescendo* de elementos o de tensiones hasta que la
> realidad narrada cambia de naturaleza [1].

A renglón seguido, y después de hacer varias referencias
a *Tirante el blanco*, a las obras de Julio Cortázar, y a otras
obras que presentan esta técnica, Vargas Llosa concluye que
en todas ellas

> ...hemos pasado así de una realidad muy objetiva y concreta
> a una especie de irrealidad, o sea a una realidad meramente
> subjetiva y fantástica. Estamos ya en el dominio de lo fan-

---

[1] Mario Vargas Llosa, *La novela*, 1969, pág. 26.

tástico. Ha habido un salto cualitativo, un cambio cualitativo
en el mundo de la narración, una muda ...llega un momento
en que nos sentimos en una realidad muy distinta de aquella
en la que nos hallábamos al comenzar este episodio, que era
esa realidad tan verificable, tan concreta, tan objetiva. Estamos ya en un mundo más bien onírico, de símbolos, de pesadillas, de sueños. Estamos ya en el dominio de lo fantástico.
Ha habido una muda, un cambio de la naturaleza de esa realidad descrita. Estamos en otra realidad[2].

Se trata, pues, de otra proyección, esta vez directamente
hacia la dimensión onírica, pero con el expreso objetivo de
fundir ambas dimensiones: la concreta y la subjetiva, creando una tercera que, aunque participa de ambas no es ninguna de ellas. Viene a ser este tercer nivel la realidad poética, metafórica, literaria, de intrafusión de lo verosímil y lo
inverosímil.

La proyección va rectilíneamente a encajar lo onírico
como si fuera real, normal, cotidiano y verificable. Este cambio de realidad produce, por lo tanto, otra atmósfera de
empatía literaria para el lector.

Tanto los *vasos comunicantes,* como las *cajas chinas* y
el *salto cualitativo*, son otras tantas «trampas literarias»
para envolver al lector en una dimensión tal que despierte
su propia vivencia de la realidad encontrada en la narración.

Al asimilarse lo inverosímil como natural dentro de la
realidad objetiva, el lector ha dado interiormente el *salto
cualitativo,* ha hecho la *muda* psíquica, otro puente para la
catarsis que siempre sobrevive.

La presentación de esta técnica en las novelas de Vargas
Llosa tiene muchas variantes. Ya ha dicho él mismo que
«puede haber una variedad infinita de procedimientos»[3] en

---

2 *Ibid.*, págs. 27-28.
3 *Ibid.*, pág. 26.

el manejo del *salto cualitativo*. Esos procedimientos, acumulados *in crescendo*, cobran paulatinamente un vigoroso *moméntum* que estalla en la nueva realidad buscada. De hecho, esta técnica es la más dramática de las tres, y se presta mucho para reforzar y vigorizar la temática, la *weltanschauung*, el mensaje, y los objetivos fundamentales y universales del autor.

El lector va siendo guiado discretamente de lo objetivo a lo subjetivo, y casi sin percatarse de ello, va cruzando esa frontera misteriosa entre las dos dimensiones de realidad, hasta que es arrastrado *en rapport* al plano de la intrafusión verosímil-inverosímil. En este instante, el lector aceptará lo maravilloso como real. Es un logro del realismo mágico: otra de las técnicas trabajadas con éxito por los narradores contemporáneos de Hispanoamérica.

Esta narración que va, pues, transmutándose de un nivel de realidad a otro, está muy bien bautizada con la frase de José Miguel Oviedo: «narración pluridimensional»[4], y hasta cierto punto, se puede establecer una relación con los distintos niveles que el mismo Oviedo observa, al examinar *La casa verde*.

Al intentar ahora una fórmula para concretar la esencia de esta técnica, encontramos que en vez de haber *división*, como en el caso de las precedentes dos técnicas, lo que hay ahora es *multiplicación*. Es una multiplicación *ad infinitum*. Para dar el salto, el novelista multiplica su realidad hasta hacerla desaparecer. La multiplicación viene a ser la acumulación *in crescendo* de los episodios que logran la zona fronteriza, y finalmente la nueva realidad.

Aunque este «salto» es generalmente dado en retroceso hacia el pasado, también ocurre a veces hacia el futuro. Es

---

[4] J. M. Oviedo, *Mario Vargas Llosa: la invención de una realidad*, 1970, pág. 231.

decir, se acerca la cámara narrativa, de pronto, a una dimensión de premonición o adelanto de lo que ha de ocurrir mañana o dentro de meses o años. A este aspecto del *salto* al futuro se le ha llamado «técnica de anticipación»[5].

2. LA TÉCNICA APLICADA

En los casos que vamos a citar se verán varias importantes modificaciones que Vargas Llosa hace al patrón tradicional de esta técnica del «salto cualitativo». Examinemos primero ciertos pasajes de *La casa verde*.

Muy al principio de la novela hay una disimulada sugerencia de lo que Bonifacia será más tarde. Es en la conversación entre ella y las monjas de la Misión, mientras se investiga la huida de las niñas que la indiecita dejó escapar:

> —Tienes una manera muy injusta de ver las cosas —dijo la Superiora—. A las madres les importa tu alma, no *el color de tu piel*...
> —Ya sé, Madre, por eso te pido que reces por mí —dijo Bonifacia—. Es que esa noche *me volví salvaje*, vas a ver qué horrible[6].

Nótese primero la alusión al *color* de la piel. Más tarde, cuando el mito de la casa verde comience a funcionar técnicamente, las constantes referencias al color de la casa —que es verde— y la coincidencia (ex profeso) del color verde de los ojos de Bonifacia, serán el aguijón que traerá la vivencia del escondido *reptil verde* que ya hemos señalado en precedentes capítulos.

---

[5] Graciela Mántaras Loedel, «La narrativa de Mario Vargas Llosa», *Temas*, Montevideo, núm. 7, junio-julio de 1966, pág. 62.
[6] *La casa verde*, pág. 86. Subrayado nuestro.

A poco de esta alusión al color de la piel de Bonifacia, se hace otra referencia metafórica a la pintura de la casa verde:

Cuando la casa estuvo edificada, don Anselmo dispuso que fuera íntegramente pintada de verde. Hasta los niños reían a carcajadas al ver cómo esos muros se cubrían de *una piel esmeralda* donde se estrellaba el sol y retrocedían *reflejos escamosos* [7].

La proyección mítica se va lentamente edificando a base de los elementos *Bonifacia-casa-reptil*, por medio de sugerencias al color, a la piel, a las escamas. Aún más, véase que en la cita anterior a ésta, en la página 86, Bonifacia ha dicho: «esa noche me volví salvaje». Es la primera vez en la novela que se le aplica este adjetivo preñado de significación mítica. Más tarde se la llamará *la Selvática*. Ahora el juego de elementos para estructurar la dimensión onírica se ha ampliado: *Bonifacia-salvaje-casa-color-verde-escamas-Selvática*: proyectando así el mito del *reptil verde*. El salto cualitativo, pues, se va haciendo *in crescendo*, pero con motivaciones esporádicas que el lector va hilvanando.

Esta mujer que es Bonifacia —luego la Selvática— va transformándose en la imagen (el espejo) de ese *reptil verde* que la ha envenenado. Otro elemento literario que agrega un eslabón onírico a esa imagen de la mujer-reptil (sin ser ella *reptil* mismo, sino su víctima, como explicamos en el capítulo IV de esta obra), está en la proyección mítica del río por donde Fushía y Aquilino viajan. Éste señalará líricamente ese nivel subjetivo, con estas palabras:

—...la Amazonía es *como mujer caliente*, no se está quieta. Aquí todo se mueve, los ríos, los animales, los árboles... [8].

---

[7] *Ibid.*, pág. 96. Subrayado nuestro.
[8] *Ibid.*, pág. 51. Subrayado nuestro.

Hemos señalado en otras citas de anteriores capítulos cómo esas mismas palabras de los personajes producen otras técnicas. Aquí el efecto, agregado por resonancia a lo que dirán Bonifacia y a la descripción de la casa verde, cuajan lentamente la zona fronteriza de la nueva realidad subjetiva, y se va produciendo la intrafusión de lo verosímil-onírico.

La muerte misteriosa de Fushía, que parece evaporarse en el río, añade también una nota de fantasía mágica a la vida de ese personaje extraordinario. Mientras la cruda realidad de su lepra —descrita pero no mencionada— lo corroe, su espíritu se levanta esperanzado y se lanza a una dimensión suprarreal, al gritar una palabra llena de conmoción redentora para él: «Lalita». Entre tanto, mientras queda pensativo en la mujer que pudo atrapar su pensamiento, su cuerpo borbota «exhalaciones pútridas», y en las llagas y la piel «todo es una superficie entre cárdena y violeta, tornasolada»[9].

En la secuencia sobre la rebelión de Jum, el novelista intenta impartirle luminosidades expresionistas a este personaje, hasta transmutar su efigie en símbolo heroico. Veamos los recursos de *salto cualitativo* que utiliza, en las citas siguientes, en donde el subrayado nuestro va evidenciando las zonas fronterizas en la intrafusión de lo verosímil-onírico:

> ...Jum escucha en silencio, los brazos cruzados sobre el pecho desnudo. Dos aspas finas, rojizas, decoran *sus pómulos verdosos* y en su nariz cuadrada hay tatuadas tres barras horizontales, delgadas *como gusanitos*, su expresión es seria, solemne en postura: los urakusas apiñados en el claro están inmóviles y el sol alancea los árboles... Pero Bonino Pérez se acerca a Jum, señala el cuchillo que éste tiene en la cintura... Jum saca

---

9 *Ibid.*, pág. 389.

su cuchillo, lo eleva, *el sol inflama la hoja blanca, disuelve
sus bordes...* muchos sacan cuchillos, los elevan y *el sol los
enciende y los deshace...* [10].

También en *Conversación en la Catedral* el novelista utiliza este recurso técnico, ahora haciendo intervenir el contrapunto dialógico. Aunque en esta modificación no logra
un efecto de *salto* puramente subjetivo —como en *La casa
verde*—, al menos las dos realidades se enfrentan y podemos
captar esporádicas zonas fronterizas. Hay varias escenas en
esta novela en donde la realidad objetiva se diluye en la subjetiva que se va evocando en la conversación. Al principio
de la novela, cuando Santiago se encuentra con Ambrosio
y van al nauseabundo restorán conocido como «La Catedral»,
comienzan a hablar, y de pronto, como por resorte mágico,
sabemos que han pasado cuatro horas. Se despiden, Santiago
regresa a casa donde su mujer, y ya pronto, en el siguiente
capítulo de la novela, estamos de nuevo en la conversación
que había terminado. Este violento zigzagueo de una realidad a otra está trabajada a base de puro contrapunto dialógico. Veamos este diseño esquemáticamente:

REALIDAD CONCRETA	REALIDAD ONÍRICA
—¿Ambrosio? —sonríe, v a c i l a, sonríe—. ¿No eres Ambrosio?... ¿Te has olvidado de mí? —vacila, son- ríe, vacila—. Soy Santiago, el hijo de don Fermín.	
—Parece mentira verlo hecho un hombre —lo palma, lo mira, le son- ríe—. Lo veo y no me lo creo, niño. Claro que lo reconozco, ahora sí. Se parece usted a su papá...	

---

[10] *Ibid.*, págs. 58-59.

—Este trajín me ha dado sed
—dice Santiago. Ven, vamos a tomar algo. ¿Conoces algún sitio por
aquí?

—Conozco el sitio donde como
—dice Ambrosio—. «La Catedral»,
uno de pobres, no sé si le gustará.

—Si tienen cerveza helada me
gustará —dice Santiago—. Vamos,
Ambrosio [11].

... ...

—Yo ya almorcé, pero tú pide
algo de comer —dice Santiago.

—Dos Cristales bien fresquitas
—grita Ambrosio, haciendo bocina
con sus manos—. Una sopa de pescado, pan y menestras con arroz [12].

... ...

No debiste venir, no debiste ha-
blarle, Zavalita, no estás jodido
sino loco. Piensa: la pesadilla va
a volver. Será tu culpa, Zavalita,
pobre papá, pobre viejo [13].

—Qué trabajo tan fregado te has
conseguido, Ambrosio. ¿Hace mucho que estás en la perrera? [14].

... ...

...Se iba, tenía que irse y pide
más cerveza. Estás borracho, Zavalita, ahorita ibas a llorar [15].

El corpulento río de olores parece fragmentarse en ramales de

---

[11] *Conversación en la Catedral,* vol. I, págs. 23-24.
[12] *Ibid.,* pág. 24.
[13] *Loc. cit.*
[14] *Ibid.,* pág. 25.
[15] *Ibid.,* pág. 26.

tabaco, cerveza, piel humana y res-
tos de comida que circulan tibia-
mente por el aire macizo de «La
Catedral»,

[corrido] y de pronto son absor-
bidos por una invencible pestilen-
cia superior: ni tú ni yo teníamos
razón papá, es el olor de la derrota papá [16].

Avanza paso a paso entre las
mesas vacías y las sillas cojas de
«La Catedral», mirando fijamente
el suelo chancroso...
—Estoy un poco mareado, pero
no borracho, el trago no me hace
nada. La cabeza me da vueltas de
tanto pensar [17].

... ...

—Cuatro horas, niño, no sé qué
voy a inventar ahora [18]...
... ...
—Toda la tarde, las cuatro horas
te has sentido mal [19].

Examínense todos estos violentos cambios, pero sobre
todo el de la página 27 —que hemos indicado con una fle-
cha—, en donde el viraje ocurre dentro de la misma secuencia sintagmática.

Los cuarenta años que toman los acontecimientos de *Conversación en la Catedral* están apretadamente encajados en
las cuatro horas de la conversación entre Zavalita y Ambrosio, y los cortes hacia atrás y hacia adelante a cada instante

---

16 *Ibid.*, pág. 27.
17 *Loc. cit.*
18 *Loc. cit.*
19 *Ibid.*, pág. 28.

—y en la misma frase— producen esa prosa eléctrica de que hemos estado hablando desde el primer capítulo de esta obra. En *La casa verde* ocurre lo mismo, aunque la estructuración total —esquema mayor— no está hecha a base de virajes desde un *presente inmóvil* (como en *Conversación en la Catedral*) sino de un presente que se mueve, como el río por donde navega Fushía, y desde donde observamos el pasado en perspectiva retrotraída. Esto es posible en *La casa verde* debido a que los acontecimientos narrados —que toman ocho años— pueden seguir un curso más lineal y cronológico en el esquema mayor.

3. LA ZONA FRONTERIZA

Vargas Llosa nunca logra una realidad onírica total. Se acerca a ella, da vueltas en la frontera subjetiva, pero cuando ésta comienza a entibiarse, a cristalizarse, nos lanza de nuevo con violencia a la realidad concreta y objetiva, diluyéndose un poco la vivencia onírica lograda. Sin embargo, como la vuelta a la dimensión subjetiva viene pronto —aunque volvamos a alejarnos de ella en seguida—, poco a poco se va creando esa nueva vivencia de la yuxtaposición verosímil-onírica que teje en nosotros una zona fronteriza personal: éste es el objetivo del novelista. La creación de esa vivencia de zona fronteriza, no la creación de un mundo onírico completo —como lo logra García Márquez, por ejemplo—, es una original meta estética de Vargas Llosa.

Se le ha achacado a nuestro novelista, como falla, su inmersión preponderante en la realidad sensorial, objetiva y cotidiana, y su poco interés en la zona de la fantasía. Cada escritor tiene sus preferencias, y este derecho nadie puede arrebatárselo. Aunque no se logre un nivel onírico puro, la zona fronteriza que se cuaja, le imprime cierto tinte de ambigüedad a la realidad objetiva que a veces la disuelve para hacerla aparecer de nuevo, volverla a disolver, y así, hasta crear una atmósfera de ilusión [20], que es la intención literaria de esta técnica del *salto cualitativo*, con las modificaciones indicadas, en combinación con las otras técnicas ya mencionadas.

Vargas Llosa es, definitivamente, un escritor de vértebra realista —neorrealista, digamos— y no psicológico u onírico [21]. Esto lo ha repetido él mismo en muchas entrevistas. Cuando el entrevistador de la revista *Imagen*, de Caracas, le preguntó si la ausencia de su país no lograba que la realidad peruana se le escapara, contestó vigorosamente:

> Esto para un escritor de índole fantástica es menos riesgoso que para un escritor como yo, que aspira a ser realista fundamentalmente [22].

En la misma revista ha afirmado que lo que le interesa en sus novelas es más el aspecto verificable, de verosimilitud, de las historias narradas:

> Siempre me ha interesado fundamentalmente contar una historia y he tratado de contarla de la manera más verosímil, más viviente posible [23].

Para Vargas Llosa, esa zona fronteriza de vivencia objetivo-subjetiva en la novela constituye el poder de persuasión, y ya sabemos que, para él, la calidad novelística emana

---

[20] Graciela Mántaras Loedel ha llamado a este logro «clima de magia»: *op. cit.*, pág. 63.

[21] Rosa Boldori, *Mario Vargas Llosa y la literatura en el Perú de hoy*, Santa Fe, Ediciones Colmegna, 1969, págs. 18-35.

[22] M. F., «Conversación con Vargas Llosa», *Imagen*, Caracas, suplemento núm. 6, agosto 1-15, 1967.

[23] *Loc. cit.*

de ese poder [24]. A pesar de que otros escritores hayan trabajado estos procedimientos estilísticos antes que Vargas Llosa —véase el caso de Eleodoro Vargas Vicuña citado por Luchting— [25], esa cristalización de la zona fronteriza en la intrafusión de lo verosímil-onírico es única y ejemplar en Mario Vargas Llosa.

Cierto es que la dimensión onírica no cuaja con vigorosa fuerza dramática, pero el problema es que este novelista no desea que cuaje, pues sus objetivos estéticos en su narrativa son otros —o sea los de zona fronteriza—. Como hemos dicho ya en los primeros capítulos de esta obra, tampoco está muy interesado Vargas Llosa en una completa dimensión surrealista, y mucho menos en una que sea metafísica. Y en cuanto a la dimensión mística no le interesa. Tales son sus preferencias y sus rechazos. Con las dimensiones que ha escogido y laborado, Vargas Llosa ha creado una novelística brutalmente nueva, recia, absorbente, de originales modificaciones técnicas, de reverberante riqueza estilística.

---

[24] M. Vargas Llosa, «The Latin American novel today», *Books Abroad*, vol. 44, núm. 1, invierno de 1970, pág. 15.

[25] Wolfgang A. Luchting, «Recent Peruvian Fiction: Vargas Llosa, Ribeyro, and Arguedas», *Research Studies*, Washington State University, vol. 35, núm. 4, diciembre de 1967, pág. 277.

CAPÍTULO X

OTROS PROCEDIMIENTOS ESTILÍSTICOS

En sus reflexiones sobre los tres procedimientos que hemos estudiado en los últimos capítulos ha señalado Vargas Llosa que aquéllos son el núcleo de toda técnica novelística. Sus propias palabras al efecto dicen así:

> Pienso que dentro de estos tres procedimientos [se refiere a los *vasos comunicantes*, las *cajas chinas* y el *salto cualitativo*], dentro de estas tres técnicas se halla gran parte de los procedimientos y de las técnicas de la novela, y que en realidad los novelistas al buscar las técnicas que más convienen a lo que queremos decir no introducimos sino variaciones en estas tres grandes formas que aparecen ya en los comienzos del género novelístico [1].

Esas *variaciones* a que él se refiere son, en gran medida, las que hemos señalado en las alteraciones, modificaciones y cuñas que ha introducido a los patrones tradicionales de las tres técnicas examinadas en los capítulos VII, VIII y IX de esta obra. Sin embargo, existen otros recursos estilísticos, ajenos a las tres técnicas ya estudiadas, y ajenos también al barroquismo estructural tan hábilmente maneja-

---

[1] M. Vargas Llosa, *La novela*, 1969, pág. 28.

do por nuestro autor, y que también agregan su fuerza y su belleza al estilo global de su novelística. Esos *otros procedimientos estilísticos* en la narrativa vargasllosiana, y que concentran mayormente en el manejo del material léxico-tropológico, serán motivo de examen en el presente capítulo, último de esta obra.

1. LA REVOLUCIÓN LÉXICA

Ha apuntado Benedetti que Vargas Llosa, dando la espalda a los procedimientos lingüísticos tradicionales, ha producido no sólo un escándalo en las formas sintácticas convencionales, que de por sí ya es un escándalo antirretórico y antiacadémico, sino que ha creado un «escándalo verbal» en donde las «palabras operan por sí mismas», y además, de remate, «ha inventado un sistema merced al cual lleva aquí también su inmersión (más que su compromiso) social hasta la gramática, *a la que hace estallar en varios órdenes...*»[2]. Hemos visto cómo esto es cierto en sus construcciones sintácticas, así como en las estructuras globales de sus obras. Lo es también, sin lugar a duda, en el manejo del léxico, que queda renovado, vitalizado y transmutado en nuevo cuño en la narrativa vargasllosiana. Examinemos algunos de estos procedimientos estilísticos con el léxico, que nuestro novelista hace casi constantemente en sus obras. En general, nuestros análisis de esos procedimientos del vocabulario, nos han convencido de que Vargas Llosa ha logrado una revolución léxica en su narrativa que va a la par con la revolución tropológica, sintáctica y estructural. Su revolución léxica se extiende mayormente a los juegos morfológicos, fonéticos, fonológicos, semánticos, eufónicos.

---

[2] M. Benedetti, *Letras del continente mestizo*, 1969, págs. 246-247 y 256. Subrayado nuestro.

En sus «juegos semánticos» se encuentran metasemias, lítotes, hipóstasis, elementos asemánticos, plurisemias, etc. La carga psíquica del vocablo *perro* en la novelística de Vargas Llosa es riquísima. En *Conversación en la Catedral* se encuentran varias acepciones, desde la afectividad satírico-caricaturesca hasta un expresionismo hiriente, bilioso:

—Si le ha pasado algo a mi *perro* la cosa no se va a quedar así[3]...

... ...

—¿Recogieron a su *perrito* hace un par de horas?[4]...

... ...

Encontraron un burro tumbado en el camino, les ladraron *perros* invisibles[5]...

... ...

Se daba cuenta de las charcas..., de los *perros* tan flacos, y se asombraba[6]...

... ...

—...no hay palabras para decir qué eres, cojo. ¿Los *perros*, se las comieron los *perros*?

—Unos *perrazos* enormes, señor... Los *perros*, carajo, se las comieron los *perros*[7].

... ...

—Hace un mes que el *perro* de Bermúdez nos tiene rodeada la casa[8].

... ...

—Tendrá un humor de *perro*, pero se bate como un león por sus redactores[9].

---

[3] *Conversación en la Catedral*, vol. I, pág. 19.
[4] *Loc. cit.*
[5] *Ibid.*, pág. 147.
[6] *Ibid.*, pág. 310.
[7] *Ibid.*, págs. 314-315.
[8] *Ibid.*, pág. 333.
[9] *Ibid.*, vol. II, pág. 17.

En *La ciudad y los perros* ya sabemos la fuerza semántica del vocablo *perro*. Desde el título de la obra en que *perro* se hace sinónimo de *cadete*, hasta una infinidad de connotaciones plurisémicas:

> No lo asustan la indignación de los *perros*, el malhumor de lós cadetes de cuarto [10]...
>
> ¡Los *perros* forman en dos minutos y medio! [11]...

Sabemos también cómo el término *verde* en *La casa verde* está preñado semánticamente de acepciones y connotaciones calidoscópicas:

> ...*verdoso* sol [12], llamitas *verdes* [13], baba *verdosa* [14], pómulos *verdosos* [15], ojos *verdes* y asustados [16], nubecillas *verdes* [17], cuerpos *verdes* [18], ojos *verdes* anhelantes [19], cielo *verde* [20]...

Ciertos juegos eufónicos asemánticos, pero de fuerte inyección afectiva, ya onomatopéyica, ya meramente tonal, aparecen en *Los cachorros* y en *Conversación en la Catedral*:

> ...y en su jaula Judas se volvía loco, *guau*, paraba el rabo, *guau*, *guau*, les mostraba los colmillos, *guau*, *guau*, *guau*, tiraba saltos mortales, *guau*, *guau*, *guau*, *guau*... Cuéllar sacaba su puñalito y *chas chas* lo sonaba, deslonjaba y *enterraaaaaauuuu*, mirando al cielo, *uuuuuuaaauuuu*: ¿qué tal gritaba Tarzán? [21].

---

[10] *La ciudad y los perros*, pág. 35.
[11] *Ibid.*, pág. 38.
[12] *La casa verde*, pág. 9.
[13] *Ibid.*, pág. 47.
[14] *Ibid.*, pág. 53.
[15] *Ibid.*, pág. 58.
[16] *Ibid.*, pág. 88.
[17] *Ibid.*, pág. 93.
[18] *Ibid.*, pág. 139.
[19] *Ibid.*, pág. 233.
[20] *Ibid.*, pág. 372.
[21] *Los cachorros*, pág. 55.

...Y después seguían bajando por la Diagonal, ...un semáforo, *shhp* chupando *shhhp* y saltando [22]...

...se reía, ...viva el jovencito *pam pam*, el Águila Enmascarada *chas chas* [23]...

...a que no hermano, y el *vssst* por el Malecón *vssst* desde Benavides hasta la Quebrada *vsssst* en dos minutos cincuenta [24]...

...y con su Ford *ffffum* embestía a la gente *ffffum* que chillaba y saltaba las barreras, aterrada, *ffffum* [25].

La onomatopeya sigue jugando sus eufonías para reproducir el tartamudeo de Cuéllar:

...y de pronto, Pichulita, *ssssí* le *ggggustabbbban*, comenzaba, las *chicccas desenttttes* [*sic*]... *sssólo qqqque* la *flaccca* Gamio *nno*, ellas ya te muñequeaste y él *addddemás* no *habbbía* tiempo por los *exámmmenes* [26]...

...¿ya no le importaba? y él *qqqué* le *ibbba* a importar y ellos ¿ya no la quería?, *qqqué* la *ibbba* a *qqqquerrer* [27].

También encontramos estos procedimientos en *Conversación en la Catedral*:

...o sea *qqque* también patrulleros, o sea que la *cccaballería escondddida* en unos garajes y *cccanchones*... diciendo *cccomiquísimo*, don... O sea que... sólo *cccachiporras* y otras armas *cccontundentes* [28].

---

[22] *Ibid.*, pág. 56.
[23] *Ibid.*, pág. 61.
[24] *Ibid.*, págs. 77-78.
[25] *Ibid.*, págs. 85-86.
[26] *Ibid.*, págs. 82-83.
[27] *Ibid.*, pág. 102.
[28] *Conversación en la Catedral*, vol. I, págs. 276-277.

...Quítese, que la soltaran, una voz ahogada... y de pronto *chist*, empujones y grititos, y Santiago *chist*, y Popeye *chist*: la puerta de calle, *chist* [29]...

...*Ajá, ajá,* le señalaba la barriga, *ajá, ajá* [30].

Otros interesantes casos de onomatopeyas pueden examinarse en *La casa verde*, en las páginas 48, 173, 254, 261 y 366. Muchos de estos juegos eufónicos, con repeticiones de palabras y frases, y aun con interjecciones, conllevan profunda ironía y amargura unas veces, enfoque dramático otras. En *Conversación en la Catedral* y *La casa verde*, tenemos varios ejemplos:

a) *Epímone*:

Todavía estaba con su cadena, no tenían derecho, qué tal concha, pero el calvo *calma, calma,* iba a hacer que se lo saquen [31]...

...y el Sargento parecía enardecido, *chinita, chinita* [32]...

b) *Epanalepsis*:

Era él, era él. Cumpa, le da un codazo Pancras [33]...

Menos mal, menos mal. Venía hacia él [34]...

c) *Alternancia*:

—¿Ambrosio? —*sonríe, vacila, sonríe*—...

—¿Te has olvidado de mí? —*vacila, sonríe, vacila* [35]...

d) *Epífora*:

Santiago había corrido a la ventana y él no podía moverse: *la Teté, la Teté* [36].

---

29 *Ibid.,* pág. 49.
30 *Ibid.,* pág. 98.
31 *Ibid.,* pág. 20.
32 *La casa verde,* pág. 175.
33 *Conversación en la Catedral,* vol. I, pág. 21.
34 *Ibid.,* pág. 360.
35 *Ibid.,* pág. 23.
36 *Ibid.,* pág. 50.

e) *Anáfora*:

   O sea que había guardia de asalto..., *o sea* qqque también patrulleros, *o sea* que la cccaballería [37]...

f) *Ecolalia y Aglutinación combinadas (univerbaciones)*:

   Y el intérprete: ¡*cabodelgado, diablo*! ¡*Diablo capitanartemio*! [38].

g) *Epanadiplosis*:

   ...*llueve*, día y noche *llueve* [39].

h) *Otras aglutinaciones*:

   Y el intérprete: la *putesumadre*, mi cabo, *escabinodiablo* [40]...

   Jum agita las manos... Y el intérprete: robando carajo, *urakusajebe*, muchacha, *soldadomireátegui*, mi cabo [41]...

   Y *boninopérez* y *teofilocañas*, no entiende [42].

   [*Aglutinación con tono jitanjafórico*]:

   ¡Tápale el pico, *jijunagrandísima*! [43].
   ...Quién sería... un *conchesumadre* de ésos [44].

i) *Tautofonía*:

   Y *ayayay* si alguien habla mal [45]...

j) *Paronomasia*:

   Habla y Ambrosio *habla* [46]...

---

[37] *Ibid.*, pág. 276.
[38] *La casa verde*, pág. 197.
[39] *Ibid.*, pág. 104.
[40] *Ibid.*, pág. 198.
[41] *Ibid.*, pág. 199.
[42] *Ibid.*, pág. 201.
[43] *La ciudad y los perros*, pág. 33.
[44] *Conversación en la Catedral*, vol. II, pág. 166.
[45] *La casa verde*, pág. 127.
[46] *Conversación en la Catedral*, vol. I, pág. 25.

Todos esos juegos eufónicos con aliteraciones consonánticas (en algunos casos), interjecciones encadenadas, musicalización tónica, repeticiones rítmicas, etc., contrastan con otros juegos léxicos de carga menos estética, pero no menos vigorosa, por su fuerza psicológica y reciamente expresionista. Muchos de estos procedimientos resultan ser más bien juegos léxicos psicolingüísticos, algunos de atmósfera expresamente antisocial.

Comenzaríamos por señalar cómo Vargas Llosa ha revalorado estilísticamente el tabú verbo *joder* y su adjetivo *jodido*, imprimiéndole fuerza literaria, y alejándolo por tanto de su vulgar connotación pornográfica:

> Santiago ve sus zapatones enormes: enfangados, retorcidos, *jodidos* por el tiempo [47]...

> Y en este país el que no se *jode*, *jode* a los demás... [Este ejemplo también presenta un caso de ecolalia modificada.] [48]

> ...te advierto que te *jode*, mostacero [49].

> ...en la revista de prendas de mañana estoy *jodido* [50].

Los feísmos abundan en la narrativa de Vargas Llosa, con toda la fuerza brutal y desnuda de la lengua oral, en vigorosos tonos naturalistas y muchas veces con ecos de agudo expresionismo: mierda, orinar, vómito, puta, puterío, carajo, pendejo, maricones, mocos, trasero, culo, pinga, cojudo, caca, pipí, tetas, «paja» [masturbación], chancroso, diarrea, cagar, menstruación, etc. El uso de la palabra *pichula* (tabú en el Perú) es permanente en *Los cachorros*, y aparece algunas veces en las otras obras («...historias que engordan la *pi-*

---

[47] *Ibid.*, pág. 26.
[48] *Ibid.*, pág. 166.
[49] *Ibid.*, pág. 283.
[50] *La ciudad y los perros*, pág. 20.

chula», *La ciudad y los perros*, pág. 32). Citaremos un ejemplo de un naturalismo hiperbólico, pero inyectado de vigor vital, con el uso de feísmos:

> —La peor hija de puta que parió jamás una puta —primero una pericia con aires de gran señora, Carlitos, después una viejecita asustada, y cuando oyó nombrar a la Paqueta, una pantera—. La que se crió haciendo gárgaras con la menstruación de su madre [51].

Los frecuentes contrastes nominales y adjetivales denotan también la expresión del binomio temático-estructural de la narrativa vargasllosiana. Constantes referencias antitéticas a *luz-sombra, claridad-penumbra, limpio-sucio, frío-calor,* y otras, muestran esa característica. Algunas de estas frases son puras antítesis: «...se secan las caras, se frotan las manos» [52]. Los aumentativos con su carga grotesca, satírica, o violenta, refuerzan la dimensión vertical de reciedumbre, tensión, virilidad: *notición, matón, portazo, patadón, manaza, Pichulaza, manotones.* En cambio, los diminutivos van recargados de ternura o ironía, y abundan ricamente en la obra de Vargas Llosa muchísimo más que los aumentativos. La dimensión horizontal de penetración interior del diminutivo vargasllosiano se advierte generalmente cuando el novelista los contrasta con los aumentativos. Hay un pasaje en *Conversación en la Catedral* que muestra esto con suma evidencia:

> [*Diminutivos primero:*]
>
> ...Queta sentía los *deditos* rápidos, mojados, pegajosos, cosquilleándole los senos...
>
> —Qué poco alegre está el señor *malcriadito*... ...Queta sintió que la fría *manita* huesuda la atraía... Luego, la *manita* la alejó... Quién sería, *Quetita*...

---

[51] *Conversación en la Catedral*, vol. II, pág. 27.

[52] *Ibid.*, vol. I, pág. 21.

—Un *poquito* más cariñosas —susurró él... Malvina lanzó
una *risita* aguda... y comenzó a decir en voz alta ricura, *ma-
macita* [53]...

[*Aumentativos inmediatos*:]

Pero no hubo choque, sólo un *portazo*, después de la frenada... como si la hubieran abierto de un *patadón*... una *manaza*
adherida al picaporte [54]...

Otros diminutivos son dignos de mención, por su original
carga afectiva y su especial presentación estilística. Veamos
algunos: *viejita* [y *viejecita*], *madrecita* [*mamita* y *mama-
cita*], *ojitos* arrugados, la *semanita* pasada, con un *tonito*
de burla, *enfermita*, una *palmadita* en el hombro, una *cor-
batita* de motas rojas, esos *trabajitos* extras, las *estrellitas*
de sus dientes, *risita* desafiante [*risita* disgustada], *sonrisita*
extrañada [*sonrisita* intrigada], *calorcito*, *cuevita* ideal, el
departamentito, dos *añitos* y pico, *Pichulita*, la punta del
dedito, *taconcito* blanco, *perrito* faldero, una *risita* para creer-
te, y aparecían algunas *pequitas*, ciertas *arruguitas*.

De vez en cuando nos tropezamos con superlativos hiper-
bólicos que no dejan de tener sus vetas de humorismo. Generalmente son casos de hipercaracterización, moteados a
veces de disfemismos, cuando no de eufemismos: chiste
chistosísimo [que a la vez recoge un fenómeno de alitera-
ción], *buenísima*, *felicísimos*, *tristísimos*, *durísimo*.

La adjetivación lírico-vigorosa de esta narrativa, y su en-
tronque con su fuerza verbal, le imantan a la prosa vargasllosiana una vibración tan hondamente hispanoamericana,
tan de sabor latino —ternura y fortaleza aunadas—, que está
muy lejos de ese poliglotismo que Luchting ha señalado en

---

[53] *Ibid.*, vol. II, págs. 165-166.
[54] *Ibid.*, pág. 166.

algunos novelistas actuales [55]. Veamos algunos ejemplos relevantes:

...garabatea unas líneas de letra arrodillada y avara [56].

...rostros chamuscados, pómulos salientes, ojos adormecidos por la rutina o la indolencia vagabundean entre las mesas, forman racimos junto al mostrador [57]...

...y mientras habla, recuerda, sueña o piensa, observa el círculo de espuma salpicado de cráteres, bocas que silenciosamente se abren vomitando burbujas rubias [58]...

...las bolsas de sus párpados son azuladas, las ventanillas de su nariz laten como si hubiera corrido, como si se ahogara [59].

...Avanza... mirando fijamente el suelo chancroso [60].

...era un olor hospitalario [61].

...Asexuada, fraternal, la amistad parecía también eterna [62].

...sus vidriosos ojos errantes [63].

...su cara flaca y huesuda, su boca hastiada, sus minuciosos ojos helados [64].

[Infinitivos encadenados]: Todos los poros a sudar, piensa, todos los huesos a crujir. No perder ni un gesto, ni una sílaba, no moverse, no respirar [65]...

---

[55] W. A. Luchting, «Crítica paralela: Vargas Llosa y Ribeyro», *Mundo Nuevo*, núm. 11, mayo de 1967, pág. 22.
[56] *Conversación en la Catedral*, vol. I, pág. 22.
[57] *Ibid.*, pág. 25.
[58] *Loc. cit.*
[59] *Loc. cit.*
[60] *Ibid.*, pág. 27.
[61] *Ibid.*, pág. 221.
[62] *Ibid.*, pág. 109.
[63] *Ibid.*, vol. II, pág. 50.
[64] *Ibid.*, pág. 164.
[65] *Ibid.*, pág. 32.

...y el Sargento parecía enardecido... *carajeaba* [verbo original] apretando los dientes [66]...

...el viento era puro fuego, chicoteaba duro [67].

...después de la frenada seca y silbante [68].

...Atravesado en la columna de luz, surge un rostro lánguido, una piel suave y lampiña, unos ojos entrecerrados que miran con timidez [69].

Toda esta riqueza léxica queda determinada diagonalmente por la dimensión realista de la lengua oral, que Vargas Llosa incrusta al corazón de su prosa: localismos, anglicismos, neologismos, retruécanos, arcaísmos, además de los ya mencionados feísmos y otros recursos de habla popular, la jerga y el argot rufianescos y la terminología típica de los adolescentes de nuestra América: *okey*, pases de *basquet*, empezaba el *show*, *blue jeans* ajustados, su carro andaba siempre repleto de *rocanroleros*, tomaron *lonche*, no me daba *chance*.

Muchos juegos léxicos están entrecruzados con juegos morfosintácticos de atrevidos procedimientos revolucionarios:

> Todavía llevaban pantalón corto ese año, aún no fumábamos... preferían el fútbol y estábamos aprendiendo a correr olas, a zambullirnos... [El mismo sujeto «ellos», «nosotros», para los dos verbos.] [70]

> Ese año, cuando Cuéllar entró al Colegio Champagnat. [Sujeto sin verbo.] [71]

---

[66] *La casa verde*, pág. 175. Subrayado nuestro.
[67] *Ibid.*, pág. 77.
[68] *Conversación en la Catedral*, vol. II, pág. 166.
[69] *La ciudad y los perros*, pág. 22.
[70] *Los cachorros*, pág. 53.
[71] *Loc. cit.*

Y, además, buen compañero. [Verbo implícito.][72].

Un cementerio, el corazón no engañaba, tenían razón los mangaches. [Sujeto sin verbo.][73]

En cambio, los verbos que expresan el diálogo en esta narrativa son pocos, reducidísimos. Vargas Llosa prefiere el verbo *decir* para utilizarlo cada vez que habla un personaje. Apenas caracteriza con el verbo dialógico la modulación o la inferencia psicológica. Constantemente leemos: *dijo, dijo, dijo,* y no «apuntó», «exclamó», «murmuró», «exhaló», etc. Sin embargo, ese continuo uso del *dijo* —con algunas excepciones: *gruñó, gritó, rugía,* etc.— no le imparte ninguna clase de monotonía a su narrativa, ya que las entonaciones eufónicas de cada personaje, sus insinuaciones y el particular uso de la lengua de cada uno de los hablantes, se encargan de indicar las sugestivas modulaciones que faltan en el verbo dialógico «dijo».

2. REVOLUCIÓN TROPOLÓGICA
Y EXPRESIONISMO VERTIGINOSO

Paralelo al desarrollo léxico extraordinario que hemos examinado en el anterior apartado, encontramos en la narrativa de Vargas Llosa una revolución tropológica no menos importante, montada en una prosa de vertiginoso expresionismo. Sus imágenes sensoriales —en las que predominan las sonoras y visuales—, sus metáforas, símiles y otros tropos, señala un afincamiento expresionista de médula lírica.

Imágenes sonoro-visuales encontramos con pasmosa frecuencia. Siempre sugestivas, algunas contienen tonalidades sinestésicas:

---

[72] *Ibid.,* pág. 54.
[73] *La casa verde,* pág. 10.

...una escuadrilla de alas verdes, picos negros y pecheras azules revolotea sonoramente [74]...

...El sol es crudo, vertical, de un amarillo casi blanco [75].

...lanza un chorro de sonidos crujientes, toscos y silbantes [76].

...sobre el bosque se amontona otro bosque de nubes blancas y coposas [77]...

...La atmósfera hervía de olores tibios y contrarios [78]...

...El cielo ardía de estrellas, algunas grandes y de luz soberbia, otras como llamitas de fósforos [79].

...una tormenta de sonidos ahoga la voz de la Madre Angélica [80].

...tras la cascada de cabellos surgen dos luces breves [81]...

...el río era una plancha inmóvil, metálica [82].

...el sol está ya alto y sus lenguas amarillas derriten los trazos de huiro y de achiote de los cuerpos desnudos [83].

...los dos ríos de cabellos que encuadraban su cuerpo hasta la cintura [84].

...en el aire el lento diluvio de la arena [85]...

...y el motor ronca cada vez más fuerte, envenena el aire de hipos, gárgaras, vibraciones y sacudimientos [86]...

---

[74] *Ibid.*, pág. 11.
[75] *Ibid.*, pág. 382.
[76] *Ibid.*, pág. 14.
[77] *Ibid.*, pág. 15.
[78] *Ibid.*, pág. 61.
[79] *Loc. cit.*
[80] *Ibid.*, pág. 18.
[81] *Ibid.*, pág. 68.
[82] *Ibid.*, pág. 125.
[83] *Ibid.*, pág. 299.
[84] *Ibid.*, pág. 319.
[85] *Ibid.*, pág. 322.
[86] *Ibid.*, pág. 21.

...La mujer abrió una ventana, entró una lengua de sol [87].

...Una aguja hincaba su cerebro, su martillo golpeaba sus sienes [88].

...Una onda de risas apagadas estremece el batallón [89].

...los boquetes oscuros comenzaban a escupir una masa verdosa de cadetes [90]...

...Un río de automóviles anega la avenida [91].

...su garganta es un trozo de hielo [92].

Los símiles compiten con las metáforas en la expresión lírica a la vez retorcidamente enérgica:

...enrojece como un camarón [93].

...asentía la Madre Angélica, con movimientos de cabeza cortos, idénticos, muy rápidos, como una gallina picoteando granos [94].

...una habitación larga, angosta, honda como un pozo [95]...

...comerciantes y placeras se doblaban a su paso como cañas al viento [96].

...El sol... aleteando entre los árboles como un ave rojiza [97].

...y sus cabellos sueltos que ondulaban... como un manto yagua de finísimas hebras [98].

---

[87] *Conversación en la Catedral*, vol. I, pág. 54.
[88] *Ibid.*, pág. 220.
[89] *La ciudad y los perros*, pág. 38.
[90] *Ibid.*, pág. 156.
[91] *Ibid.*, pág. 238.
[92] *Ibid.*, pág. 239.
[93] *La casa verde*, pág. 10.
[94] *Ibid.*, pág. 94.
[95] *Ibid.*, pág. 43.
[96] *Ibid.*, pág. 102.
[97] *Ibid.*, pág. 125.
[98] *Ibid.*, pág. 172.

...siente sus brazos en tu cuello como un collar vivo [99]...

...las volutas de humo rompían contra su cara como olas contra rocas pardas [100].

...vio su silueta en el umbral, vacilando como una llama [101].

...esperando que las luces de la ciudad surgieran de improviso, como una procesión de antorchas [102].

...sus pupilas como dos estrellas moribundas [103].

...pero las blasfemias y juramentos prevalecen sobre cualquier otro ruido, como lenguas de fuego entre el humo [104].

...el silencio, instantáneo como una cuchillada [105].

...La voz que llegaba ahora hasta sus oídos como una fina cascada era también la voz de su niñez [106].

...sombras que parecen arañas [107].

...y los cadetes volverían de las aulas como un río que crece, ruge y se desborda [108]...

Personificaciones metaforizadas, muchas de ellas con elementos de la naturaleza, salpican la narración con cierta iridiscencia de un lirismo espasmódico:

...Y en eso brota un cacareo y un matorral escupe a una gallina [109]...

---

[99] *Ibid.*, pág. 347.
[100] *Conversación en la Catedral,* vol. I, pág. 67.
[101] *Ibid.*, pág. 360.
[102] *La ciudad y los perros,* pág. 15.
[103] *Ibid.;* pág. 19.
[104] *Ibid.*, pág. 36.
[105] *Ibid.*, pág. 38.
[106] *Ibid.*, pág. 104.
[107] *Ibid.*, pág. 241.
[108] *Ibid.*, pág. 296.
[109] *La casa verde,* pág. 11.

...El lodo devora allí la yerba salvaje y circunda charcos de agua hedionda que hierven de renacuajos y de lombrices [110].

...El sol agoniza a lo lejos [111]...

...el sol alegraba los techos [112]...

En la prosa eléctrica, candente, de la narrativa de Vargas Llosa, la pregunta retórica está integrada al diálogo-monólogo dentro de sintagmas líricos, alimentándolos con resortes de vitalidad medular. Estos erotemas, burilados dramáticamente, estimulan el *crescendo* afectivo de las secuencias temáticas:

...Y Lalita ¿también le traería esta vez?, ¿collares?, ¿pulseras?, ¿plumas?, ¿flores?, ¿la quería?, y ella si el patrón supiera y él aunque supiera, ¿en las noches pensaría en ella?... ¿era granujienta?... ¿soñaba con ella?, ¿quería tocarla?, ¿abrazarla?, desnúdate, métete a mi hamaca, ¿que ella lo besara?, ¿en la boca?, ¿en la espalda? [113]...

...mira esa llamarada en su rostro: ¿comprende?, ¿apúrate?, ¿que no nos vean?, ¿vámonos?, ¿quiero irme contigo? tú Toñita, Toñita, ¿te das cuenta a dónde vamos, para qué vamos, qué somos? [114]...

Esta prosa expresionista, pero atravesada por cuerdas de una poesía casi líquida, zigzaguea en un flujo y reflujo de coordenadas machihembras: a la tonalidad viril de brutal crudeza corre paralela una sonora delicadeza de arpa que le da un eco de sordina. Por un lado, Rosa Boldori señala un «lenguaje duro y procaz» [115] en Vargas Llosa, y por otro

---

[110] *Ibid.*, pág. 26.
[111] *Ibid.*, pág. 125.
[112] *Conversación en la Catedral*, vol. I, pág. 220.
[113] *La casa verde*, pág. 287.
[114] *Ibid.*, pág. 347.
[115] Rosa Boldori, *Mario Vargas Llosa y la literatura en el Perú de hoy*, 1969, pág. 72.

Esperanza Figueroa Amaral apunta sus «delicadezas de encaje» [116]. Las dos tienen razón: sus observaciones no se contradicen, se complementan, pues no cabe duda que es en ese «juego del idioma» [117] —como añade esta última escritora— donde reside el íntimo proceso de la prosa narrativa vargasllosiana. A tal grado es así que se le ha comparado con el Neruda de *Macchu Picchu* [118].

Esta prosa vibrante, cuajada de ese «fértil y ejemplar escándalo» de que habla Benedetti [119], es una palpitación viva del flujo y reflujo de polaridades poéticas, como hemos ya señalado. Flujo y reflujo que cimbrea su vaivén en los esquemas sintagmáticos, en el contrapunto sintáctico, en las secuencias estructurales, en los monólogos-diálogos de los personajes, en los juegos léxico-tropológicos. Contraposiciones que son interfusiones, antinomios que son integraciones, polaridades que son unidades. Todo cuaja en un orden lírico redondo, ajustado célula por célula a la temática. Como afirma Andrés Amorós, «no queda, al final, ningún cabo suelto» [120].

Es, indudablemente, en las descripciones, sobre todo de la naturaleza, en donde el nervio lírico vargasllosiano rinde más vibración. El resultado de esa combinación de las descripciones con las narraciones dialógicas producen escenas que son como una especie de aguafuertes, y a veces *gouachés* transparentes. Todo en ellas se ve y nada en particular se proyecta. Hay una empatía escénica que arrastra al lector. Esa habilidad tonal y pictórica, sonora y afectiva, es la cau-

---

[116] Esperanza Figueroa Amaral, «*La casa verde*, de Mario Vargas Llosa», *Revista Iberoamericana*, núm. 65, enero-abril de 1968, pág. 113.

[117] *Ibid.*, pág. 114.

[118] *Loc cit.*

[119] M. Benedetti, *op. cit.*, pág. 246.

[120] Andrés Amorós, *Introducción a la novela contemporánea*, 1966, pág. 187.

sa de la unidad de esas escenas vargasllosianas. Por esto la fuerza expresionista de sus descripciones es siempre, definitivamente siempre, de iridiscencias líricas. Examinemos algunos pasajes de este doble aspecto —unido o separado— de lo lírico-expresionista:

...anochecía rápido: detrás del encrespamiento de ramas y hojas de la ventana, el cielo era una constelación de formas sombrías y de chispas [121].

...mira al Sargento de soslayo, luego al cielo y ahora la vieja abraza a las chiquillas, las incrusta contra sus senos largos y chorreados [122]...

...la Amazonía es como una mujer caliente, no se está quieta. Aquí todo se mueve, los ríos, los animales, los árboles [123].

...Don Anselmo había engordado, se vestía con exceso chillón: sombrero de paja blanda, bufanda de seda, camisas de hilo, correa con incrustaciones, pantalones ajustados, botas de tacón alto y espuelas. Sus manos hervían de sortijas [124].

...La noche estaba fresca y clara, en la arena se dibujaban de trecho en trecho los perfiles retorcidos de los algarrobos [125].

...La luna, muy alta, iluminaba la terraza y en el cielo y el río había muchas estrellas; tras el bosque, suave valla de sombras, los contrafuertes de la Cordillera eran unas moles violáceas. Al pie de la cabaña, entre los juncos y los helechos, chapoteaban las ranas y, en el interior, se oía la voz de Lalita, el chisporroteo del fogón [126].

...En lo alto, contra un cielo añil, se mecían los penachos de las punas y la luna blanqueaba la trocha [127]...

---

[121] *La casa verde*, pág. 45.
[122] *Ibid.*, pág. 18.
[123] *Ibid.*, pág. 51.
[124] *Ibid.*, pág. 101.
[125] *Ibid.*, pág. 142.
[126] *Ibid.*, pág. 145.
[127] *Ibid.*, pág. 153.

...La medicina olía a meados y a vómitos, Juana esperó tapándose la nariz que la piel se secara [128].

...Sus axilas eran dos matas negruzcas, apelmazadas, y tenía muy largas uñas de manos y pies [129].

...El patrón y Nieves entran a la cabaña y en el suelo, entre dos hombres arrodillados, hay unas piernas cortas y arrugadas, un sexo oculto por un estuche de madera, un vientre, un torso enclenque y lampiño de costillas que marcan la piel terrosa [130].

...ese maldito calor que embrutecía a la gente. Por los postigos se filtraban prismas de luz acribillados de partículas y de insectos, y afuera todo parecía silencioso y deshabitado como si el sol hubiera disuelto a los churres y a los perros callejeros con sus áridos blancos [131].

...y tiene el rostro empapado de mocos, babas y lágrimas [132].

...una pequeña luna amarilla y redonda vagaba nerviosamente sobre jarras de greda, mazorcas, ollas, un balde de agua [133]...

...Apoya el mentón en el puño, una arruga cavilosa vetea su frente y la barba crecida da a sus mejillas un aspecto de cosa gastada y sucia [134].

...la luna alumbra la fachada... el otro sector de la Misión es una aglomeración de sombras húmedas. El muro de ladrillos se recorta, impreciso, bajo la arcada opaca de lianas y de ramas [135].

...Salen de nuevo al descampado. Tierra removida, hierbajos, excrementos, charcas pestilentes [136].

---

[128] *Ibid.,* pág. 160.
[129] *Ibid.,* pág. 259.
[130] *Ibid.,* pág. 303.
[131] *Ibid.,* pág. 324.
[132] *Ibid.,* pág. 424.
[133] *Ibid.,* pág. 174.
[134] *Ibid.,* pág. 410.
[135] *Ibid.,* pág. 86.
[136] *Conversación en la catedral,* vol. I, pág. 20.

...Era mediodía, el sol caía verticalmente sobre la arena, un gallinazo de ojos sangrientos y negro plumaje sobrevolaba las dunas inmóviles, descendía en círculos cerrados, las alas plegadas, el pico dispuesto, un leve temblor centelleante en el desierto [137].

Esta prosa de ecos narrativos y de sablazos pictórico-musicales, es doblemente, como hemos indicado antes, de vertiginoso expresionismo y de un lirismo en vértigos. Ha sido descrita por Jorge Campos como de «grandes brochazos descriptivos» [138]. Es en esa medular energía expresionista donde Vargas Llosa arroja toda su *weltanschauung* [139]. Dos párrafos que pudieran ilustrar esto son los siguientes, tomados de *Conversación en la Catedral* y *La casa verde* respectivamente:

Huele a sudor, ají y cebolla, a orines y basura acumulada, y la música de la radiola se mezcla a la voz plural, a rugidos de motores y bocinazos, y llega a los oídos deformada y espesa. Rostros chamuscados, pómulos salientes, ojos adormecidos por la rutina o la indolencia vagabundean entre las mesas, forman racimos junto al mostrador, obstruyen la entrada. Ambrosio acepta el cigarrillo que Santiago le ofrece, fuma, arroja el pucho al suelo y lo entierra con el pie. Sorbe la sopa ruidosamente, mordisquea los trozos de pescado, coge los huesos y los chupa y deja brillantes, escuchando o respondiendo o preguntando, y engulle pedacitos de pan, apura largos tragos de cerveza y se limpia con la mano el sudor: el tiempo se lo tragaba a uno sin darse cuenta, niño [140].

... ...

[137] *Ibid.*, pág. 130.
[138] Jorge Campos, «*Conversación en la Catedral*», *Nueva Narrativa Hispanoamericana*, vol. I, núm. 1, enero de 1971, pág. 143.
[139] Cf. Ulrich Weisstein, «Expressionism: style or *weltanschauung*», *Criticism*, Wayne State University Press, vol. IX, núm. 1, invierno de 1967, pág. 50.
[140] *Conversación en la Catedral*, vol. I, pág. 25.

Trata de ver: los cadáveres, los borbotones de sangre, las heridas, los gusanos y entonces doctor Zevallos cuénteme de nuevo, no puede ser, es tan terrible, ¿ya estaría desmayada?, ¿cómo fue que vivió? Trata de adivinar: primero círculos aéreos, negruzcos entre las dunas y las nubes, sombras que se reflejan en la arena, luego bolsas de plumas de la arena, picos curvos, ácidos graznidos y entonces saca tu revólver, mátalo, y ahí hay otro y mátalo, y las habitantas qué le pasa, patrón, por qué tanto odio con los gallinazos, qué le han hecho, y tu bala carajo, túmbalos, perfóralos. Disfrazado de pena, de cariño. Acércate tú también, qué hay de malo, cómprale natillas, melcochas, caramelos. Cierra los ojos y ahí, de nuevo, el remolino de los sueños, tú y ella en el torreón, será como tocar el arpa, une las yemas de tus dedos y siéntela, pero será más suave todavía que la seda y el algodón, será como una música, no abras los ojos aún, sigue tocando sus mejillas, no despiertes [141].

En su inconfundible y personalísimo estilo, Vargas Llosa ha demostrado ser maestro terminado de la técnica del suspenso. Vueltas y revueltas le ha dado a una serie de procedimientos estilísticos que han aflorado el *suspenso* con renovado vigor, no utilizados de esta manera por otros escritores. Secuencias sintagmáticas terminadas en preposiciones: *en, de, si, por,* y cortado de bruces el discurso para proyectar psíquicamente su afectividad al vacío, que en seguida, por fuerza de la violenta sugestión de su palabra, se preña de significación. Monólogos y diálogos surgidos de un abismo narrativo que son como ecos del lejano pasado, sugieren sus voces misteriosas al futuro, dejándonos suspendidos en lo indefinido de sus intensas emociones. Sátira e ironía expresadas con velos mágicos en una encadenada interposición de planos de conciencia. Eufemismos hábiles que

---

[141] *La casa verde,* pág. 321.

nos lanzan a concebir mundos interiores del ayer y del mañana. Verbos y epítetos que irradian sus cargas psíquicas hacia hechos y sentimientos que solamente juegan su papel en el trasfondo penumbroso de la realidad sensorial. Incidentes minúsculos, insignificantes, que revelan toda una cosmovisión de la vida. Vertiginosidad descriptiva y narrativa que nos envuelve en torbellino con los personajes y nos zabulle en sus propias pesadillas sugeridas, reveladas sólo por insinuación. La palabra viva, la palabra preñada de suspenso, de magnética sugestión, la palabra cósmica de la creación original —«en el principio fue el Verbo», dijo Juan de Patmos—, la palabra como alfa y omega de la obra literaria: esto es el logro de esta prosa que hemos bautizado como eléctrica y candente:

> Desde allí vio, en un remolino, a su madre que saltaba de la cama y vio a su padre detenerla a medio camino y empujarla fácilmente hasta el lecho... y se sintió en el aire, y de pronto estaba en su cuarto, a oscuras, y el hombre cuyo cuerpo resaltaba en la negrura le volvió a pegar en la cara, y todavía alcanzó a ver que el hombre... la cogía de un brazo y la arrastraba como si fuera de trapo y luego la puerta se cerró y él se hundió en una vertiginosa pesadilla[142].

> Abrió lo puerta, tableteo de máquinas de escribir, la silueta de Alcibíades al fondo, en su escritorio[143].

> Llegó primero Hortensia, sin ruido: vio su silueta en el umbral, vacilando como una llama, y la vio tantear en la penumbra y encender la lamparilla de pie. Surgió el cubrecama negro en el espejo que tenía al frente, la cola encrespada del dragón animó el espejo del tocador y oyó que Hortensia comenzaba a decir algo y se le enredaba la voz[144].

---

[142] *La ciudad y los perros*, pág. 73.
[143] *Conversación en la Catedral*, vol. I, pág. 263.
[144] *Ibid.*, pág. 360.

En una mula que se arrastraba penosamente, surgió de improviso entre las dunas del Sur: una silueta con sombrero de alas anchas, envuelta en un poncho ligero [145].

Siluetas mudas, desparramadas bajo los árboles, los huambisas otean a derecha e izquierda, sus movimientos son sobrios y sólo el destello de sus pupilas y las furtivas contracciones de sus labios revelan el anisado y los cocimientos que estuvieron bebiendo toda la noche, en torno a una fogata, en el bajío donde acamparon [146].

...las mujeres alzan los brazos, miran al cielo, se revuelven, estallan en grupos y los grupos en solitarias siluetas que brincan, van y vienen, caen al suelo y después desaparecen, una tras otra, sumergidas por las pieles de resplandores negros y rojizos [147].

Dentro de esta avalancha de estertores neonaturalistas, neorrealistas, expresionistas, de crudeza retorcida y a la vez vibrantemente poética, es lógico que el humorismo no encaje, no podría encajar. Hay, sin embargo, ciertas palpitaciones humorísticas a despecho de todo lirismo, y en ocasiones como resultado del punto máximo de la ebullición realista, echando mano, a veces, a los recursos del feísmo. Son casos esporádicos, pero que han dejado su rastro en las páginas de esta novelística:

...quisiera despanzurrar al coronel y ponerme sus tripas de corbata [148].

—Te voy a decir una cosa —dijo Queta—. Me cago en tu patrón. No le tengo miedo. Me cago en Cayo Mierda.
—Ni que estuviera con diarrea —se atrevió a susurrar él [149].

---

[145] *La casa verde*, pág. 53.
[146] *Ibid.*, pág. 299.
[147] *Ibid.*, pág. 302.
[148] *La ciudad y los perros*, pág. 240.
[149] *Conversación en la Catedral*, vol. II, págs. 208-209.

El humorismo en la narrativa de Vargas Llosa está muy escondido y velado. No se ha estudiado a fondo. A pesar de que se han señalado varios aspectos del mismo —Oviedo [150], Sara Blackburn [151], Harss [152]—, sólo han sido tanteos. Sabemos que Vargas Llosa siente antipatía al uso del humorismo en su narrativa [153], pero a pesar de ello, se le ha escapado irremediablemente. ¿Cómo no ser así, en un novelista tan intensamente abarcador de la realidad, en un escritor cuyas novelas serpentean y laten, como sugiere Oviedo? [154].

Así fluye esta prosa vargasllosiana, con toda la pujanza de la vida misma, como un aluvión incontenible, dinámico, torrencial, y a un mismo tiempo sedante y musicalizador. Una hecatombe de vigor y poesía que ha elevado la narrativa hispanoamericana contemporánea al olimpo de los clásicos.

3. CONCLUSIONES GENERALES

En este último apartado de nuestra obra queremos atar ciertos cabos sueltos que intentamos recoger —influencias y crítica negativa—, y finalmente resumir las aportaciones estilísticas de la narrativa vargasllosiana.

Juzgamos que el problema de las influencias es hasta cierto punto extraliterario. Hay que establecer claramente que todo escritor tiene influencias de otros escritores, ya pasados, ya contemporáneos. Su formación académica, sus lecturas, sus relaciones personales con otros autores, dejan

---

[150] J. M. Oviedo, «*Los cachorros*: fragmentos de una exploración total», *Revista Iberoamericana*, núm. 70, enero-marzo de 1970, pág. 31.

[151] Sara Blackburn, «House Affairs: *The green house* by M. V. L.», *The Nation*, 3 de marzo de 1969, pág. 280.

[152] L. Harss, *Into the mainstream*, 1967, pág. 363.

[153] *Loc. cit.*

[154] J. M. Oviedo, *op. cit.*, pág. 36.

su huella psico-estilística en las páginas de un escritor. En cuanto al plagio se refiere, esto es otro asunto. Plagio es copiar textual y descaradamente la obra de otro autor —personajes, temática, tesis, mensajes, técnicas—, *pero sin ningún esfuerzo de superación, de transmutación, de originalidad.* No cabe duda que los grandes autores —y Vargas Llosa es uno de ellos— no son plagiadores en ese sentido. Como hemos afirmado en precedentes páginas los grandes creadores son grandes alquimistas en su arte: transmutan un metal en otro superior y a veces producen el oro.

Hace poco, Miguel Ángel Asturias achacó a García Márquez haber plagiado a Balzac. Se dijo que su novela *Cien años de soledad* era un plagio de *La busca del absoluto* balzaciana. Se publicó luego una contracrítica en que se afirmaba lo siguiente:

> Si aceptáramos sus «razones» [las de Asturias] para considerar a *Cien años de soledad* un plagio de la novela balzaciana *La busca del absoluto,* con mayores razones podríamos sostener que la novela del mismo Asturias *El señor presidente* es un plagio de *Tirano Banderas,* novela de Valle-Inclán [155].

Nuestra admiración por la narrativa de Miguel Ángel Asturias —centro de la revolución del género en nuestro siglo— no es obstáculo para que apoyemos las palabras de la citada contracrítica. No cabe duda que ha podido haber influencia de Balzac en García Márquez, pero éste no ha plagiado, porque su novela es una unidad estilística muy diferente a la del novelista francés. Tampoco Asturias plagió a Valle-Inclán, por las mismas razones.

De manera que este juego infantil de estar acusando de *plagios* a los grandes autores no tiene sentido. Influencias,

---

[155] Véase en *El Heraldo de México* el artículo «En todo caso el plagiario es M. A. Asturias», 4 de julio de 1971.

no plagios. A Vargas Llosa se le han señalado varias influencias. Él mismo reconoce algunas. De hecho, el propio Mario fue el primero en afirmar la influencia de las novelas de caballerías en su narrativa, sobre todo de *Tirante el Blanco*, de Martorell [156]. Inclusive ha señalado cómo él ha utilizado las técnicas de los «vasos comunicantes», las «cajas chinas» y el «salto cualitativo». Sin embargo, ya hemos visto en la tercera parte de la presente obra cómo Vargas Llosa ha superado, refinado y estilizado muy originalmente esas técnicas.

Las influencias modernas y contemporáneas que más se le han señalado, y *algunos* de los críticos que las han apuntado, son las que presentamos en el siguiente esquema:

INFLUENCIAS	CRITICOS
1. Flaubert	Vargas Llosa y casi todos sus críticos.
2. *Trilogía*: Balzac, Zola, Galdós [157]	Jorge Campos y J. M. Oviedo.
3. *Tetralogía*: Tolstoy, Dickens, Joyce, Kafka	J. M. Oviedo y otros.
4. Dumas (padre)	Rosa Boldori.
5. Melville, Proust	E. Rodríguez Monegal.
6. Malraux, Henry James	J. M. Oviedo.
7. Beckett	Vargas Llosa y varios críticos.
8. Sartre	J. M. Oviedo y L. Harss.
9. Alfred Döblin [158]	W. A. Luchting.

---

[156] M. Vargas Llosa, *La novela*, 1969, págs. 17-19.

[157] Ha dicho Jorge Campos: «Lo que se ha querido se tiene: un puñado de seres humanos, sus relaciones y reacciones, el medio en que se mueven. No buscaban más Balzac, Zola, o Pérez Galdós. La única diferencia está en que el camino es diferente. O, por volver a la vieja definición, el espejo se ha pasado por él de una manera distinta». [Véase: «*Conversación en la Catedral*», *Nueva Narrativa Hispanoamericana*, vol. I, núm. 1, enero de 1971, pág. 146.]

[158] Su novela *Berlin Alexanderplatz*, 1929.

10. Michel Butor	M. Benedetti.
11. Musil, Golding	J. M. Oviedo.
12. Goytisolo	Leonard Kriegel.
13. Norman Mailer	W. A. Luchting.
14. James Jones	W. A. Luchting y E. Rodríguez Monegal.
15. Hemingway	J. M. Oviedo y L. Harss.
16. Faulkner	J. M. Oviedo, E. Rodríguez Monegal, W. A. Luchting, L. Harss, Sara Blackburn, y otros.
17. John Dos Passos	Andrés Sorel.
18. João Guimarães Rosa	E. Rodríguez Monegal y L. Harss.
19. Augusto Roa Bastos	M. Benedetti.
20. Sebastián Salazar Bondy ...	E. Rodríguez Monegal.
21. Eleodoro Vargas Vicuña ...	W. A. Luchting.
22. Oswaldo Reynoso	Nelson Osorio.
23. Juan Carlos Onetti	J. M. Oviedo.
24. Neruda	Esperanza Figueroa Amaral.
25. *Trilogía*: Fuentes, Cortázar, Carpentier	Revista *Choice* [diciembre de 1966, vol. 3, núm. 10, pág. 908].
26. «nouveau roman»	M. Benedetti, E. Rodríguez Monegal, y otros.
27. técnicas cinematográficas ...	Casi todos sus críticos.
28. técnicas de las novelas de caballerías	Vargas Llosa y casi todos sus críticos.
29. «comic strip»	J. M. Oviedo y Julio Ortega.
30. «bildungsroman» [159]	J. M. Oviedo, Carlos Fuentes, y otros.

No es posible, en esta breve lista, abarcar todas las influencias que se le han achacado a Vargas Llosa. Todavía

---

[159] No se ha llegado a probar del todo que *La ciudad y los perros*, o *Conversación en la Catedral*, sean un ejemplo exacto del *bildungsroman*, como lo son *Wilhelm Meister* de Goethe, o *Doctor Faustus* de Thomas Mann. En efecto, para lograr ese estudio completo habría que relacionar los elementos de interferencia entre el *bildungsroman* (o el *erziehungsroman*) y el *entwicklungsroman*.

quedan en el tintero muchas que no hemos anotado aquí, ya señaladas por otros críticos: influencias de Rómulo Gallegos, José María Arguedas, Lisandro Otero, Luis Loayza, Paul Nizan, Genet, Robbe-Grillet, Nathalie Sarraute, Claude Simon, Ciro Alegría, García Márquez, y otros. A nuestro juicio, es bastante inútil enfrascarse en estos estudios de las influencias literarias, pues sólo denotan las lecturas de los escritores —y a veces puras coincidencias—, pero lo importante es encontrar cómo han modificado esas influencias. Que Cortázar tuviera influencia de Joyce, y García Márquez de Balzac, y Vargas Llosa de Flaubert... ¡qué importa! También Joyce, Balzac y Flaubert tuvieron influencias de otros anteriores, y la cadena es ininterrumpida. Tenemos que repetir con Gastón Baquero, al referirse a las influencias de Joyce, Mann, Proust, Kafka y Faulkner —y podríamos añadir todos los demás—, que «en toda obra representativa de estos tiempos, están estos señores a la puerta y no hay escapatoria» [160].

Las influencias literarias, por otro lado, pueden ser útiles para encontrar ciertas líneas estructurales, ciertas tendencias, ciertos procedimientos. Los grandes autores combinan influencias, y además, están por encima de ellas. Recordemos las palabras del propio Vargas Llosa al referirse a la actual generación de narradores hispanoamericanos, donde afirmaba: «Nosotros estamos obligados a ser al mismo tiempo Balzac, Proust y Beckett» [161].

La crítica ha achacado ciertos defectos a la narrativa de Vargas Llosa, y no nos estamos refiriendo a meros clisés como el de «lloviendo a cántaros» [*La casa verde*, pág. 276],

---

[160] Gastón Baquero, *Escritores hispanoamericanos de hoy*, Madrid, Instituto de Cultura Hispánica, 1961, págs. 112-113.
[161] M. F., «Conversación con Vargas Llosa», *Imagen*, Caracas, suplemento núm. 6, agosto 1-15, 1967.

sino a otros de más agarre. En casi todos los casos se ha hecho con la sana intención de hacer una crítica justa, redonda, equilibrada, aunque una minoría ha esgrimido una crítica furibunda y biliosa. También nosotros, como habrá visto el lector, hemos señalado algunos puntos, que a la luz de las propias coordenadas de la narrativa vargasllosiana, quedan justificados como necesarios para ésta. Dijimos, por ejemplo, en precedentes capítulos que Vargas Llosa no ha podido lograr la novela totalizadora porque carece de una dimensión muy importante, que es la metafísico-mística, y porque a la dimensión surrealista no le ha agotado las entrañas todavía.

No es posible revisar todos los críticos que han apuntado ambigüedades o han indicado lunares en la novelística de Vargas Llosa. Mencionaremos algunos solamente. Por otro lado, sería ya totalmente imposible abarcar en pocas páginas la crítica constructiva e interpretativa que se le ha hecho. Queremos aclarar que la mayoría de los críticos que ahora vamos a mencionar han elogiado intensamente a Vargas Llosa. Los puntos negativos que vamos a señalar son tan sólo aparte de sus críticas globales y equilibradas, con muy pocas excepciones de críticos prejuiciados.

José Miguel Oviedo, a nuestro juicio, ha hecho una de las interpretaciones críticas más atinadas sobre Vargas Llosa en su autorizado libro ya muchas veces citado en estas páginas, y ha encontrado en *La casa verde* cierto «truculento melodrama, un folletín de marca mayor» [162], y en los personajes de *Conversación en la Catedral* «actores de grandes melodramas e intérpretes de papeles cursis» [163]. Fernando Alegría, original y fino en su acertada crítica, ha descubierto

---

[162] J. M. Oviedo, *Mario Vargas Llosa: la invención de una realidad*, 1970, pág. 140.
[163] *Ibid.*, pág. 216.

que en Vargas Llosa «su distorsión metafísica desconcierta» [164]. Gabriel Carega le llama a *La casa verde* «un fracaso monumental» [165]. Emir Rodríguez Monegal opina que la historia de Fushía es «confusa», que Bonifacia expresa demasiada «sentimentalidad», y que en general, *La casa verde* tiene una «entonación emocional excesiva» [166]. Rosa Boldori ha encontrado cierta «visión pesimista e irracionalista» en *La casa verde* y otros detalles sin mayor importancia [167]. Sara Blackburn encuentra «sofocante» la lectura de esa novela [168]. José Domingo descubre *solecismos* en la obra de Vargas Llosa [169]. El mismo Benedetti, que ha hecho uno de los exámenes más finos de la narrativa vargasllosiana, halla que es una «coincidencia superflua» [170] que Teresa, en *La ciudad y los perros*, se enamore de tres personajes de diferentes niveles sociales: Arana, Alberto y el Jaguar. Vargas Llosa ha justificado esto, indicando que él intentó hacer una confrontación de los diferentes caracteres [171]. Para Luchting, el esfuerzo mítico en la narrativa vargasllosiana es casi nulo [172]. El *London Times Literary Supplement* afirma que Vargas Llosa no ahonda en sus personajes ni en sus relaciones, que no son convincentes a veces, y que *La casa verde* no tras-

---

[164] Fernando Alegría, *Historia de la novela hispanoamericana*, 1966, pág. 275.

[165] Gabriel Careaga, «*La casa verde*: un fracaso monumental», *Vida Universitaria*, Monterrey, agosto de 1966.

[166] E. Rodríguez Monegal, «Madurez de Vargas Llosa», *Mundo Nuevo*, núm. 3, septiembre de 1966, pág. 72.

[167] Rosa Boldori, *op. cit.*, pág. 73.

[168] Sara Blackburn, *op. cit.*

[169] José Domingo, «Crónica de novela», *Insula*, junio de 1966, volumen XXI, núm. 235, pág. 6.

[170] M. Benedetti, *op. cit.*, pág. 245.

[171] *Loc. cit.*

[172] W. A. Luchting, «Los mitos y lo mitizante en *La casa verde*», *Mundo Nuevo*, núm. 43, enero de 1970, págs. 56-60.

ciende su narración [173]. Otro crítico eminente que ha estudiado a fondo a Vargas Llosa es Luis Harss, y afirma que el lector se siente burlado, que las terminaciones melodramáticas y de sorpresas de los epílogos son desconcertantes, y que el autor oculta información importante al lector [174].

Hasta la fecha, las críticas arriba anotadas van equilibradas por una serie de observaciones positivas y elogiosas, que señalan la maestría, madurez y superioridad de Vargas Llosa sobre todos esos puntos negativos que se le señalan. Dos críticas un poco más fustigantes las emiten Alberto Oliart y Washington Delgado. El primero afirma que la obra novelística de Vargas Llosa constituye un problema para los traductores, que tiene una «aparente confusión, un caos», que su técnica está llevada a extremos, que la lectura es difícil y confusa, y que al autor le acecha un peligro: «el *excesivo* barroquismo estructural» [175]. El segundo nos deja ver sus opiniones sobre *La ciudad y los perros*, indicando que es de «atmósfera teatral» y que los personajes «tienen carácter libresco», que no son naturales, sino falsos, y que llevan la confusión al espíritu del lector. Dice que los problemas morales están «difusamente planteados», con final ambiguo, pues el autor no da ninguna solución al problema planteado. [¿Está obligado un autor a dar soluciones a los problemas que plantea en sus obras narrativas?, preguntamos.] Después Delgado añade: «La vida es más racional y lógica de lo que imagina Vargas Llosa» [176]. [Se nos ocurre

———————

[173] «Crowds without power», *London Times Literary Supplement*, 22 de septiembre de 1966, pág. 872.

[174] L. Harss, *op. cit.*, págs. 355-356.

[175] Alberto Oliart, «La tercera novela de Vargas Llosa», *Cuadernos Hispanoamericanos*, Madrid, núms. 248-249, agosto-septiembre de 1970, págs. 507-509.

[176] Washington Delgado, «Vargas Llosa, Mario: *La ciudad y los perros*», *Letras*, Lima, núm. 72, 1964, págs. 312-314.

que si Mario infiltra más lógica y racionalidad a sus obras, puede haber una explosión.]

Julio Ortega, más bilioso que los dos anteriores, se ha expresado diciendo que Vargas Llosa es un «naturalista que desnaturaliza, un realista poético que vulgariza, un curioso idealista escéptico»; afirmando a renglón seguido que es un escritor «tentado del efectismo y la truculencia como cuestionamiento oscuro de su misma proclividad realista y crítica». De _Los cachorros_ dice que sus escenarios sugieren la caricatura y el pastiche, y que «a la apócrifa selva de _La casa verde_» corresponde en _Los cachorros_ «una Lima de vodevil»[177].

El más furibundo crítico de Vargas Llosa —como de todos los grandes narradores hispanoamericanos— es Manuel Pedro González. Al comentar _La ciudad y los perros_, este señor indica que esta novela no tiene autenticidad ni profundidad, que sus técnicas son «importadas» y sólo presentan «malabarismos de estilo», y que es muy aburrida. Dice que Vargas se queda «en la periferia psicológica de sus muñecos», y que por lo tanto no conmueve al lector. Finalmente, el porrazo mayor viene cuando afirma que el léxico es «tabernario, de letrinas y lupanares»; y que en fin, es «un mamarracho»[178].

Hemos enumerado ex profeso esta escala valorativa, desde la crítica fina e intelectual de José Miguel Oviedo, Benedetti, Boldori, Monegal, Luchting, Harss, Alegría y otros, hasta las frases latigantes, prejuiciadas, conservadoras, de González. A nuestro parecer, las libreas críticas decimónicas, como la última citada, están pasadas de moda y deben

---

[177] Julio Ortega, «Sobre _Los cachorros_», _Cuadernos Hispanoamericanos_, Madrid, núms. 224-225, agosto-septiembre de 1968, pág. 547.

[178] Manuel Pedro González, «Impresión de la _La ciudad y los perros_», _Coloquio sobre la novela hispanoamericana_, México, Fondo de Cultura Económica, 1967, págs. 101-106.

ser retiradas o dejadas a un lado en las consideraciones de los verdaderos valores de la literatura contemporánea. A una nueva narrativa, una nueva crítica.

Nuestra modesta aportación en esta obra, enfocada desde una perspectiva estilística que reconoce la obra literaria como una unidad, una integración y un cosmos con sus propias leyes, intenta estar libre de todo prejuicio que nuble la visión valorativa de una novelística tan inconfundible, tan rica, tan proyectada al futuro, como es la de Mario Vargas Llosa. A través de las páginas de los diez capítulos que forman nuestra obra hemos diferido de nuestro novelista en muchos puntos, hemos señalado nuestras divergencias en cuanto a temas, posiciones filosóficas y socio-políticas, y hemos indicado una serie de puntos flojos en la expresión de las diversas técnicas utilizadas por el autor. Nuestras opiniones no pretenden ser definitivas. Intentamos aunarlas a las opiniones serias de otros críticos que nos han precedido, y a las de aquellos que vengan después, para poder aquilatar en justicia crítica el valor definitivo de la narrativa vargas-llosiana.

Su aquilatamiento requiere técnicas críticas de último cuño para poder descifrar una novelística que es de enorme vitalidad. En ella encontramos la última palabra en estilo literario narrativo: Vargas Llosa envuelve varios relatos en una misma novela, pero no los deja volanderos y al garete, sino que los funde, los entrelaza y amalgama hasta que encontramos el eslabón perdido que traza la vértebra de la obra. En ella va secreto o revelado el binomio, la bifurcación, la dualidad: elemento típico de esta narrativa vargas-llosiana. Oviedo ha señalado que «las acciones paralelas a lo Dickens son una obsesión permanente del arte narrativo de Vargas Llosa» [179]. Lo que no ha captado Oviedo, ni crítico

---

[179]   J. M. Oviedo, *op. cit.*, pág. 232.

alguno que sepamos, es que ese paralelismo, o dualidad binomial, esa confrontación constante de dos opuestos en su
estructuración técnica general —tanto en el andamiaje vertical de sus obras como en el sintagma pormenorizado de la
narración dialógica— es el reflejo estilístico de su *weltanschauung*, de su temática, de su planteamiento, de su mensaje: *víctima vs. victimario, o sea, el gran reptil verde
devorando al inocente*. (Para volver a responder al señor
Washington Delgado, afirmamos que un escritor no tiene
que revelar escuetamente su mensaje o sus soluciones a los
problemas planteados: puede revelarlos o no, puede sugerir-
los, como Vargas Llosa.) El oxímoron, pues, en las técnicas
vargasllosianas queda justificado, como todos sus otros binomios técnicos: sintagmas opuestos a doble nivel de tiempo y espacio, dobles esquemas estructurales, personajes
doblados a dos personalidades y dos nombres diferentes,
procedimientos de los dos espejos reflejados (o «cajas chinas»), de los dos «vasos comunicantes», del «salto cualitativo» desde una dimensión concreta a una onírica, paralelis-
mos extraordinarios [como el de *Conversación en la Catedral*,
vol. I, pág. 220], doble diálogo, doble monólogo, dobles símbolos, doble adjetivación... doblaje *ad infinitum*.

Entre tanto, el autor de las novelas y los cuentos que
hemos examinado estilísticamente en la presente obra, está
en plena madurez creadora todavía. Nadie, pues, ha dicho
la última palabra. Habrá de decirla la misma producción
futura de Vargas Llosa, quien ya reside entre los inmortales.

APÉNDICES

APÉNDICE A

LAS CUATRO VARIANTES DEL REALISMO MODERNO EN LA CONTEMPORÁNEA GENERACIÓN DE NOVELISTAS HISPANO-AMERICANOS

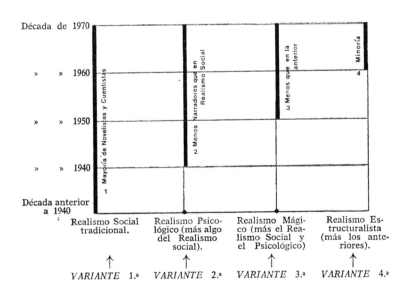

APÉNDICE B

CRONOLOGÍA MÍNIMA DE LA VIDA DE MARIO VARGAS LLOSA

1936: Nace en Arequipa, Perú.

1937-1944: Instrucción primaria en Bolivia.

1945: Vuelta al Perú: residencia en Piura.

1946: Residencia en Lima. Instrucción secundaria en escuelas parroquiales.

1950-1952: Estudia en el Colegio Leoncio Prado, Lima.

1952: Se estrena su drama *La huida del Inca,* en Piura.

1956-1957: Se da a conocer como cuentista en periódicos locales. [Publica algunos de los cuentos de *Los jefes.*]

1957: Estudios en la Universidad de San Marcos, Lima.

1958: Estudios en la Universidad Central de Madrid. [Tesis: *Bases para una interpretación de Rubén Darío.*]

1959: Edición barcelonesa de *Los jefes.* Gana Premio «Leopoldo Alas».

1959-1966: Residencia en París, con su primera esposa. [Empleos diversos.]

1962: Premio Biblioteca Breve por el manuscrito de *La ciudad y los perros.*

1963: Edición barcelonesa de *La ciudad y los perros.* Se queman mil ejemplares de ese libro en el Leoncio Prado, en Lima. Premio de la Crítica de 1963. Divorcio.

1965: Edición barcelonesa de *La casa verde.* Segundo matrimonio. Viaje corto a Cuba.

1966: Vuelta al Perú. Premio de la Crítica de 1966.

1967: Premio Internacional de Literatura «Rómulo Gallegos», en Caracas. Edición barcelonesa de *Los cachorros.*

1967-1969: Residencia en Londres. Viajes y conferencias por varios países.

1970-1971: Residencia en Barcelona.

1971: Viaje al Perú.

1973: Vuelta a Barcelona.

APÉNDICE C

EVOLUCIÓN DEL REALISMO ESTRUCTURALISTA EN VARGAS LLOSA

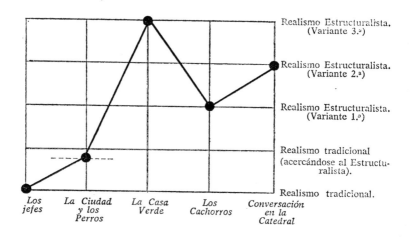

Realismo Estructuralista.
(Variante 3.ª)

Realismo Estructuralista.
(Variante 2.ª)

Realismo Estructuralista.
(Variante 1.ª)

Realismo tradicional
(acercándose al Estructuralista).

Realismo tradicional.

Los
jefes

La Ciudad
y los
Perros

La Casa
Verde

Los
Cachorros

Conversación
en la
Catedral

BIBLIOGRAFÍA SELECTIVA

NOTA: Presentamos a continuación una *Bibliografía Selectiva* para el estudio de la narrativa de Vargas Llosa. Nos atenemos solamente a enumerar en primer término sus obras de ficción, y en posterior apartado, algunas de sus obras ensayísticas y otros trabajos suyos. En relación con la crítica sobre nuestro autor, dividida en tres secciones, seleccionamos —además de las obras órgánicas de conjunto— aquellos artículos y reseñas más esenciales. Terminamos la bibliografía con una lista breve de otras obras consultadas y algunas de las citadas en el contexto de nuestro libro.

Para una bibliografía más exhaustiva recomendamos la que está al final del libro de José Miguel Oviedo. No habiendo sido, pues, nuestro objetivo presentar un estudio biocrítico de Vargas Llosa, sino hacer un examen estilístico de su narrativa, nos parece que esta bibliografía mínima llena los requisitos necesarios para un investigador interesado en esta meta de nuestro trabajo.

I. OBRA NARRATIVA DE MARIO VARGAS LLOSA

1. Vargas Llosa, Mario, *Los jefes*, cuentos. [Primera edición completa: Barcelona, Edit. Rocas, 1959. Hay edición incompleta de esta obra en Lima, Edit. Populibros, 1956.] Edición que manejamos: Buenos Aires, Edit. Jorge Álvarez, 1968, 126 páginas.

2. —, *La ciudad y los perros*, novela. [Primera edición: Barcelona, Seix-Barral, 1963.] Edición que manejamos: Barcelona, Seix-Barral, 1964, 343 págs.

3. —, *La casa verde*, novela. [Primera edición: Barcelona, Seix-Barral, 1965.] Edición que manejamos: Barcelona, Seix-Barral, 1967, 430 págs.

4. —, *Los cachorros* (*Pichula Cuéllar*), relato. [Primera edición: Barcelona, Editorial Lumen, 1967.] Edición que manejamos: Barcelona, Edit. Lumen, 1970, 117 págs.

5. —, *Conversación en la Catedral*, novela, Barcelona, Edit. Seix-Barral, 1969, 2 vols. [Vol. I, 368 págs; vol. II, 307 págs.]

II. CRÍTICA SOBRE MARIO VARGAS LLOSA [Lista mínima.]

A. Obras de conjunto.

6. Boldori, Rosa, *Mario Vargas Llosa y la literatura en el Perú de hoy*, Santa Fe, Ediciones Colmegna, 1969, 84 págs.

7. Díez, Luis Alfonso, *Style and technique in the novels and short stories of Mario Vargas Llosa in relation to moral intention*, tesis doctoral, Londres, King's College, 1969.

8. Oviedo, José Miguel, *Mario Vargas Llosa: la invención de una realidad*, Barcelona, Barral Editores, 1970, 272 págs.

B. Estudios y artículos fundamentales

9. Alegría, Fernando, «Mario Vargas Llosa», *Historia de la novela hispanoamericana*, México, De Andrea, 1966, pág. 275.

10. Babín, María Teresa, «La antinovela en Hispanoamérica», *Revista Hispánica Moderna*, vol. XXXIV, núm. 3-4, julio-octubre de 1968, págs. 523-532.

11. Bareiro Saguir, Rubén, «Entrevista a Mario Vargas Llosa», *Alcor*, 1964, núm. 33, págs. 6-7.

12. Barral, Carlos, «Introducción a la primera edición de *Los cachorros* de M. V. L.», Barcelona, Lumen, 1967.

13. Batlló, José, «Vargas Llosa: *La ciudad y los perros*», *Cuadernos Hispanoamericanos*, 1964, núm. 178, págs. 199-203.

14. Benedetti, Mario, «Al pie de las letras», *La Mañana*, París, junio de 1964.

15. —, «Vargas Llosa y su fértil escándalo», *Letras del continente mestizo*, Montevideo, Ediciones Arca, 1969, págs. 237-258.

16. Boldori, Rosa, «La ciudad y los perros, novela del determinismo ambiental», *Revista Peruana de Cultura*, Lima, núms. 9-10, diciembre de 1966, págs. 92-113.

17. —, «Mario Vargas Llosa: angustia, rebelión y compromiso en la nueva literatura peruana», *Letras*, Lima, núm. 78-79, 1.er y 2.º semestres de 1967, págs. 26-45.

18. —, «Realidad, mito y creación lingüística en *La casa verde*», *Oiga*, Lima, núm. 186, 12 de agosto de 1966, págs. 20 y 34.

19. —, «Rebelión y compromiso», *Caretas*, Lima, diciembre de 1966 y enero de 1967, págs. 52-54.

20. Careaga, Gabriel, «*La casa verde*: un fracaso monumental», *Vida Universitaria*, Monterrey (México), 28 de agosto de 1966, páginas 4-5.

21. Consalvi, Simón Alberto, «El Premio Rómulo Gallegos: un premio inobjetable», *Mundo Nuevo*, núm. 17, noviembre de 1967, págs. 92-93.

22. Dauster, Frank, «Aristotle and Vargas Llosa: literature, history, and the interpretation of reality», *Hispania*, vol. 53, núm. 2, mayo de 1970, págs. 273-277.

23. —, «Vargas Llosa and the end of chivalry», *Books Abroad*, volumen 44, núm. 1, invierno de 1970, págs. 41-45.

24. De la Torre, José R., *Sobre «Conversación en la Catedral»*. [Ponencia leída el 28 de julio de 1971 en el Primer Congreso de la Nueva Narrativa Hispanoamericana, celebrado en la Universidad del Estado de Nueva York, Stony Brook, Long Island.]

25. Donoso Pareja, Miguel, «Libros: *Conversación en la Catedral*», Suplemento de la *Revista de la Universidad de México*, volumen XXIV, núms. 7-8, marzo-abril de 1970, pág. 6.

26. Figueroa Amaral, Esperanza, «*La casa verde*, de Mario Vargas Llosa», *Revista Iberoamericana*, núm. 65, enero-abril de 1968, págs. 109-115.

27. —, «Los cachorros», *Revista Iberoamericana*, núm. 68, mayo-agosto de 1969, págs. 405-408.

28. Fuentes, Carlos, «El afán totalizante de Vargas Llosa», *La nueva novela hispanoamericana*, México, Joaquín Mortiz Editor, 1969, pags. 35-48.

29. Harss, Luis, y Barbara Dohmann, «Mario Vargas Llosa, or the revolving door», *Into the mainstream: conversations with the*

Latin-American writers, New York, Harper & Row, 1967, páginas 342-376. [Véase, en español, del mismo autor, *Los nuestros*, Buenos Aires, Edit. Sudamericana, 1966.]

30. González, Manuel Pedro, «Impresión de *La ciudad y los perros*, *Coloquio sobre la novela hispanoamericana* [producto del simposio celebrado en Washington University en 1966, en que participaron Ivan A. Schulman, Juan Loveluck, Fernando Alegría y Manuel Pedro González], México, Fondo de Cultura Económica, 1967, págs. 101-106.

31. Lafforgue, Jorge Raúl, «*La ciudad y los perros*, novela moral», *Nueva novela latinoamericana*, I, Buenos Aires, Edit. Paidós, 1969, págs. 209-240.

32. —, «Mario Vargas Llosa», *Nueva novela latinoamericana*, I, Buenos Aires, Edit. Paidós, 1969, págs. 306-308.

33. Leal, Luis, «La realidad autónoma de *Conversación en la Catedral*, *Norte*, Hispanic Journal of Amsterdam, XII, 5-6, octubre-diciembre de 1971, págs. 122-125.

34. Luchting, Wolfgang A., «Constantes en la obra de Mario Vargas Llosa», *Davar*, núm. 120, enero-febrero-marzo de 1969. [Reproducido en *Razón y fábula*, núm. 12, marzo-abril de 1969, páginas 36-45.]

35. —, «Crítica paralela: Vargas Llosa y Ribeyro», *Mundo Nuevo*, núm. 11, mayo de 1967, págs. 21-27.

36. —, «Hispanoamerican literature: today», *To find something new* (*Studies in contemporary literature*), Washington State University Press, 1969, págs. 28-55.

37. —, «Los fracasos de Mario Vargas Llosa», *Mundo Nuevo*, números 51-52, septiembre-octubre de 1970, págs. 61-72.

38. —, «Los mitos y lo mitizante en *La casa verde*», *Mundo Nuevo*, núm. 43, enero de 1970, págs. 56-60.

39. —, «Preocupaciones recurrentes en la reciente novelística hispanoamericana», *Visión del Perú*, Lima, núm. 3, abril de 1968, págs. 43-47.

40. —, «Recent Peruvian fiction: Vargas Llosa, Ribeyro, and Arguedas», *Research Studies*, Washington State University, vol. 35, núm. 4, diciembre de 1967, págs. 271-290.

41. —, «Vargas Vicuña, a technical predecessor of Mario Vargas Llosa?», *Actas de la PNCFL*, Massachusetts, vol. XIX, 19-20 de abril de 1968, págs. 126-134.

42. Mántaras Loedel, Graciela, «La narrativa de Mario Vargas Llosa», *Temas*, Montevideo, núm. 7, junio-julio de 1966, págs. 61-63.

43. Martín, José Luis, «Temática y expresión en *Los jefes* de Mario Vargas Llosa». *Homenaje a Mario Vargas Llosa*, editado por Helmy F. Giacoman, New York, Las Américas Publishing Co., 1972, págs. 377-403.

44. Matilla Rivas, Alfredo, «*Los jefes*, o las coordenadas de la escritura vargasllosiana», *Nueva Narrativa Hispanoamericana*, New York, vol. I, núm. 2, septiembre de 1971, págs. 57-63.

45. Mc Murray, George R., «The novels of Mario Vargas Llosa», *Modern Language Quarterly*, Washington, vol, 29, núm. 3, septiembre de 1968, págs. 329-340.

46. Oliart, Alberto, «La tercera novela de Vargas Llosa», *Cuadernos Hispanoamericanos*, Madrid, núm. 248-249, agosto-septiembre de 1970, págs. 497-511..

47. Ortega, Julio, «Sobre *Los cachorros*», *Cuadernos Hispanoamericanos*, núms. 224-225, agosto-septiembre de 1968, págs. 543-551.

48. Osorio Tejeda, Nelson, «La expresión de los niveles de realidad en la narrativa de Vargas Llosa», *Atenea, Universidad de Concepción* (Chile), año XLV, tomo clxvi, núm. 419, enero-marzo de 1968, págs. 123-133.

49. Oviedo, José Miguel, «*Los cachorros*: fragmentos de una exploración total», *Revista Iberoamericana*, núm. 70, enero-marzo de 1970, págs. 25-38.

50 —, «*Prólogo a Los cachorros (Pichula Cuéllar)*, de M. V. L.», Barcelona, Edit. Lumen, 1970, págs. 7-38.

51. Pacheco, José Emilio, «Lectura de Vargas Llosa», *Revista de la Universidad de México*, México, vol. XXII, núm. 8, abril de 1968, págs. 27-33.

52. Poniatowska, Elena, «Al fin, un escritor que le apasiona escribir, no lo que se diga de sus libros», *Antología mínima de M. Vargas Llosa*, Buenos Aires, Edit. Tiempo Contemporáneo, 1969, págs. 7-81.

53. Rodríguez Monegal, Emir, «Diario de Caracas», *Mundo Nuevo*, noviembre de 1967, págs. 4-19.

54. —, «Entrevista a Mario Vargas Llosa», *Ercilla*, Santiago de Chile, 6 de julio de 1966.

55. —, «Los nuevos novelistas», *Mundo Nuevo*, núm. 17, noviembre de 1967, págs. 19-24.

56. —, «Madurez de Vargas Llosa», *Mundo Nuevo*, núm. 3, septiembre de 1966, págs. 62-72.

C. *Algunas reseñas y otros trabajos.*

57. Bergonzi, Bernard, «Anything goes», *New York Review of Books*, 6 de octubre de 1966, vol. VII, núm. 5, págs. 28-29.

58. Blackburn, Sara, «House Affairs: *The green house* by M. V. L.», *The Nation*, 3 de marzo de 1969, pág. 280.

59. Campos, Jorge, «*Conversación en la Catedral*», *Nueva Narrativa Hispanoamericana*, Garden City (Nueva York), vol. I, núm. 1, enero de 1971, págs. 143-146.

60. —, «Letras de América: *La casa verde*, de M. V. L.», *Insula*, vol. XXI, núm. 235, junio de 1966, pág. 7.

61. Couffon, Claude, «Mario Vargas Llosa et le roman de la réalité péruvienne», *Les Lettres Françaises*, París, 10 de septiembre de 1969, págs. 11-12.

62. *Choice*, «Vargas Llosa, Mario: *The time of the hero*», *Choice*, Chicago, vol. III, núm. 10, diciembre de 1966, pág. 908.

63. Delgado, Washington, «Vargas Llosa, Mario: *La ciudad y los perros*», *Visión del Perú*, Lima, núm. 1, agosto de 1964, páginas 27-29. [Reproducido en *Letras*, Lima, núm. 72, 1964, páginas 310-315.]

64. Díez, Luis Alfonso, «Mario Vargas Llosa: Un balance de su narrativa», *Nueva Narrativa Hispanoamericana*, Nueva York, vol. I, núm. 2, septiembre de 1971, págs. 204-207.

65. Donoso, José, «*La ciudad y los perros*: novela que triunfa en el mundo», *Ercilla*, Santiago de Chile, núm. 1.530, 16 de septiembre de 1964, págs. 12-13.

66. Elías, Enrique, «Los personajes de *Conversación en la Catedral*», *Gente*, Lima, núm. 132, marzo de 1970, págs. 30-31.

67. Escobar, José, «M. V. L.: *La ciudad y los perros*», *Revista de Occidente*, año III, 2.ª época, núm. 26, mayo de 1965, páginas 261-267.

68. Fornet, Ambrosio, «*La ciudad y los perros*», *Casa de las Américas*, vol. IV, núm. 26, octubre-noviembre de 1964, págs. 129-132.

69. Fox, Lucía, «Vargas Llosa y su novelística», *Razón y fábula*, Bogotá, núm. 11, enero-febrero de 1969, págs. 39-44.

70. Frakes, James, «M. V. L.: *La ciudad y los perros*», *Book Week*, septiembre de 1966, pág. 16.

71. Gagliano, Ernesto, «Adolescenti inquieti visti da Vargas Llosa», *Stampa Sera*, Turín, 2 de diciembre de 1967.

72. Hamilton, Ian, «Savage squealer: *The time of the hero*, by M. V. L.», *Listener*, vol. 78, núm. 2.008, 21 de septiembre de 1967, pág. 377.

73. Larco, Juan, *«La casa verde»*, *Casa de las Américas*, vol. VI, núm. 38, septiembre-octubre de 1966, págs. 112-116.

74. Lastra, Pedro, «Un caso de elaboración narrativa de experiencias concretas en *La ciudad y los perros»*, *Anales de la Universidad de Chile*, abril-junio de 1965, págs. 211-216.

75. La Torre, Alfonso, *«Los cachorros* o la castración generacional», *Expreso*, Lima, 5 de noviembre de 1967.

76. Lévano, César, «La novela de una frustración», *Caretas*, Lima, núm. 420, 14-27 de agosto de 1970, págs. 28-29.

77. Loayza, Luis, «Los personajes de *La casa verde»*, *Amaru*, Lima, núm. 1, enero de 1967, págs. 84-87.

78. *London Times Literary Supplement*, «Crowds without power», *London Times Literary Supplement*, 22 de septiembre de 1966, pág. 872.

79. Lorenz, Günter W., «Mario Vargas Llosa und die Realität der Sprache», *Geist und Tat*, Bonn, núm. 243, septiembre de 1969, págs. 3-6.

80. Loubet Jr., Enrique, «Prescindir de la política es táctica de avestruz: Vargas Llosa», *Excelsior*, México, 24 de abril de 1971, págs. 1-A, 10-A, 17-A.

81. Matilla Rivas, Alfredo, «Vargas Llosa, Mario, y Miserachs, Xavier: *Los cachorros (Pichula Cuéllar)»*, *Asomante*, San Juan de Puerto Rico, 1968, núm. 3, págs. 99-102.

82. Mc Murray, George R., «M. V. L.: *Los cachorros»*, *Books Abroad*, vol. 44, núm. 1, invierno de 1970, pág. 83.

83. Murphy, Harold T., «M. V. L.: *La casa verde»*, *Books Abroad*, vol. 41, núm. 1, pág. 76.

84. —, «M. V. L.: *La ciudad y los perros»*, *Books Abroad*, vol. 39, núm. 1, pág. 70.

85. Oviedo, José Miguel, «Mario Vargas Llosa: visión de un mundo angustiado y violento», *El Comercio* (Suplemento dominical), Lima, 1 de marzo de 1964, págs. 6-7.

86. Pichon-Riviere, Marcel, «Vargas Llosa: la estructura indispensable», *Panorama*, Buenos Aires, núm. 166, junio 30 y julio 6 de 1970, pág. 44.

87. Rama, Ángel, «Sobre M. V. L.», *Marcha*, Montevideo. [Reproducido en *Literatura y sociedad*, octubre-diciembre de 1965.]

88. —, «Vargas Llosa: las arias del virtuoso», *Marcha*, Montevideo, núm. 1.316, 13 de agosto de 1966, págs. 30-31.

89. Rodríguez, Ramón, «Novelista explica sus ideas políticas», *El Mundo*, San Juan de Puerto Rico, 15 de febrero de 1969, página 20.

90. Sanz Díaz, José, «Mario Vargas Llosa», *Nova*, 1963, núm. 7, página 14.

91. Silva Cáceres, Raúl H., «Mario Vargas Llosa: *La ciudad y los perros*», *Cuadernos Hispanoamericanos*, tomo LVIII, núm. 173, mayo de 1964, págs. 416-422.

92. Sorel, Andrés, «*La ciudad y los perros*: Vargas Llosa en la literatura española», *Cuadernos Hispanoamericanos*, vol. 67, número 201, septiembre de 1966, págs. 724-726.

93. —, «La nueva novela latinoamericana. II-Costa Rica y Perú», *Cuadernos Hispanoamericanos*, núm. 201, septiembre de 1966, págs. 705-726.

94. Squirru, Rafael, «Libros: *La ciudad y los perros*», *Américas*, vol. XVIII, núm. 11, diciembre de 1966, pág. 36.

95. Sylvester, Harry, «The changed Jaguar», *The New York Times Book Review*, 11 de septiembre de 1966, pág. 56.

96. Tamayo Vargas, Augusto, «Peruvian literature in 1961», *Books Abroad*, vol. 36, núm. 2, primavera de 1962, págs. 263-269.

97. Valencia Goelkel, Hernando, «*La ciudad y los perros*», *Boletín Cultural y Bibliográfico*, Bogotá, Instituto Caro y Cuervo, 1964, vol. VII, págs. 1.014-1.017.

98. Valverde, José María, *Prólogo* a *La ciudad y los perros*, de M. V. L., Barcelona, Seix-Barral, 1963.

99. Villaseñor, Raúl, «*La casa verde*», *Vida Universitaria*, Monterrey (México), diciembre de 1966.

III. OTRAS OBRAS CONSULTADAS

A. *Otros trabajos (no-narrativos) de Mario Vargas Llosa.*

100. Vargas Llosa, Mario, «Alain Robbe-Grillet y el simulacro del realismo», *Cinema Universitario*, Salamanca, núm. 19, enero-febrero-marzo de 1963.

101. —, «Amalia y Trinidad: Capítulo de *Conversación en la Catedral*», *Asomante*, San Juan de Puerto Rico, 1969,· núm. 3, páginas 18-28.

102. —, *Bases para una interpretación de Rubén Darío.* [Tesis doctoral.] Madrid, Universidad Central, 1958. Inédita.

103. —, «Encuesta: El papel del intelectual en los movimientos de liberación nacional», *Casa de las Américas*, vol. VI, núm. 35, marzo-abril de 1966.

104. —, «Ensoñación y magia en José María Arguedas», prólogo a *Los ríos profundos*, de J. M. Arguedas, Santiago de Chile, Edit. Universitaria, 1967, págs. 12-13. [En la 2.ª edición, 1969, págs. 9-17. Reproducido en *Nueva novela latinoamericana*, I, Buenos Aires, Edit. Paidós, págs. 45-54.]

105. —, *La huida del Inca*, pieza teatral estrenada en Piura (Perú) en 1952.

106. —, «La literatura es fuego», *Mundo Nuevo*, núm. 17, noviembre de 1967, págs. 93-95. [Discurso pronunciado por M. V. L. al otorgársele el Premio Rómulo Gallegos, en Caracas, el 10 de agosto de 1967. Reproducido en *Antología mínima de M. Vargas Llosa*, Buenos Aires, Edit. Tiempo Contemporáneo, 1969, págs. 145-156.]

107. —, *La novela.* [Conferencia pronunciada en el paraninfo de la Universidad de la República, Montevideo, Uruguay, el 11 de agosto de 1966.] Edición de *Cuadernos de Literatura*, Montevideo, núm. 2, 1968.

108. —, «Literatura y exilio», *Caretas*, Lima, 1966.

109. —, «Luzbel, Europa y otras conspiraciones», *Literatura en la revolución y revolución en la literatura*, polémica, por Oscar Collados, Julio Cortázar y Mario Vargas Llosa, México, Edit. Siglo XXI, 1970, 118 págs.

110. —, «Nota sobre César Moro», *Literatura*, Lima, núm. 1, febrero de 1958.

111. —, M. Benedetti, *et al.*, *Nueve asedios a García Márquez*, Santiago de Chile, Edit. Universitaria, 1969, 182 págs.

112. —, «*Paradiso*, de José Lezama Lima», *Nueva novela latinoamericana*, I, Buenos Aires, Edit. Paidós, 1969, págs. 131-141.· [Reproducido en *Amaru*, Lima, núm. 1, enero de 1967, págs. 72-75.]

113. —, «Primitives and creators», *The Times Literary Supplement*, Londres, 14 de noviembre de 1968, págs. 1.287-1.288.

114. —, «Sebastián Salazar Bondy y la vocación del escritor en el Perú». [Introducción al libro de S. S. B. titulado *Comedias y juguetes*, en las *Obras Completas* de éste, 1967, vol. I. Reproducido en *Antología mínima de M. Vargas Llosa*, Buenos Aires, Edit. Tiempo Contemporáneo, 1969, págs. 157-211.]

115. —, *Secret history of a novel*. [Conferencia citada por Wolfgang A. Luchting, en *Mundo Nuevo*, núm. 51-52, septiembre-octubre de 1970, pág. 67.] Washington State University, invierno de 1968.

116. —, «The Latin American novel today», *Books Abroad*, vol. 44, núm. 1, invierno de 1970, págs. 7-16. [Traducción del español por Nick Mills.]

117. —, «Tres notas sobre Arguedas», *Nueva novela latinoamericana*, I, Buenos Aires, Edit. Paidós, 1969, págs. 30-54. [Trabajos reproducidos de: *Visión del Perú*, Lima, núm. 1, agosto de 1964, págs. 3-7; La Habana, Casa de las Américas, núm. 26, octubre-noviembre de 1964, y también núm. 35, marzo-abril de 1966; *Revista de la Universidad de México*, México, núm. 5, vol. XIX, enero de 1965, págs. 7-9; prólogo de M. V. L: al libro *Los ríos profundos* de Arguedas, Santiago de Chile, Edit. Universitaria, 1967.]

118. —, «Una insurrección permanente», *Mundo Nuevo*, núm. 1, 1966, págs. 94-95. [Reproducido de *Marcha*, Montevideo, 4 de marzo de 1966.]

B. *Otras obras y trabajos de referencia.*

119. Agüero, Luis, Juan Larco, Ambrosio Fornet y M. V. L., *Mesa redonda sobre «La ciudad y los perros» de Mario Vargas Llosa*, en La Habana, Casa de las Américas, el 29 de enero de 1965. Reproducido en *Antología mínima de M. Vargas Llosa*, Buenos Aires, Edit. Tiempo Contemporáneo, 1969, págs. 83-144.

120. Alegría, Fernando, *La novela hispanoamericana siglo XX*, Buenos Aires, Centro Editor de América Latina (Enciclopedia Literaria 17), 1967.

121. Amorós, Andrés, *Introducción a la novela contemporánea*, Salamanca, Edit. Anaya, 1966, págs. 184-187.

122. Bozal, Valeriano, «El Caballero Tirante el Blanco: tradición y modernidad», *Cuadernos Hispanoamericanos*, núm. 237, septiembre de 1969, págs. 725-737.

123. Casa de las Américas, «Mesa redonda sobre *La ciudad y los perros*, Luis Agüero, Ambrosio Fornet, Juan Larco y Mario Vargas Llosa», *Casa de las Américas*, La Habana, núm. 30, mayo-junio de 1965, pág. 79.

124. Castro Arenas, Mario, «El Neorrealismo», *La novela peruana y la evolución social*, Lima, Iberia, 1966, págs. 259-268.

125. —, *La novela peruana y la evolución social*, Lima, Iberia, 1966, 288 págs.

126. —, «Mario Vargas Llosa», *La novela peruana y la evolución social*, Lima, Iberia, 1966, págs. 260-264.

127. Chase, Kathleen, «Peruvian literary uprising», *Books Abroad*, vol. 41, núm. 2, primavera de 1967, págs. 168-169.

128. Colmenares, Germán, «Vargas Llosa y el problema de la realidad en la novela», *Eco*, Bogotá, núm. 82, febrero de 1967.

129. Crespo, Julio, «El individuo dentro del clan», *Sur*, núm. 300, mayo-junio de 1966, págs. 113-114.

130. Diario Las Américas, «Califica Vargas Llosa a Castro de stalinista», *Diario Las Américas*, Miami (Florida), 13 de mayo de 1971, pág. 1.

131. Domingo, José, «Crónica de novela», *Ínsula*, vol. XXI, núm. 235, junio de 1966, pág. 6.

132. Editorial Seix Barral, *Nota biocrítica* sobre M. V. L., en la contraportada de la edición de *Conversación en la Catedral*, 1969.

133. Edwards, Jorge, «Sobre M. V. L.», *Anales de la Universidad de Chile*, núm. 133, enero-marzo de 1965.

134. Escobar, Alberto, «Impostores de sí mismos», *Revista Peruana de Cultura*, Lima, núm. 2, julio de 1964, págs. 119-125.

135. —, «M. V. L.: *Arreglo de cuentas*», *La narración en el Perú*, Lima, Edit. Juan Mejía Baca, 1960, págs. 492-501.

136. Estrella, Ulises, «*La ciudad y los perros*, de Vargas Llosa, y *En octubre no hay milagros*, de Oswaldo Reynoso», *La Bufanda del Sol*, Quito, núm. 3-4, marzo-julio de 1966.

137. Flores, Ángel, «Mario Vargas Llosa», *The literature of Spanish America*, New York, Las Americas Publishing Co., vol. IV, 1967, págs. 647-648.

138. García Márquez, Gabriel, y M. V. L., *La novela en América Latina: Diálogo entre Gabriel García Márquez y Mario Vargas Llosa*, Lima, Milla Batres, 1968.

139. Gestel, Zunilda, *La novela hispanoamericana contemporánea*, Buenos Aires, Edit. Nuevos Esquemas, 1970, 199 págs.

140. Harss, Luis, *Los nuestros*, Buenos Aires, Edit. Sudamericana, 1966. [Es el original español del libro inglés mencionado en la entrada número 29.]

141. Hurtado, E. y H. Cattolica, «M. V. L.», *Margen*, París, núm. 1, octubre-noviembre de 1966.

142. Lafforgue, Jorge R., «La nueva novela latinoamericana», *Nueva novela latinoamericana*, I, Buenos Aires, Edit. Paidós, 1969, págs. 13-29.

143. —, «Mario Vargas Llosa, moralista», *Capricornio*, Buenos Aires, año I, núm. 1 (segunda época), mayo-junio de 1965, págs. 48-72.

144. Leal, Luis, «Mario Vargas Llosa», *Breve historia de la literatura hispanoamericana*, Nueva York, Alfred A. Knopf, 1971, páginas 301-302.

145. Loveluck, Juan, *La novela hispano-americana* [Antología], Santiago de Chile, Edit. Universitaria, 1969, 357 págs.

146. Martínez Moreno, Carlos, «Una hermosa ampliación», *Amaru*, Lima, núm. 3, julio-septiembre de 1967, págs. 84-86.

147. M. F., «Conversación con Vargas Llosa», *Imagen*, Caracas, suplemento núm. 6, agosto 1-15, 1967.

148. Monguió, Luis, *Estudios sobre literatura hispanoamericana y española*, México, De Andrea, 1958, 181 págs.

149. Murray Davis, Robert, *The novel: modern essays in criticism*, Englewood Cliffs (New Jersey), Prentice-Hall, 1969, xii-324 páginas.

150. Núñez, Estuardo, «La novela de la urbe», *La literatura peruana en el siglo XX*, México, Pormaca, 1965, págs. 141-148.

151. Ortega, Julio, *La contemplación y la fiesta*, Lima, Edit. Universitaria, 1968.

152. Oviedo, José Miguel, *Narradores peruanos* [Antología], Caracas, Monte Ávila, 1968.

153. Paz, Octavio, «The word as foundation», *The Times Literary Supplement*, Londres, 14 de noviembre de 1968, pág. 1.283.

154. Peñuelas, Marcelino C., *Mito, literatura y realidad*, Madrid, Gredos, 1965, 230 págs.

155. Poniatowska, Elena, *et al.*, *Antología mínima de M. Vargas Llosa*, Buenos Aires, Edit. Tiempo Contemporáneo, 1969, 211 páginas.

156. —, «M. V. L.», *La Cultura en México* [Suplemento del periódico mexicano *¡Siempre!*], julio de 1965.

157. Rodríguez Alcalde, Leopoldo, *Hora actual de la novela en el mundo*, Madrid, Taurus, 1959, 385 págs.

158. Rodríguez Monegal, Emir, *El arte de narrar*, Caracas, Ediciones Monte Ávila, 1968, 331 págs.

159. —, «La nueva novela latinoamericana», *La novela hispanoamericana*, antología editada por Juan Loveluck, Santiago de Chile, Edit. Universitaria, 1969, págs. 337-355. [Para Vargas Llosa, ver págs. 346-349. Este ensayo completo fue reproducido en *Life en Español*, vol. XXV, núm. 6, 15 de marzo de 1965.]

160. —, «La nueva novela latinoamericana», *Narradores de esta América*, Montevideo, Editorial Alfa, 1969, págs. 11-36. [Para Vargas Llosa, ver págs. 28-29.]

161. —, «The new Latin-American literature», *The Times Literary Supplement*, Londres, 14 de noviembre de 1968, pág. 1.273.

162. —, «The new Latin American novelists», *The Tri-Quarterly Anthology of Contemporary Latin American Literature*, Nueva York, Dutton, 1969, pág. 21.

163. Romero Del Valle, Emilia, «Mario Vargas Llosa», *Diccionario manual de literatura peruana y materias afines*, Lima, Universidad Nacional Mayor de San Marcos, 1966, pág. 333.

164. Sosa López, Emilio, *Mito y realidad*, Buenos Aires, Ediciones Troquel, 1965, 111 págs.

165. Taxa Cuádroz, Elías, «Mario Vargas Llosa» [Nota del editor, que antecede al cuento *Arreglo de cuentas*, de M. V. L.], *La costa en la narración peruana*, Lima, Edit. Continental, 1967, pág. 157.

166. —, «Mario Vargas Llosa» [Nota del editor, que antecede al cuento *Día domingo*, de M. V. L.], *Lima en la narración peruana*, Lima, Edit. Continental, 1967, págs. 253-271.

167. Undurraga, Antonio de, *Autopsia de la novela*, México, Costa-Amic Editor, 1967, 238 págs.

168. Yankas, Lautaro, «Valores de la narrativa hispanoamericana actual», *Cuadernos Hispanoamericanos*, núm. 236, agosto de 1969, págs. 334-379. [Para Vargas Llosa, ver págs. 351-357.] *

* *Nota*: Al ir esta obra a prensa acaban de aparecer, entre otros, dos trabajos nuevos sobre la obra de Vargas Llosa, a saber:

Matilla Rivas, Alfredo, «*Los jefes* o las coordenadas de la escritura vargasllosiana», *Nueva Narrativa Hispanoamericana*, vol. 1, núm. 2, septiembre de 1971, págs. 57-63.

Díez, Luis Alfonso, «Mario Vargas Llosa: Un balance de su narrativa», [Reseña sobre el libro de José Miguel Oviedo sobre Vargas Llosa], *Nueva Narrativa Hispanoamericana*, vol. 1, núm. 2, septiembre de 1971, págs. 204-207.

ÍNDICE GENERAL

PRIMERA PARTE: PRELIMINARES

Págs.

Capítulo I. — *La novelística hispanoamericana de hoy.*　15
 1. Cuándo y por qué surgió el cambio ... ...　15
 2. Problema generacional ... ...　19
 3. La visión estilística de los contemporáneos ...　25
 4. Experimentación estructuralista: nuevas tendencias revolucionarias ... ...　28
 5. Proyección al futuro ... ...　36

Capítulo II. — *El criterio de Mario Vargas Llosa sobre la novela actual* ... ...　41
 1. Apunte biográfico ... ...　41
 2. El artista y el intelectual ... ...　52
 3. La autenticidad de la novela ... ...　63
 4. El problema de la realidad ... ...　67
 5. El enfoque estilístico ... ...　72

SEGUNDA PARTE: TEMÁTICA

Capítulo III. — *La corrupción de la inocencia* ... ...　81
 1. El personaje traicionado ... ...　83
 2. La ley de la jungla ... ...　95
 3. El elemento autobiográfico ... ...　101

Págs.

Capítulo IV. — *La sociedad impostora*   106
  1. El poder civil ... ..., ... ·   106
  2. El poder clerical   111
  3. El poder militar   117
  4. El «reptil verde»   123

Capítulo V. — *Frustración y esperanza*   135
  1. Los frustrados   135
  2. El hombre ante su destino   141
  3. La rebeldía por decisión   146

TERCERA PARTE: TÉCNICAS

Capítulo VI. — *Barroquismo estructural*   153
  1. Experimentalismo revolucionario   154
  2. Sintagma de eslabones interpuestos   156
  3. Construcciones no-previsibles   168
  4. El caos geométrico   171

Capítulo VII. — *Simultaneidad rítmica, o «los vasos comunicantes»*   181
  1. Definición y ámbito   181
  2. El contrapunto de las secuencias   184
  3. La nueva vivencia   198

Capítulo VIII. — *Polirreproducción del reflejo, o «las cajas chinas»*   199
  1. Significado literario   199
  2. El espejo se reproduce   201
  3. Valoración de esta técnica en Vargas Llosa ...   208

Capítulo IX. — *Intrafusión de lo verosímil-onírico, o «el salto cualitativo»*   211
  1. Aclaración preliminar   211
  2. La técnica aplicada   214
  3. La zona fronteriza   220

Págs.

Capítulo **X.** — *Otros procedimientos estilísticos* 223
1. La revolución léxica 224
2. Revolución tropológica y expresionismo vertiginoso 235
3. Conclusiones generales 247

APÉNDICES

APÉNDICE **A.** — Las cuatro variantes del Realismo moderno en la contemporánea generación de novelistas hispanoamericanos 261

APÉNDICE **B.** — Cronología mínima de la vida de Mario Vargas Llosa 262

APÉNDICE **C.** — Evolución del Realismo Estructuralista en Vargas Llosa 264

BIBLIOGRAFÍA SELECTIVA 265

BIBLIOTECA ROMÁNICA HISPÁNICA

Dirigida por: DÁMASO ALONSO

I. TRATADOS Y MONOGRAFÍAS

1. Walter von Wartburg: *La fragmentación lingüística de la Roma-nia.* Segunda edición aumentada. 208 págs. 17 mapas.
2. René Wellek y Austin Warren: *Teoría literaria.* Con un prólogo de Dámaso Alonso. Cuarta edición. Reimpresión. 432 págs.
3. Wolfgang Kayser: *Interpretación y análisis de la obra literaria.* Cuarta edición revisada. Reimpresión. 594 págs.
4. E. Allison Peers: *Historia del movimiento romántico español.* Segunda edición. Reimpresión. 2 vols.
5. Amado Alonso: *De la pronunciación medieval a la moderna en español.* 2 vols.
9. René Wellek: *Historia de la crítica moderna (1750-1950).* 3 vols.
10. Kurt Baldinger: *La formación de los dominios lingüísticos en la Península Ibérica.* Segunda edición corregida y muy aumentada. 496 págs. 23 mapas.
11. S. Griswold Morley y Courtney Bruerton: *Cronología de las comedias de Lope de Vega.* 694 págs.
12. Antonio Martí: *La preceptiva retórica española en el Siglo de Oro.* Premio Nacional de Literatura. 346 págs.
13. Vítor Manuel de Aguiar e Silva: *Teoría de la literatura.* Reimpresión. 550 págs.
14. Hans Hörmann: *Psicología del lenguaje.* 496 págs.
15. Francisco R. Adrados: *Lingüística indoeuropea.* 2 vols.

II. ESTUDIOS Y ENSAYOS

1. Dámaso Alonso: *Poesía española (Ensayo de métodos y límites estilísticos).* Quinta edición. Reimpresión. 672 págs. 2 láminas.
2. Amado Alonso: *Estudios lingüísticos (Temas españoles).* Tercera edición. Reimpresión. 286 págs.
3. Dámaso Alonso y Carlos Bousoño: *Seis calas en la expresión literaria española (Prosa - Poesía - Teatro).* Cuarta edición. 446 págs.
4. Vicente García de Diego: *Lecciones de lingüística española (Conferencias pronunciadas en el Ateneo de Madrid).* Tercera edición. Reimpresión. 234 págs.
5. Joaquín Casalduero: *Vida y obra de Galdós (1843-1920).* Cuarta edición ampliada. 312 págs.

6. Dámaso Alonso: *Poetas españoles contemporáneos*. Tercera edición aumentada. Reimpresión. 424 págs.

7. Carlos Bousoño: *Teoría de la expresión poética*. Premio «Fastenrath». Sexta edición aumentada. Versión definitiva. 2 vols.

9. Ramón Menéndez Pidal: *Toponimia prerrománica hispana*. Reimpresión. 314 págs. 3 mapas.

10. Carlos Clavería: *Temas de Unamuno*. Segunda edición. 168 págs.

11. Luis Alberto Sánchez: *Proceso y contenido de la novela hispanoamericana*. Tercera edición. 630 págs.

12. Amado Alonso: *Estudios lingüísticos (Temas hispanoamericanos)*. Tercera edición. Reimpresión. 360 págs.

16. Helmut Hatzfeld: *Estudios literarios sobre mística española*. Tercera edición corregida y aumentada. 424 págs.

17. Amado Alonso: *Materia y forma en poesía*. Tercera edición. Reimpresión. 402 págs.

18. Dámaso Alonso: *Estudios y ensayos gongorinos*. Tercera edición. 602 págs. 15 láminas.

19. Leo Spitzer: *Lingüística e historia literaria*. Segunda edición. Reimpresión. 308 págs.

20. Alonso Zamora Vicente: *Las sonatas de Valle Inclán*. Segunda edición. Reimpresión. 190 págs.

21. Ramón de Zubiría: *La poesía de Antonio Machado*. Tercera edición. Reimpresión. 268 págs.

24. Vicente Gaos: *La poética de Campoamor*. Segunda edición corregida y aumentada, con un apéndice sobre la poesía de Campoamor. 234 págs.

27. Carlos Bousoño: *La poesía de Vicente Aleixandre*. Tercera edición aumentada. 558 págs.

28. Gonzalo Sobejano: *El epíteto en la lírica española*. Segunda edición revisada. 452 págs.

31. Graciela Palau de Nemes: *Vida y obra de Juan Ramón Jiménez (La poesía desnuda)*. Segunda edición completamente renovada. 2 vols.

39. José Pedro Díaz: *Gustavo Adolfo Bécquer (Vida y poesía)*. Tercera edición corregida y aumentada. 514 págs.

40. Emilio Carilla: *El Romanticismo en la América hispánica*. Tercera edición revisada y ampliada. 2 vols.

41. Eugenio G. de Nora: *La novela española contemporánea (1898-1967)*. Premio de la Crítica. Segunda edición. 3 vols.

42. Christoph Eich: *Federico García Lorca, poeta de la intensidad*. Segunda edición revisada. Reimpresión. 206 págs.

43. Oreste Macrí: *Fernando de Herrera*. Segunda edición corregida y aumentada. 696 págs.

44. Marcial José Bayo: *Virgilio y la pastoral española del Renacimiento (1480-1550)*. Segunda edición. 290 págs.

45. Dámaso Alonso: *Dos españoles del Siglo de Oro.* Reimpresión. 258 págs.

46. Manuel Criado de Val: *Teoría de Castilla la Nueva (La dualidad castellana en la lengua, la literatura y la historia).* Segunda edición ampliada. 400 págs. 8 mapas.

47. Ivan A. Schulman: *Símbolo y color en la obra de José Martí.* Segunda edición. 498 págs.

49. Joaquín Casalduero: *Espronceda.* Segunda edición. 280 págs.

51. Frank Pierce: *La poesía épica del Siglo de Oro.* Segunda edición revisada y aumentada. 396 págs.

52. E. Correa Calderón: *Baltasar Gracián (Su vida y su obra).* Segunda edición aumentada. 426 págs.

54. Joaquín Casalduero: *Estudios sobre el teatro español.* Tercera edición aumentada. 324 págs.

57. Joaquín Casalduero: *Sentido y forma de las «Novelas ejemplares».* Segunda edición corregida. Reimpresión. 272 págs.

58. Sanford Shepard: *El Pinciano y las teorías literarias del Siglo de Oro.* Segunda edición aumentada. 210 págs.

60. Joaquín Casalduero: *Estudios de literatura española.* Tercera edición aumentada. 478 págs.

61. Eugenio Coseriu: *Teoría del lenguaje y lingüística general (Cinco estudios).* Tercera edición revisada y corregida. Reimpresión. 330 págs.

63. Gustavo Correa: *El simbolismo religioso en las novelas de Pérez Galdós.* Reimpresión. 278 págs.

64. Rafael de Balbín: *Sistema de rítmica castellana.* Premio «Francisco Franco» del CSIC. Tercera edición aumentada. 402 págs.

65. Paul Ilie: *La novelística de Camilo José Cela.* Con un prólogo de Julián Marías. Tercera edición aumentada. 330 págs.

67. Juan Cano Ballesta: *La poesía de Miguel Hernández.* Segunda edición aumentada. Reimpresión. 356 págs.

69. Gloria Videla: *El ultraísmo.* Segunda edición. 246 págs.

70. Hans Hinterhäuser: *Los «Episodios Nacionales» de Benito Pérez Galdós.* 398 págs.

71. J. Herrero: *Fernán Caballero: un nuevo planteamiento.* 346 págs.

72. Werner Beinhauer: *El español coloquial.* Con un prólogo de Dámaso Alonso. Tercera edición, aumentada y actualizada. 556 págs.

73. Helmut Hatzfeld: *Estudios sobre el barroco.* Tercera edición aumentada. 562 págs.

74. Vicente Ramos: *El mundo de Gabriel Miró.* Segunda edición corregida y aumentada. 526 págs.

76. Ricardo Gullón: *Autobiografías de Unamuno.* Reimpresión. 390 páginas.

80. J. Antonio Maravall: *El mundo social de «La Celestina»*. Premio de los Escritores Europeos. Tercera edición revisada. Reimpresión. 188 págs.

82. Eugenio Asensio: *Itinerario del entremés desde Lope de Rueda a Quiñones de Benavente (Con cinco entremeses inéditos de Don Francisco de Quevedo)*. Segunda edición revisada. 374 págs.

83. Carlos Feal Deibe: *La poesía de Pedro Salinas*. Segunda edición. 270 págs.

84. Carmelo Gariano: *Análisis estilístico de los «Milagros de Nuestra Señora» de Berceo*. Segunda edición corregida. 236 págs.

85. Guillermo Díaz-Plaja: *Las estéticas de Valle-Inclán*. Reimpresión. 298 págs.

86. Walter T. Pattison: *El naturalismo español (Historia externa de un movimiento literario)*. Reimpresión. 192 págs.

89. Emilio Lorenzo: *El español de hoy, lengua en ebullición*. Con un prólogo de Dámaso Alonso. Segunda edición. 240 págs.

90. Emilia de Zuleta: *Historia de la crítica española contemporánea*. Segunda edición notablemente aumentada. 482 págs.

91. Michael P. Predmore: *La obra en prosa de Juan Ramón Jiménez*. Segunda edición ampliada. 322 págs.

92. Bruno Snell: *La estructura del lenguaje*. Reimpresión. 218 págs.

93. Antonio Serrano de Haro: *Personalidad y destino de Jorge Manrique*. Segunda edición revisada. 450 págs.

94. Ricardo Gullón: *Galdós, novelista moderno*. Tercera edición revisada y aumentada. 374 págs.

95. Joaquín Casalduero: *Sentido y forma del teatro de Cervantes*. Reimpresión. 288 págs.

96. Antonio Risco: *La estética de Valle-Inclán en los esperpentos y en «El Ruedo Ibérico»*. Segunda edición. 278 págs.

97. Joseph Szertics: *Tiempo y verbo en el romancero viejo*. Segunda edición. 208 págs.

100. Miguel Jaroslaw Flys: *La poesía existencial de Dámaso Alonso*. 344 págs.

101. Edmund de Chasca: *El arte juglaresco en el «Cantar de Mio Cid»*. Segunda edición aumentada. 418 págs.

102. Gonzalo Sobejano: *Nietzsche en España*. 688 págs.

104. Rafael Lapesa: *De la Edad Media a nuestros días (Estudios de historia literaria)*. Reimpresión. 310 págs.

106. Aurora de Albornoz: *La presencia de Miguel de Unamuno en Antonio Machado*. 374 págs.

107. Carmelo Gariano: *El mundo poético de Juan Ruiz*. Segunda edición corregida y ampliada. 272 págs.

110. Bernard Pottier: *Lingüística moderna y filología hispánica*. Reimpresión. 246 págs.

111. Josse de Kock: *Introducción al Cancionero de Miguel de Unamuno*. 198 págs.

112. Jaime Alazraki: *La prosa narrativa de Jorge Luis Borges (Temas-Estilo)*. Segunda edición aumentada. 438 págs.
114. Concha Zardoya: *Poesía española del siglo XX (Estudios temáticos y estilísticos)*. Segunda edición muy aumentada. 4 vols.
115. Harald Weinrich: *Estructura y función de los tiempos en el lenguaje*. Reimpresión. 430 págs.
116. Antonio Regalado García: *El siervo y el señor (La dialéctica agónica de Miguel de Unamuno)*. 220 págs.
117. Sergio Beser: *Leopoldo Alas, crítico literario*. 372 págs.
118. Manuel Bermejo Marcos: *Don Juan Valera, crítico literario*. 256 págs.
119. Solita Salinas de Marichal: *El mundo poético de Rafael Alberti*. Reimpresión. 272 págs.
120. Oscar Tacca: *La historia literaria*. 204 págs.
121. *Estudios críticos sobre el modernismo*. Introducción, selección y bibliografía general por Homero Castillo. Reimpresión. 416. páginas.
122. Oreste Macrí: *Ensayo de métrica sintagmática (Ejemplos del «Libro de Buen Amor» y del «Laberinto» de Juan de Mena)*. 296 págs.
123. Alonso Zamora Vicente: *La realidad esperpéntica (Aproximación a «Luces de bohemia»)*. Premio Nacional de Literatura. Segunda edición ampliada. 220 págs.
126. Otis H. Green: *España y la tradición occidental (El espíritu castellano en la literatura desde «El Cid» hasta Calderón)*. 4 vols.
127. Ivan A. Schulman y Manuel Pedro González: *Martí, Darío y el modernismo*. Reimpresión. 268 págs.
128. Alma de Zubizarreta: *Pedro Salinas: el diálogo creador*. Con un prólogo de Jorge Guillén. 424 págs.
130. Eduardo Camacho Guizado: *La elegía funeral en la poesía española*. 424 págs.
131. Antonio Sánchez Romeralo: *El villancico (Estudios sobre la lírica popular en los siglos XV y XVI)*. 624 págs.
132. Luis Rosales: *Pasión y muerte del Conde de Villamediana*. 252 págs.
133. Othón Arróniz: *La influencia italiana en el nacimiento de la comedia española*. 340 págs.
134. Diego Catalán: *Siete siglos de romancero (Historia y poesía)*. 224 páginas.
135. Noam Chomsky: *Lingüística cartesiana (Un capítulo de la historia del pensamiento racionalista)*. Reimpresión. 160 págs.
136. Charles E. Kany: *Sintaxis hispanoamericana*. Reimpresión. 552 págs.
137. Manuel Alvar: *Estructuralismo, geografía lingüística y dialectología actual*. Segunda edición ampliada. 266 págs.
138. Erich von Richthofen: *Nuevos estudios épicos medievales*. 294 páginas.
139. Ricardo Gullón: *Una poética para Antonio Machado*. 270 págs.

140. Jean Cohen: *Estructura del lenguaje poético*. Reimpresión. 228 páginas.

141. Leon Livingstone: *Tema y forma en las novelas de Azorín*. 242 páginas.

142. Diego Catalán: *Por campos del romancero (Estudios sobre la tradición oral moderna)*. 310 págs.

143. María Luisa López: *Problemas y métodos en el análisis de preposiciones*. Reimpresión. 224 págs.

144. Gustavo Correa: *La poesía mítica de Federico García Lorca*. Segunda edición. 250 págs.

145. Robert B. Tate: *Ensayos sobre la historiografía peninsular del siglo XV*. 360 págs.

147. Emilio Alarcos Llorach: *Estudios de gramática funcional del español*. Segunda edición aumentada. 354 págs.

148. Rubén Benítez: *Bécquer tradicionalista*. 354 págs.

149. Guillermo Araya: *Claves filológicas para la comprensión de Ortega*. 250 págs.

150. André Martinet: *El lenguaje desde el punto de vista funcional*. Reimpresión. 218 págs.

151. Estelle Irizarry: *Teoría y creación literaria en Francisco Ayala*. 274 págs.

152. G. Mounin: *Los problemas teóricos de la traducción*. Segunda edición revisada. 338 págs.

153. Marcelino C. Peñuelas: *La obra narrativa de Ramón J. Sender*. 294 págs.

154. Manuel Alvar: *Estudios y ensayos de literatura contemporánea*. 410 págs.

155. Louis Hjelmslev: *Prolegómenos a una teoría del lenguaje*. Segunda edición. 198 págs.

156. Emilia de Zuleta: *Cinco poetas españoles (Salinas, Guillén, Lorca, Alberti, Cernuda)*. 484 págs.

157. María del Rosario Fernández Alonso: *Una visión de la muerte en la lírica española*. Premio Rivadeneira. Premio nacional uruguayo de ensayo. 450 págs. 5 láminas.

158. Ángel Rosenblat: *La lengua del «Quijote»*. Reimpresión. 380 págs.

159. Leo Pollmann: *La «Nueva Novela» en Francia y en Iberoamérica*. 380 págs.

160. José María Capote Benot: *El período sevillano de Luis Cernuda*. Con un prólogo de F. López Estrada. 172 págs.

161. Julio García Morejón: *Unamuno y Portugal*. Prólogo de Dámaso Alonso. Segunda edición corregida y aumentada. 580 págs.

162. Geoffrey Ribbans: *Niebla y soledad (Aspectos de Unamuno y Machado)*. 332 págs.

163. Kenneth R. Scholberg: *Sátira e invectiva en la España medieval*. 376 págs.

164. Alexander A. Parker: *Los pícaros en la literatura (La novela picaresca en España y Europa. 1599-1753)*. Segunda edición. 220 páginas. 11 láminas.

166. Ángel San Miguel: *Sentido y estructura del «Guzmán de Alfarache» de Mateo Alemán*. Con un prólogo de Franz Rauhut. 312 págs.

167. Francisco Marcos Marín: *Poesía narrativa árabe y épica hispánica*. 388 págs.

168. Juan Cano Ballesta: *La poesía española entre pureza y revolución (1930-1936)*. 284 págs.

169. Joan Corominas: *Tópica hespérica (Estudios sobre los antiguos dialectos, el substrato y la toponimia romances)*. 2 vols.

170. Andrés Amorós: *La novela intelectual de Ramón Pérez de Ayala*. 500 págs.

171. Alberto Porqueras Mayo: *Temas y formas de la literatura española*. 196 págs.

172. Benito Brancaforte: *Benedetto Croce y su crítica de la literatura española*. 152 págs.

173. Carlos Martín: *América en Rubén Darío (Aproximación al concepto de la literatura hispanoamericana)*. 276 págs.

174. José Manuel García de la Torre: *Análisis temático de «El Ruedo Ibérico»*. 362 págs.

175. Julio Rodríguez-Puértolas: *De la Edad Media a la edad conflictiva (Estudios de literatura española)*. 406 págs.

176. Francisco López Estrada: *Poética para un poeta (Las «Cartas literarias a una mujer» de Bécquer)*. 246 págs.

177. Louis Hjelmslev: *Ensayos lingüísticos*. 362 págs.

178. Dámaso Alonso: *En torno a Lope (Marino, Cervantes, Benavente, Góngora, los Cardenios)*. 212 págs.

179. Walter Pabst: *La novela corta en la teoría y en la creación literaria (Notas para la historia de su antinomia en las literaturas románicas)*. 510 págs.

182. Gemma Roberts: *Temas existenciales en la novela española de postguerra*. 286 págs.

183. Gustav Siebenmann: *Los estilos poéticos en España desde 1900*.

184. Armando Durán: *Estructura y técnicas de la novela sentimental y caballeresca*. 182 págs.

185. Werner Beinhauer: *El humorismo en el español hablado (Improvisadas creaciones espontáneas)*. Prólogo de Rafael Lapesa. 270 págs.

186. Michael P. Predmore: *La poesía hermética de Juan Ramón Jiménez (El «Diario» como centro de su mundo poético)*. 234 págs.

187. Albert Manent: *Tres escritores catalanes: Carner, Riba, Pla*. 338 págs.

188. Nicolás A. S. Bratosevich: *El estilo de Horacio Quiroga en sus cuentos*. 204 págs.

189. Ignacio Soldevila Durante: *La obra narrativa de Max Aub (1929-1969)*. 472 págs.
190. Leo Pollmann: *Sartre y Camus (Literatura de la existencia)*. 286 páginas.
191. María del Carmen Bobes Naves: *La semiótica como teoría lingüística*. 238 págs.
192. Emilio Carilla: *La creación del «Martín Fierro»*. 308 págs.
193. E. Coseriu: *Sincronía, diacronía e historia (El problema del cambio lingüístico)*. Segunda edición revisada y corregida. 290 págs.
194. Oscar Tacca: *Las voces de la novela*. Segunda edición, 206 págs.
195. J. L. Fortea: *La obra de Andrés Carranque de Ríos*. 240 págs.
196. Emilio Náñez Fernández: *El diminutivo (Historia y funciones en el español clásico y moderno)*. 458 págs.
197. Andrew P. Debicki: *La poesía de Jorge Guillén*. 362 págs.
198. Ricardo Doménech: *El teatro de Buero Vallejo (Una meditación española)*. Reimpresión. 372 págs.
199. Francisco Márquez Villanueva: *Fuentes literarias cervantinas*. 374 págs.
200. Emilio Orozco Díaz: *Lope y Góngora frente a frente*. 410 págs.
201. Charles Muller: *Estadística lingüística*. 416 págs.
202. Josse de Kock: *Introducción a la lingüística automática en las lenguas románicas*. 246 págs.
203. Juan Bautista Avalle-Arce: *Temas hispánicos medievales (Literatura e historia)*. 390 págs.
204. Andrés R. Quintián: *Cultura y literatura españolas en Rubén Darío*. 302 págs.
205. E. Caracciolo Trejo: *La poesía de Vicente Huidobro y la vanguardia*. 140 págs.
206. José Luis Martín: *La narrativa de Vargas Llosa (Acercamiento estilístico)*. Reimpresión. 282 págs.
207. Ilse Nolting-Hauff: *Visión, sátira y agudeza en los «Sueños» de Quevedo*. 318 págs.
208. Allen W. Phillips: *Temas del modernismo hispánico y otros estudios*. 360 págs.
209. Marina Mayoral: *La poesía de Rosalía de Castro*. Con un prólogo de Rafael Lapesa. 596 págs.
210. Joaquín Casalduero: *«Cántico» de Jorge Guillén y «Aire nuestro»*. 268 págs.
211. Diego Catalán: *La tradición manuscrita en la «Crónica de Alfonso XI»*. 416 págs.
212. Daniel Devoto: *Textos y contextos (Estudios sobre la tradición)*. 610 págs.
213. Francisco López Estrada: *Los libros de pastores en la literatura española (La órbita previa)*. 576 págs. 16 láminas.
214. André Martinet: *Economía de los cambios fonéticos (Tratados de fonología diacrónica)*. 564 págs.

215. Russell P. Sebold: *Cadalso: el primer romántico «europeo»* de *España*. 296 págs.
216. Rosario Cambria: *Los toros: tema polémico en el ensayo español del siglo XX*. 386 págs.
217. Helena Percas de Ponseti: *Cervantes y su concepto del arte (Estudio crítico de algunos aspectos y episodios del «Quijote»)*. 2 vols.
218. Göran Hammarström: *Las unidades lingüísticas en el marco de la lingüística moderna*. 190 págs.
219. H. Salvador Martínez: *El «Poema de Almería» y la épica románica*. 478 págs.
220. Joaquín Casalduero: *Sentido y forma de «Los trabajos de Persiles y Sigismunda»*. 236 págs.
221. Cesáreo Bandera: *Mimesis conflictiva (Ficción literaria y violencia en Cervantes y Calderón)*. Prólogo de René Girard. 262 págs.
222. Vicente Cabrera: *Tres poetas a la luz de la metáfora: Salinas, Aleixandre y Guillén*. 228 págs.
223. Rafael Ferreres: *Verlaine y los modernistas españoles*. 272 págs.
224. Ludwig Schrader: *Sensación y sinestesia*. 528 págs.
225. Evelyn Picon Garfield: *¿Es Julio Cortázar un surrealista?* 266 págs.
226. Aniano Peña: *Américo Castro y su visión de España y de Cervantes*. 318 págs.
227. Leonard R. Palmer: *Introducción crítica a la lingüística descriptiva y comparada*. 586 págs.
228. Edgar Pauk: *Miguel Delibes: Desarrollo de un escritor (1947-1974)*. 330 págs.
229. Mauricio Molho: *Sistemática del verbo español (Aspectos, modos, tiempos)*. 2 vols.
230. José Luis Gómez-Martínez: *Américo Castro y el origen de los españoles: Historia de una polémica*. 242 págs.
231. Francisco García Sarriá: *Clarín y la herejía amorosa*. 302 págs.
232. Ceferino Santos-Escudero: *Símbolos y Dios en el último Juan Ramón Jiménez (El influjo oriental en «Dios deseado y deseante»)*. 566 págs.
233. Martín C. Taylor: *Sensibilidad religiosa de Gabriela Mistral*. Preliminar de Juan Loveluck. 332 págs.
234. *De la teoría lingüística a la enseñanza de la lengua*. Publicada bajo la dirección de Jeanne Martinet. 262 págs.
235. Jürgen Trabant: *Semiología de la obra literaria (Glosemática y teoría de la literatura)*. 370 págs.
236. Hugo Montes: *Ensayos estilísticos*. 186 págs.
237. P. Cerezo Galán: *Palabra en el tiempo (Poesía y filosofía en Antonio Machado)*. 614 págs.
238. M. Durán y R. González Echevarría: *Calderón y la crítica: Historia y antología*. 2 vols.

239. Joaquín Artiles: El «Libro de Apolonio», poema español del si-glo XIII. 222 págs.

240. Ciriaco Morón Arroyo: Nuevas meditaciones del «Quijote». 366 páginas.

241. Horst Geckeler: Semántica estructural y teoría del campo léxico. 390 págs.

242. José Luis L. Aranguren: Estudios literarios. 350 págs.

243. Mauricio Molho: Cervantes: raíces folklóricas. 358 págs.

244. Miguel Ángel Baamonde: La vocación teatral de Antonio Machado. 306 págs.

245. Germán Colón: El léxico catalán en la Romania. 542 págs.

246. Bernard Pottier: Lingüística general (Teoría y descripción). 426 páginas.

247. Emilio Carilla: El libro de los «Misterios» («El lazarillo de ciegos caminantes»). 190 págs.

248. José Almeida: La crítica literaria de Fernando de Herrera. 142 págs.

249. Louis Hjelmslev: Sistema lingüístico y cambio lingüístico. 262 págs.

250. Antonio Blanch: La poesía pura española (Conexiones con la cultura francesa). 354 págs.

251. Louis Hjelmslev: Principios de gramática general. 380 págs.

252. Rainer Hess: El drama religioso románico como comedia religiosa y profunda (Siglos XV y XVI). 334 págs.

253. Mario Wandruszka: Nuestros idiomas: comparables e incomparables. 2 vols.

254. Andrew P. Debicki: Poetas hispanoamericanos contemporáneos (Punto de vista, perspectiva, experiencia). 266 págs.

255. José Luis Tejada: Rafael Alberti, entre la tradición y la vanguardia (Poesía primera: 1920-1926). 650 págs.

256. Gudula List: Introducción a la psicolingüística. 198 págs.

257. Esperanza Gurza: Lectura existencialista de «La Celestina». 352 págs.

258. Gustavo Correa: Realidad, ficción y símbolo en las novelas de Pérez Galdós (Ensayo de estética realista). 308 págs.

259. Eugenio Coseriu: Principios de semántica estructural. 248 págs.

260. Othón Arróniz: Teatros y escenarios del Siglo de Oro. 272 págs.

261. Antonio Risco: El Demiurgo y su mundo: Hacia un nuevo enfoque de la obra de Valle-Inclán. 310 págs.

262. Brigitte Schlieben-Lange: Iniciación a la sociolingüística. 200 págs.

263. Rafael Lapesa: Poetas y prosistas de ayer y de hoy (Veinte estudios de historia y crítica literarias). 424 págs.

264. George Camamis: Estudios sobre el cautiverio en el Siglo de Oro. 262 págs.

265. Eugenio Coseriu: Tradición y novedad en la ciencia del lenguaje (Estudios de historia de la lingüística). 374 págs.

266. Robert P. Stockwell y Ronald K. S. Macaulay (eds.): Cambio lingüístico. y teoría generativa. 398 págs.

267. Emilia de Zuleta: *Arte y vida en la obra de Benjamín Jarnés.* 278 págs.
268. Susan Kirkpatrick: *Larra: el laberinto inextricable de un romántico liberal.* 298 págs.
269. Eugenio Coseriu: *Estudios de lingüística románica.* 314 págs.
270. James M. Anderson: *Aspectos estructurales del cambio lingüístico.* 374 págs.
271. Carlos Bousoño: *El irracionalismo poético (El símbolo).* 458 págs.
272. Eugenio Coseriu: *El hombre y su lenguaje (Estudios de teoría y metodología lingüística).* 270 págs.
273. Christian Rohrer: *Lingüística funcional y gramática transformativa (La transformación en francés de oraciones en miembros de oración).* 324 págs.
274. Alán Francis: *Picaresca, decadencia, historia (Aproximación a una realidad histórico-literaria).* 230 págs.
275. Jean-Louis Picoche: *Un romántico español: Enrique Gil y Carrasco (1815-1846).* 398 págs.
276. Pedro Ramírez Molas: *Tiempo y narración (Enfoques de la temporalidad en Borges, Carpentier, Cortázar y García Márquez).* 218 págs.
277. Michel Pêcheux: *Hacia el análisis automático del discurso.* 374 págs.
278. Dámaso Alonso: *La «Epístola Moral a Fabio», de Andrés Fernández de Andrada (Edición y estudio).* 4 láminas. 286 págs.
279. Louis Hjelmslev: *La categoría de los casos (Estudio de gramática general).* 346 págs.
280. Eugenio Coseriu: *Gramática, semántica, universales (Estudios de lingüística funcional).* 270 págs.
281. André Martinet: *Estudios de sintaxis funcional.* 342 págs.
282. Germán de Granda: *Estudios lingüísticos hispánicos, afrohispánicos y criollos.* 522 págs.
283. Francisco Marcos Marín: *Estudios sobre el pronombre.* 332 págs.
284. John P. Kimball: *La teoría formal de la gramática.* 222 págs.
285. Antonio Carreño: *El Romancero lírico de Lope de Vega.* Premio «Ramón Menéndez Pidal». de la Real Academia Española. 302 págs.
286. Jean Baptiste Marcellesi y Bernard Gardin: *Introducción a la sociolingüística (La lingüística social).* 442 págs.
287. M.ª Antonia Martín Zorraquino: *Las construcciones pronominales en español (Paradigma y desviaciones).* 414 págs.
288. Carlos Bousoño: *Superrealismo poético y simbolización.* 542 págs.
289. Bernd Spillner: *Lingüística y literatura.* 252 págs.
290. Franz von Kutschera: *Filosofía del lenguaje.* 410 págs.
291. Georges Mounin: *Lingüística y filosofía.* 269 págs.
292. Jean-Pierre Corneille: *La lingüística estructural. (Su proyección, sus límites).* 436 págs.

293. Wolfram Krömer: *Formas de la narración breve en las literaturas románicas hasta 1700.* 316 págs.
294. Gerhard Rohlfs: *Estudios sobre el léxico románico.* 444 págs.
295. Julio Matas: *La cuestión del género literario (Casos de las letras hispánicas).* 256 págs.
296. Ulrich Haug y Georg Rammer: *Psicología del lenguaje y teoría de la comprensión.* 278 págs.

III. MANUALES

1. Emilio Alarcos Llorach: *Fonología española.* Cuarta edición aumentada y revisada. Reimpresión. 290 págs.
2. Samuel Gili Gaya: *Elementos de fonética general.* Quinta edición corregida y ampliada. Reimpresión. 200 págs. 5 láminas.
3. Emilio Alarcos Llorach: *Gramática estructural (Según la escuela de Copenhague y con especial atención a la lengua española).* Segunda edición. Reimpresión. 132 págs.
4. Francisco López Estrada: *Introducción a la literatura medieval española.* Cuarta edición renovada. 606 págs.
6. Fernando Lázaro Carreter: *Diccionario de términos filológicos.* Tercera edición corregida. Reimpresión. 444 págs.
8. Alonso Zamora Vicente: *Dialectología española.* Segunda edición muy aumentada. Reimpresión. 588 págs. 22 mapas.
9. Pilar Vázquez Cuesta y Maria Albertina Mendes da Luz: *Gramática portuguesa.* Tercera edición corregida y aumentada. 2 vols.
10. Antonio M. Badia Margarit: *Gramática catalana.* Reimpresión. 2 vols.
11. Walter Porzig: *El mundo maravilloso del lenguaje. (Problemas, métodos y resultados de la lingüística moderna.)* Segunda edición corregida y aumentada. Reimpresión. 486 págs.
12. Heinrich Lausberg: *Lingüística románica.* Reimpresión. 2 vols.
13. André Martinet: *Elementos de lingüística general.* Segunda edición revisada. Reimpresión. 274 págs.
14. Walther von Wartburg: *Evolución y estructura de la lengua francesa.* 350 págs.
15. Heinrich Lausberg: *Manual de retórica literaria (Fundamentos de una ciencia de la literatura).* 3 vols.
16. Georges Mounin: *Historia de la lingüística (Desde los orígenes al siglo XX).* Reimpresión. 236 págs.
17. André Martinet: *La lingüística sincrónica (Estudios e investigaciones).* Reimpresión. 228 págs.
18. Bruno Migliorini: *Historia de la lengua italiana.* 2 vols. 36 láminas.
19. Louis Hjelmslev: *El lenguaje.* Segunda edición aumentada. Reimpresión. 196 págs. 1 lámina.
20. Bertil Malmberg: *Lingüística estructural y comunicación humana.* Reimpresión. 328 págs. 9 láminas.

22. Francisco Rodríguez Adrados: *Lingüística estructural*. Segunda edición revisada y aumentada. 2 vols.

23. Claude Pichois y André-M. Rousseau: *La literatura comparada*. 246 págs.

24. Francisco López Estrada: *Métrica española del siglo XX*. Reimpresión. 226 págs.

25. Rudolf Baehr: *Manual de versificación española*. Reimpresión. 444 págs.

26. H. A. Gleason, Jr.: *Introducción a la lingüística descriptiva*. Reimpresión. 770 págs.

27. A. J. Greimas: *Semántica estructural (Investigación metodológica)*. Reimpresión. 398 págs.

28. R. H. Robins: *Lingüística general (Estudio introductorio)*. Reimpresión. 488 págs.

29. Iorgu Iordan y Maria Manoliu: *Manual de lingüística románica*. Revisión, reelaboración parcial y notas por Manuel Alvar. 2 vols.

30. Roger L. Hadlich: *Gramática transformativa del español*. Reimpresión. 464 págs.

31. Nicolas Ruwet: *Introducción a la gramática generativa*. Segunda edición corregida. 514 págs.

32. Jesús-Antonio Collado: *Fundamentos de lingüística general*. Reimpresión. 308 págs.

33. Helmut Lüdtke: *Historia del léxico románico*. 336 págs.

34. Diego Catalán: *Lingüística íbero-románica (Crítica retrospectiva)*. 366 págs.

35. Claus Heeschen: *Cuestiones fundamentales de lingüística*. Con un capítulo de Volker Heeschen. 204 págs.

36. Heinrich Lausberg: *Elementos de retórica literaria (Introducción al estudio de la filología clásica, románica, inglesa y alemana)*. 278 págs.

37. Hans Arens: *La lingüística (Sus textos y su evolución desde la antigüedad hasta nuestros días)*. 2 vols.

38. Jeanne Martinet: *Claves para la semiología*. 238 págs.

39. Manuel Alvar: *El dialecto riojano*. 180 págs.

40. Georges Mounin: *La lingüística del siglo XX*. 264 págs.

41. Maurice Gross: *Modelos matemáticos en lingüística*. 246 págs.

42. Suzette Haden Elgin: *¿Qué es la lingüística?* 206 págs.

43. Oswald Szemerényi: *Introducción a la lingüística comparativa*. 432 págs.

44. Oswald Szemerényi: *Direcciones de la lingüística moderna. I. De Saussure a Bloomfield (1916-1950)*. 204 págs.

IV. TEXTOS

1. Manuel C. Díaz y Díaz: *Antología del latín vulgar*. Segunda edición aumentada y revisada. Reimpresión. 240 págs.

2. M.ª Josefa Canellada: *Antología de textos fonéticos*. Con un prólogo de Tomás Navarro. Segunda edición ampliada. 266 págs.

3. F. Sánchez Escribano y A. Porqueras Mayo: *Preceptiva dramática española del Renacimiento y el Barroco*. Segunda edición muy ampliada. 408 págs.

4. Juan Ruiz: *Libro de Buen Amor*. Edición crítica de Joan Corominas. Reimpresión. 670 págs.

6. *Todo Ben Quzmān*. Editado, interpretado, medido y explicado por Emilio García Gómez. 3 vols.

7. *Garcilaso de la Vega y sus comentaristas (Obras completas del poeta y textos íntegros de El Brocense, Herrera, Tamayo y Azara)*. Edición de Antonio Gallego Morell. Segunda edición revisada y adicionada. 700 págs. 10 láminas.

8. *Poética de Aristóteles*. Edición trilingüe. Introducción, traducción castellana, notas, apéndices e índice analítico por Valentín García Yebra. 542 págs.

9. Maxime Chevalier: *Cuentecillos tradicionales en la España del Siglo de Oro*. 426 págs.

10. Stephen Reckert: *Gil Vicente: Espíritu y letra (Estudio)*. 484 págs.

11. Ralph de Gorog y Lisa S. de Gorog: *Concordancias del «Arcipreste de Talavera»*. 430 págs.

12. Pero López de Ayala: *«Libro de poemas» o «Rimado de Palacio»*. Edición crítica, introducción y notas de Michel Garcia. 2 vols.

13. Gonzalo de Berceo: *El libro de Alixandre*. Reconstrucción crítica de Dana Arthur Nelson. 794 págs.

V. DICCIONARIOS

1. Joan Corominas: *Diccionario crítico etimológico de la lengua castellana*. Reimpresión. 4 vols.

2. Joan Corominas: *Breve diccionario etimológico de la lengua castellana*. Tercera edición muy revisada y mejorada. Reimpresión. 628 págs.

3. *Diccionario de Autoridades*. Edición facsímil. 3 vols.

4. Ricardo J. Alfaro: *Diccionario de anglicismos*. Recomendado por el «Primer Congreso de Academias de la Lengua Española».

5. María Moliner: *Diccionario de uso del español*. Premio «Lorenzo Nieto López» de la Real Academia Española, otorgado por vez primera a la autora de esta obra. Reimpresión. 2 vols.

6. P. P. Rogers y F. A. Lapuente: *Diccionario de seudónimos literarios españoles, con algunas iniciales*. 610 págs.

VI. ANTOLOGÍA HISPÁNICA

2. Julio Camba: *Mis páginas mejores.* Reimpresión. 254 págs.
3. Dámaso Alonso y José M. Blecua: *Antología de la poesía española. Lírica de tipo tradicional.* Segunda edición. Reimpresión. LXXXVI + 266 págs.
6. Vicente Aleixandre: *Mis poemas mejores.* Quinta edición. 406 páginas.
9. José M. Blecua: *Floresta de lírica española.* Tercera edición aumentada. 2 vols.
12. José Luis Cano: *Antología de la nueva poesía española.* Cuarta edición. 438 págs.
13. Juan Ramón Jiménez: *Pájinas escojidas (Prosa).* Reimpresión. 246 págs.
14. Juan Ramón Jiménez: *Pájinas escojidas (Verso).* Reimpresión. 238 págs.
15. Juan Antonio Zunzunegui: *Mis páginas preferidas.* 354 págs.
16. Francisco García Pavón: *Antología de cuentistas españoles contemporáneos.* Tercera edición. 478 págs.
17. Dámaso Alonso: *Góngora y el «Polifemo».* Sexta edición ampliada. 3 vols.
21. Juan Bautista Avalle-Arce: *El inca Garcilaso en sus «Comentarios» (Antología vivida).* Reimpresión. 282 págs.
23. Jorge Guillén: *Selección de poemas.* Tercera edición aumentada. 482 páginas.
28. Dámaso Alonso: *Poemas escogidos.* 212 págs.
29. Gerardo Diego: *Versos escogidos.* 394 págs.
30. Ricardo Arias y Arias: *La poesía de los goliardos.* 316 págs.
31. Ramón J. Sender: *Páginas escogidas.* Selección y notas introductorias por Marcelino C. Peñuelas. 344 págs.
32. Manuel Mantero: *Los derechos del hombre en la poesía hispánica contemporánea.* 536 págs.
33. Germán Arciniegas: *Páginas escogidas (1932-1973).* 318 págs.
34. Paul Verdevoye: *Antología de la narrativa hispanoamericana (1940-1970).* 2 vols.

VII. CAMPO ABIERTO

1. Alonso Zamora Vicente: *Lope de Vega (Su vida y su obra).* Segunda edición. 288 págs.
2. Enrique Moreno Báez: *Nosotros y nuestros clásicos.* Segunda edición corregida. 180 págs.
3. Dámaso Alonso: *Cuatro poetas españoles (Garcilaso - Góngora - Maragall - Antonio Machado).* 190 págs.

6. Dámaso Alonso: *Del Siglo de Oro a este siglo de siglas (Notas y artículos a través de 350 años de letras españolas)*. Segunda edición. 294 págs. 3 láminas.

10. Mariano Baquero Goyanes: *Perspectivismo y contraste (De Cadalso a Pérez de Ayala)*. 246 págs.

11. Luis Alberto Sánchez: *Escritores representativos de América*. Primera serie. Tercera edición. 3 vols.

12. Ricardo Gullón: *Direcciones del modernismo*. Segunda edición aumentada. 274 págs.

13. Luis Alberto Sánchez: *Escritores representativos de América*. Segunda serie. Reimpresión. 3 vols.

14. Dámaso Alonso: *De los siglos oscuros al de Oro (Notas y artículos a través de 700 años de letras españolas)*. Segunda edición. Reimpresión. 294 págs.

18. Ángel del Río: *Estudios sobre literatura contemporánea española*. Reimpresión. 324 págs.

19. Gonzalo Sobejano: *Forma literaria y sensibilidad social (Mateo Alemán, Galdós, Clarín, el 98 y Valle-Inclán)*. 250 págs.

20. Arturo Serrano Plaja: *Realismo «mágico» en Cervantes («Don Quijote» visto desde «Tom Sawyer» y «El Idiota»)*. 240 págs.

22. Guillermo de Torre: *Del 98 al Barroco*. 452 págs.

23. Ricardo Gullón: *La invención del 98 y otros ensayos*. 200 págs.

24. Francisco Ynduráin: *Clásicos modernos (Estudios de crítica literaria)*. 224 págs.

26. José Manuel Blecua: *Sobre poesía de la Edad de Oro (Ensayos y notas eruditas)*. 310 págs.

28. Federico Sopeña Ibáñez: *Arte y sociedad en Galdós*. 182 págs.

29. Manuel García-Viñó: *Mundo y trasmundo de las leyendas de Bécquer*. 300 págs.

30. José Agustín Balseiro: *Expresión de Hispanoamérica*. Prólogo de Francisco Monterde. Segunda edición revisada. 2 vols.

31. José Juan Arrom: *Certidumbre de América (Estudios de letras, folklore y cultura)*. Segunda edición ampliada. 230 págs.

32. Vicente Ramos: *Miguel Hernández*. 378 págs.

33. Hugo Rodríguez-Alcalá: *Narrativa hispanoamericana. Güiraldes - Carpentier - Roa Bastos - Rulfo (Estudios sobre invención y sentido)*. 218 págs.

34. Luis Alberto Sánchez: *Escritores representativos de América*. Tercera serie. 3 vols.

35. Manuel Alvar: *Visión en claridad (Estudios sobre «Cántico»)*. 238 págs.

36. Jaime Alazraki: *Versiones. Inversiones. Reversiones (El espejo como modelo estructural del relato en los cuentos de Borges)*. 156 págs.

VIII. DOCUMENTOS

2. José Martí: *Epistolario (Antología)*. Introducción, selección, comentarios y notas por Manuel Pedro González. 648 págs.

IX. FACSÍMILES

1. Bartolomé José Gallardo: *Ensayo de una biblioteca española de libros raros y curiosos*. 4 vols.
2. Cayetano Alberto de la Barrera y Leirado: *Catálogo bibliográfico y biográfico del teatro antiguo español, desde sus orígenes hasta mediados del siglo XVIII*. XIII + 728 págs.
3. Juan Sempere y Guarinos: *Ensayo de una biblioteca española de los mejores escritores del reynado de Carlos III*. 3 vols.
4. José Amador de los Ríos: *Historia crítica de la literatura española*. 7 vols.
5. Julio Cejador y Frauca: *Historia de la lengua y literatura castellana (Comprendidos los autores hispanoamericanos)*. 7 vols.

OBRAS DE OTRAS COLECCIONES

Dámaso Alonso: *Obras completas.*
Tomo I: *Estudios lingüísticos peninsulares.* 706 págs.
Tomo II: *Estudios y ensayos sobre literatura.* Primera parte: *Desde los orígenes románicos hasta finales del siglo XVI.* 1.090 págs.
Tomo III: *Estudios y ensayos sobre literatura.* Segunda parte: *Finales del siglo XVI, y siglo XVII.* 1.008 págs.
Tomo IV: *Estudios y ensayos sobre literatura.* Tercera parte: *Ensayos sobre literatura contemporánea.* 1.010 págs.
Tomo V: *Góngora y el gongorismo.* 792 págs.
Homenaje Universitario a Dámaso Alonso. Reunido por los estudiantes de Filología Románica. 358 págs.
Homenaje a Casalduero. 510 págs.
Homenaje a Antonio Tovar. 470 págs.
Studia Hispanica in Honoren R. Lapesa. Vol. I: 622 págs. Vol II: 634 págs. Vol III: 542 págs. 16 láminas.
Juan Luis Alborg: *Historia de la literatura española.*
Tomo I: *Edad Media y Renacimiento.* 2.ª edición. Reimpresión. 1.082 págs.
Tomo II: *Época Barroca.* 2.ª edición. Reimpresión. 996 págs.
Tomo III: *El siglo XVIII.* Reimpresión. 980 págs.